## LA RÉVOLTE DES NONNES

*Née dans le Poitou, Rég... u-*
*tions religieuses. Très tô... n.*
*Tour à tour libraire, re... et*
*écrivain, sa volonté de ... s*
*déboires. Elle est en 68 l... e-*
*mier ouvrage qui paraît, ... s*
*après la publication.*
*En 1974 elle publie un ...atalogue d'ouvrages anciens :* Les Femmes avant 1960 *et, en 1975, ses entretiens avec l'auteur d'*Histoire d'O : O m'a dit. *En 1976 paraît son premier roman,* Blanche et Lucie, *l'histoire de sa grand-mère, suivi du* Cahier volé *puis en 1982, des* Enfants de Blanche, La Bicyclette bleue *et* Léa au pays des Dragons. *Première œuvre érotique,* Les Contes pervers, *est écrite et réalisée au cinéma en 1980, avec succès. La même année, Régine Deforges publie* La Révolte des Nonnes, *roman historique.*

En route vers Poitiers, en 576, un paysan gaulois, Romulf, traverse une forêt dans un chariot tiré par des bœufs. Au lieu-dit de La Pierre Levée, alerté par un éclat de rire enfantin, il découvre un bébé de deux ans, couché entre les pattes d'une louve et jouant avec ses louveteaux. Les cheveux de l'enfant sont retenus par un bandeau de fils d'or. Au fond de la caverne sont allongés deux cadavres de femmes richement vêtues et ornées de pierres précieuses. Assommant la louve avec sa fronde, Romulf enlève le bébé et le conduit au couvent de Sainte-Croix que dirige la reine Radegonde. Un des louveteaux les suit. Après la chaleur d'une louve, la tendresse et l'intelligence d'une pieuse femme veillent sur Vanda. Est-elle la fille d'un roi slave ? Personne ne le sait. L'enfant est partagée entre les hommes et les loups. Les premiers l'accusent de sorcellerie, violent et tuent, les seconds rôdent autour d'elle et la défendent en déchiquetant ses agresseurs. Fresque sanglante de la Gaule en 589, le récit de la révolte des nonnes est tiré des archives de l'époque. Prière et sainteté, débauche sexuelle et cruauté mais aussi tendresse et amour sont les multiples facettes de cette épopée dont l'héroïne n'est pas une femme comme les autres. Seule la découverte de sa terrible ascendance permet de comprendre sa force et son goût passionné de la liberté.

*Paru dans Le Livre de Poche :*

RÉGINE DEFORGES

# *La Révolte des nonnes*

*POITIERS 589*

ROMAN

LA TABLE RONDE

*A Pierre WIAZEMSKY*

LA LISTE DES PERSONNAGES FICTIFS OU RÉELS
CITÉS DANS CE LIVRE se trouve en page 331.

# TABLEAU DYNASTIQUE

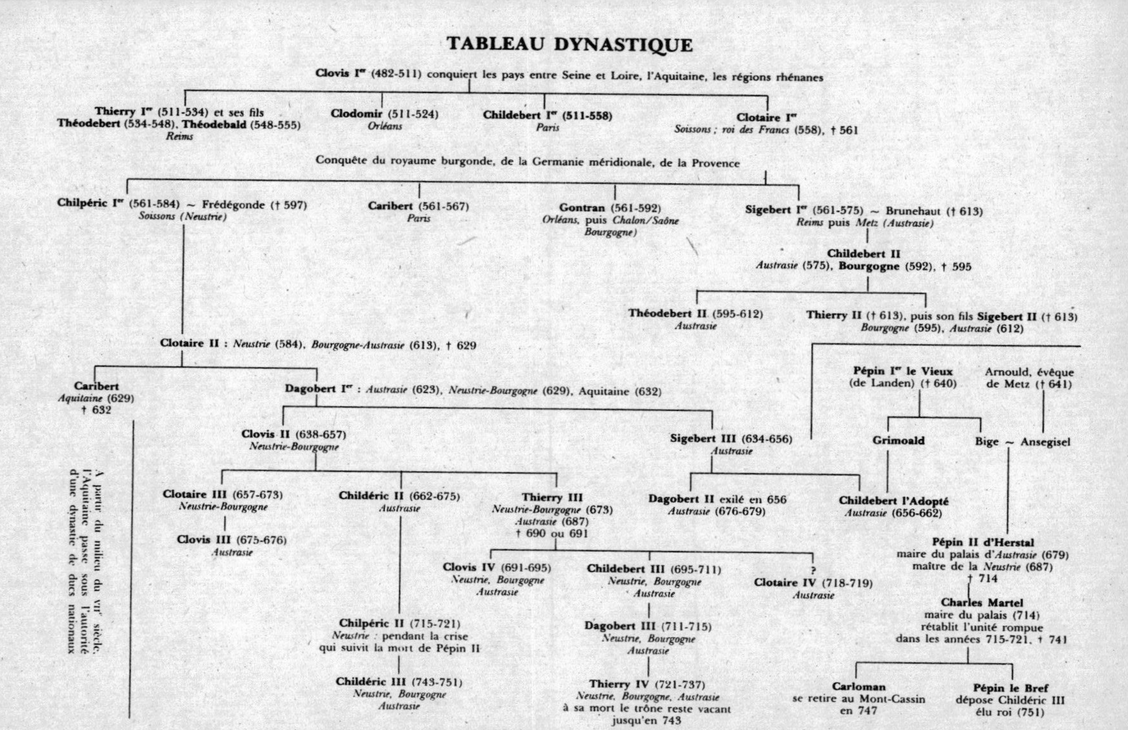

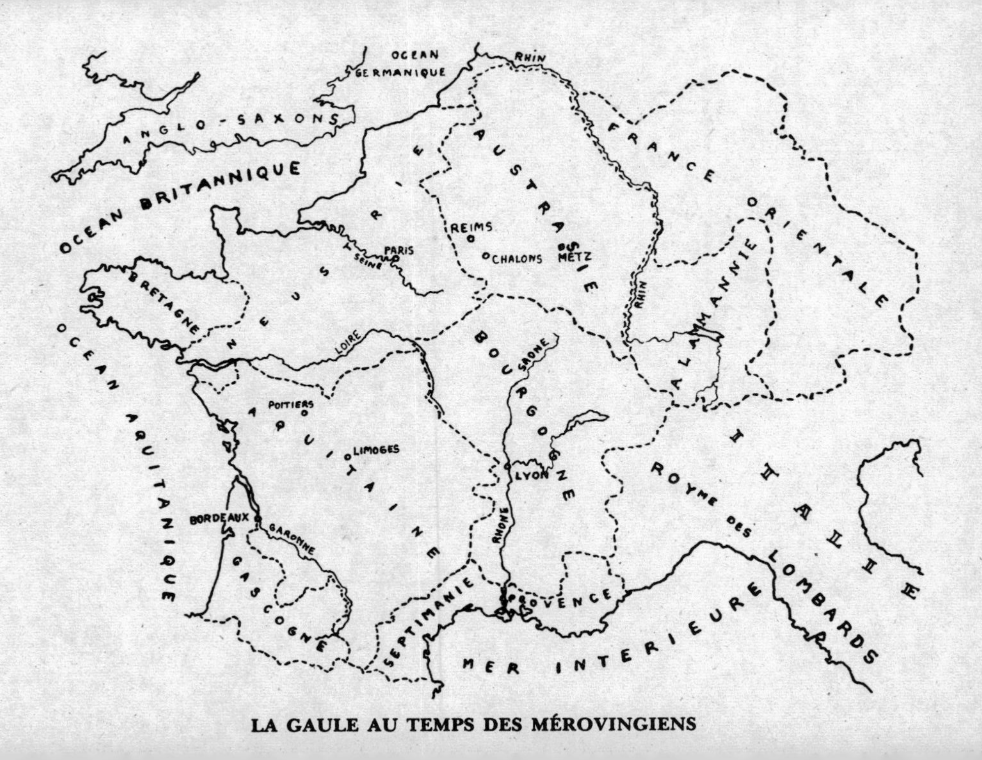


LA GAULE AU TEMPS DES MÉROVINGIENS

## CHAPITRE PREMIER

# LA PIERRE LEVÉE, LE 5 DÉCEMBRE 576

PAR une belle fin de matinée de l'hiver 576, le roulement d'un chariot troubla l'air glacé de la forêt. Il apparut au détour du chemin, tiré par deux énormes bœufs roux, auréolés de la buée qui sortait de leurs naseaux. Un homme portant l'aiguillon, vêtu de peaux de bête, les jambes entourées de chiffons maintenus par des lacets de cuir, les pieds dans des sabots les précédait. A chaque pas, il s'enfonçait profondément dans la neige qui avait effacé toutes traces. Sa démarche était celle d'un homme qui aurait regardé Toranis le tonnerre personnifié. Sa tête aux cheveux courts était inclinée sur sa poitrine. Il marchait comme marchent les êtres tirés de la nuit du tombeau.

Assis dans le chariot, affaissé sur lui-même, un autre homme enveloppé d'un manteau de peaux de chèvre, dormait.

Depuis quelques instants, tout en continuant d'avancer, les bœufs donnaient des signes d'inquiétude. Tout à coup, au milieu d'une clairière inondée de soleil, ils s'arrêtèrent brusquement, comme si, devant eux, s'était dressé un mur invisible. Seule la vapeur montant de leurs corps leur donnait une apparence de vie. L'homme à l'aiguillon continua sa route sans avoir rien vu. Le froid et l'immobilité réveillèrent Romulf qui jeta un regard étonné autour de lui. Il ne reconnaissait plus la voie romaine qui conduisait à Poitiers. Durant son sommeil, l'esclave et les bœufs avaient dû s'écarter du chemin. Cela ne leur ressemblait guère. Ils connaissaient cette route aussi bien, sinon mieux, que leur maître. Soudain, dans le silence rendu plus intense par l'épaisse couche de neige, éclata le rire d'un petit enfant.

C'était si inattendu, au milieu de cette blancheur froide, dans cette clairière où le moindre buisson, le plus petit brin d'herbe, habillés de givre, avaient les reflets irréels du diamant, que Romulf crut qu'il dormait encore et que dans son rêve un petit enfant vagissait. Mais le bruit joli reprit accompagné cette fois de pleurs et de grognements. L'homme frissonna. Les bœufs, agités de tremblements, poussèrent un meuglement sourd.

Le rire continuait, ponctué de petits cris de plaisir et de cette sorte de jappement qu'un homme des bois ne peut entendre sans crainte. Malgré son courage, Romulf regretta d'avoir laissé son frère Albin dans la ferme aux murs épais. A n'en pas douter, tout près de là, un enfant et des loups... Il regarda autour de lui, cherchant l'esclave Ursus, n'osant appeler de peur d'alerter la meute. Malgré sa taille et sa corpulence, il sauta du chariot avec agilité et s'enfonça dans la neige jusqu'aux genoux. Il sortit de sa ceinture le scramasaxe tranchant que lui avait donné l'intendant Ragnacaire en échange d'un tonnelet d'eau-de-vie et s'avança dans la direction du rire. Au bout de quelques pas, il reconnut l'endroit... Tout en marchant, il fit une brève prière à saint Hilaire. Ce rire, dans un lieu pareil, ce ne pouvait être que le diable ou, pire encore, un des nombreux dieux gaulois, revenu dans cette clairière où depuis la nuit des temps se réunissaient les druides pour adorer Hésus et lui offrir des sacrifices.

Devant lui se dressait ce que les habitants de la région appelaient « la Pierre levée ».

Souvent, enfant, il était venu jouer là avec les garnements de son âge malgré les interdictions des parents et des prêtres. Pour les gamins, cette pierre levée n'était qu'un formidable abri où il faisait bon se reposer après la course ou la chasse. Pour l'heure, Romulf n'était plus un gamin, mais un homme dans la force de l'âge, qui savait qu'on ne plaisante pas avec les choses de la religion, qu'elle soit chrétienne ou païenne. La Pierre levée n'eût pas suffi à elle seule à l'effrayer, mais ce qu'il y vit le fit frémir. Parmi six louveteaux d'une portée tardive et leur mère, jeune femelle aux longs poils noirs, jouait un bébé qui ne devait pas avoir deux ans. Il se roulait sur la louve qui lui léchait le visage et le rejetait doucement vers ses petits. Les mains de l'enfant agrippaient les museaux, les oreilles, les queues; les petits doigts forçaient les gueules, plongeaient dans les pelages. Un moment, il enserra entre ses bras le cou de la louve qui grogna de plaisir en s'allongeant sur le flanc. Les louveteaux se précipitèrent sur les tétines gonflées de lait. Le bébé trébucha sur un long manteau de mouton et tomba sur le ventre de la bête qui, de la patte, attira la petite tête contre elle. Romulf vit ce spectacle étonnant d'un petit homme allaité par une louve. Un sentiment qui ressemblait à de la gratitude envers le féroce animal, l'envahit en même temps que l'angoisse d'être témoin d'une chose qu'un chrétien ne devait pas voir. Tout à son travail nourricier, la louve ne s'était pas aperçue de sa présence. Il sortit d'une poche la fronde qui ne le quittait jamais. Il n'avait sur lui que des cailloux réservés à abattre des oiseaux ou des écureuils, mais incapables de tuer un loup. Il choisit le plus gros et fit tournoyer sa fronde. Le projectile atteignit l'animal entre les deux yeux. Lentement sa tête s'affaissa, puis son corps roula. Dans le mouvement, les tétines échappèrent à l'enfant et aux louveteaux qui firent entendre divers cris et grognements d'indignation. Très vite, ils se turent ayant retrouvé la source chaude.

Brandissant son couteau, Romulf bondit et arracha le bébé des mamelles de la bête. Celle-ci ne bougea pas. Il fut tenté de la tuer ainsi que ses petits mais pensa confusément que ce serait péché que de punir une mère, même louve, d'avoir donné son lait à un enfant étranger à sa race. Il allait repartir en courant vers son chariot, quand il vit briller quelque chose vers le fond de la tanière. Tenant contre lui l'enfant qui hurlait et se débattait, il se baissa et s'avança. Le sol était sec, tapissé de sable et de brindilles. Son pied glissa. Il s'accroupit et souleva une lourde chevelure noire. Une femme jeune, le visage et les mains déchiquetés par les crocs des loups, gisait au milieu d'une tache sombre. Ses vêtements déchirés avaient dû être de belle qualité : sa robe et ses chaussures étaient doublées de fourrure. Son long manteau de laine noire était retenu par une broche aux belles ciselures. Un bandeau doré avait glissé de sa tête. Dans une bourse accrochée à sa ceinture richement ornée, Romulf trouva des pierres de différentes couleurs, des pièces d'or aux effigies à demi effacées, un morceau de parchemin recouvert de signes, un anneau et une curieuse statuette d'ivoire; près de sa main, une médaille d'or. C'était elle que Romulf avait vue briller. Il la ramassa et la mit avec le bandeau dans la bourse qu'il attacha à sa ceinture. Un peu plus loin, il trouva un autre corps, celui d'une forte femme plus âgée, habillée simplement. Ses mains où certains doigts manquaient, le désordre de ses vêtements attestaient de sa lutte. L'affreuse plaie qu'elle portait au cou ressemblait à une bouche menaçante. Soudain, Romulf crut entendre bouger à l'extérieur de la Pierre levée. Il sortit précipitamment, l'enfant contre lui. Rien... il n'y avait rien, que le blanc silence de la forêt à peine troublé par le souffle des bœufs et quelques traces de pas à moitié recouvertes de neige. Il fit le tour de l'antique monument, regarda attentivement autour de lui. Rien, pas d'autres traces, ni de pas, ni de chariot. A plusieurs reprises, il appela Ursus, mais l'esclave ne répondait pas. Avait-il été, lui aussi, victime des loups? Les louveteaux, repus, sautillaient autour de lui, mordillant ses chausses. Le bébé s'agitait tellement, qu'il échappa des bras de Romulf et roula dans la neige en riant. Les animaux se précipitèrent sur lui et reprirent leurs jeux. Les yeux de l'enfant brillaient de plaisir, ses joues, rougies, luisaient. Il frappait ses petites mains l'une contre l'autre apparemment insensible au froid. Malgré ses cris, Romulf l'arracha à ses compagnons qui, n'acceptant pas de perdre un si bon camarade de jeux, les suivirent en gambadant. Il installa le bébé dans son chariot et le recouvrit de peaux de bêtes. Sans doute heureux d'être au chaud, il s'arrêta de crier, sourit, mit son petit poing dans sa bouche et s'endormit au grand soulagement de Romulf. Il retourna vers l'édifice gaulois suivi des louveteaux qui malgré ses coups de pied s'attachaient à ses pas, et soulevant le corps mutilé de la femme brune, l'emporta dans le chariot, fit de même pour la grosse femme. La louve n'avait pas bougé. Cinq petits se remirent à téter.

Le soleil avait disparu. Le ciel s'assombrissait et annonçait la venue de la neige, la nuit n'allait pas tarder à tomber. Il fallait sortir vite de la forêt, reprendre la bonne route et faire diligence pour arriver à Poitiers avant que la porte du Gué ne fût fermée. L'homme se mit à la tête de l'attelage et du geste et de la voix fit avancer les bœufs.

Le lourd véhicule et son lugubre chargement s'ébranlèrent doucement.

Romulf n'eut pas à heurter longtemps le haut portail du monastère Sainte-Croix. A travers le judas, il vit apparaître la bonne tête de Tranquille, l'esclave préposée à la porterie. Le judas se referma et la porte s'ouvrit sans bruit.

« Enfin te voilà, maître Romulf. Notre intendante Glodosinde ne cesse de réclamer après toi. »

Chaque fois que Romulf voyait Glodosinde, une formidable envie de rire le prenait. On aurait dit un énorme paquet de chiffons blancs dans lequel eût été enfermée une portée de chiots tant elle s'agitait en parlant et en marchant. Son menton s'ornait de longs poils noirs et sa voix était pareille au tonnerre. Malgré sa grosse voix, son franc-parler et sa démarche ridicule, c'était la meilleure personne du monde.

« Eh bien, ami Romulf, tu es en retard, nous t'attendions entre sexte et none[1]. Sans doute t'es-tu arrêté en route pour goûter le vin de nos tonneaux. N'as-tu pas honte de dérober ainsi le vin des filles de Dieu?

– Bonne mère, tu ferais mieux de demander aux servantes d'ouvrir grand la porte afin que je puisse faire entrer le chargement. »

Tandis qu'il parlait, les deux battants s'écartèrent. Le chariot pénétra dans la cour et s'arrêta au pied de la tour romaine.

« J'ai fait triste rencontre dans les bois, près de la Pierre levée.

1. Sixième et neuvième heure, entre midi et 3 heures de l'après-midi.

– Qu'allais-tu faire dans cet endroit maudit? grondait Glodosinde. Ce n'était pas ton chemin?

– C'est Notre Seigneur Dieu qui m'y a conduit. »

La religieuse et l'esclave firent un signe de croix. Sur un geste de Romulf, elles s'approchèrent du chariot. Elles se signèrent une nouvelle fois quand elles virent les deux mortes. D'autres femmes arrivèrent, religieuses et servantes, qui s'inclinèrent avec compassion devant les corps sans vie.

« Je les ai trouvées là-bas. J'ai pensé qu'elles devaient être ensevelies en terre chrétienne.

– Tu as bien fait, mon fils. Faites prévenir notre abbesse Agnès. »

Une jeune esclave aux jambes nues, marbrées de froid, partit en courant.

« Ce n'est pas tout. »

Romulf écarta les peaux de bêtes. Religieuses, servantes et esclaves reculèrent en criant et en se signant de plus belle. Romulf lui-même eut un mouvement de recul. Entre les bras de l'enfant endormi, s'était blotti un louveteau qui ouvrit les yeux montrant ses crocs naissants dans un formidable bâillement. Comme Romulf allait le prendre, l'enfant se réveilla à son tour et resserra son étreinte autour du petit animal qui se mit à lui lécher le visage.

« Laisse-les, ils sont si beaux ainsi. »

Les religieuses se retournèrent à la voix de leur abbesse. Elles s'inclinèrent longuement tandis que Romulf se mettait à genoux.

« Lève-toi, brave homme. Notre sainte fondatrice dit que l'on ne doit s'agenouiller que devant Dieu. Où as-tu trouvé cet enfant et ce petit chien?

– Ce n'est pas un chien, sainte abbesse, mais le petit d'une louve. »

Il raconta brièvement son histoire. Agnès s'approcha des cadavres, fit une courte prière et les bénit.

« Glodosinde, fais laver ces pauvres corps et enveloppe-les d'un linceul bien blanc. Nous les ensevelirons demain. Et toi, l'homme, donne-moi l'enfant et le petit loup puisqu'on ne peut les séparer. Je vais les conduire à notre sainte reine. Suis-moi.

– Seigneur Dieu, que cet enfant sent mauvais! Ludovine, cours faire préparer un bain, chauffer des linges. Je ne peux le montrer dans cet état. »

D'autres nonnes, averties par leurs compagnes, arrivèrent en courant, leur longs voiles blancs flottant dans la nuit. Elles battaient des mains comme des enfants, piaillant à ne plus s'entendre.

« Allons mes filles, un peu de silence. C'est Dieu qui nous envoie ce petit enfant à la veille de la naissance de son fils Jésus. Et qui nous l'envoie en compagnie du plus rusé et du plus féroce animal des forêts, comme s'il voulait que nous méditions sur l'innocence et la faiblesse de l'enfance tant humaine qu'animale. Ce louveteau est une créature de Dieu, qu'il ne lui soit fait aucun mal, lui, dont la mère a nourri ce petit d'homme comme jadis furent nourris Rémus et Romulus. »

Ce fut dans un silence tout relatif qu'elles gagnèrent les bains suivies par Romulf.

Manches relevées, robe retroussée, Famerolphe et Mélanie, toutes deux préposées aux bains, aidées de la jeune esclave Ludovine et de la vieille Placidie, l'esclave préférée de la reine Radegonde, se disputaient sur la température de l'eau.

« Je t'assure Mélanie, que cette eau est trop chaude pour un petit enfant.

– Et moi, je te dis, ma bonne Famerolphe, que tu

n'y connais rien. Il attrapera la mort si tu le plonges là-dedans. »

Sans souci de ce bavardage, Ludovine remplissait d'eau un baquet de bois tapissé d'un drap de lin, posé sur une des tables de marbre servant habituellement aux massages ou au repos des nonnes après le bain.

Une chaleur d'étuve régnait dans la salle au plafond bas, entretenue par deux larges vasques de fer, remplies de braises, que surveillaient les esclaves âgées. Des torches accrochées aux quatre coins éclairaient l'endroit.

Pareille à une poule ayant perdu ses poussins, Famerolphe allait en courant de la table à la porte, de la porte aux brasiers[1] autour desquels étaient étendus sur des supports d'ivoire des linges d'une blancheur parfaite, houspillant les esclaves, allant jusqu'à bousculer Mélanie qui se trouvait, disait-elle, toujours sur son chemin. Enfin la porte s'ouvrit et Agnès, portant toujours l'enfant et le louveteau, pénétra dans la pièce surchauffée, suivie de ses filles et de Romulf qui ne savait quelle contenance prendre. Les yeux de l'abbesse clignèrent sous les lumières vives. Son beau visage, pâli par le froid, rosit légèrement ce qui la fit paraître plus jeune. Elle tendit son fardeau à Glodosinde.

« Cet enfant et cet animal sont plus lourds qu'il n'y paraît. »

Le bébé poussa des hurlements quand Ludovine retira d'entre ses bras le petit loup qui, retroussant ses babines, gronda en montrant les dents. Il se calma quand Ludovine lui plongea le museau dans une écuelle de lait tiède. Oubliant les cris de l'enfant, toutes les femmes regardèrent en souriant cette douce boule de poils qui, par la suite, deviendrait si féroce à l'homme.

1. Braseros.

Ce n'étaient plus des pleurs, mais une violente colère qui agitait maintenant l'enfant. Placidie le prit des mains de Glodosinde et commença à le déshabiller sur la table recouverte de linges chauds. Toutes les nonnes l'entourèrent dans un silence attentif. Glodosinde dénoua les liens qui fermaient le manteau de mouton. Dépouillé de l'épais et chaud vêtement, il parut plus petit, provoquant chez ces recluses des murmures attendris. Quand fut retiré le bonnet de laine et qu'apparurent les fins cheveux blonds et bouclés, des femmes s'exclamèrent :

« Quels beaux cheveux!

– Vois, Clotilde, comme ils sont doux.

– Regarde, il y a un ruban d'or emmêlé dans ses boucles. »

Agnès le prit et, songeuse, tout en continuant à regarder l'enfant, le fit tourner entre ses longs doigts.

Placidie eut quelque peine à retirer la robe souillée d'excréments, tant le bébé gesticulait. Elle coupa les bandes qui enveloppaient les pieds et les jambes ainsi que la fine chemise et les linges de lin. Le petit corps était si sale qu'elle le plongea instantanément dans l'eau. L'enfant se tut, resta un long moment immobile, savourant la tiédeur du bain, puis ses petites mains s'agitèrent, éclaboussant les femmes penchées sur lui. Elles reculèrent en riant. Placidie lui lava les cheveux et le corps avec un liquide vert dont le parfum rappelait celui des sous-bois au printemps et dont elle gardait secrète la composition.

« Ludovine, prépare le linge pour l'envelopper. »

Elle le retira de l'eau et le corps mignon apparut rose et ruisselant.

« C'est une fille!... s'exclamèrent en chœur les religieuses, battant des mains de contentement. A ce moment, Agnès remarqua un cordon accroché à son cou, au bout duquel pendait une curieuse pierre d'un bleu profond, grossièrement ciselée. Ludovine frictionna la petite fille avec vigueur, démêla les boucles et, la mettant debout, se recula pour mieux admirer le résultat de son travail. Il était difficile de trouver une enfant plus jolie que celle-là, solidement campée sur ses jambes bien droites aux pieds mignons. La peau, rosie par la chaleur du bain, paraissait tendre et fragile, car le moindre attouchement s'y marquait. Le corps était tout à la fois rond et fin, au sexe joliment fendu, au nombril délicat, aux fesses douces et fermes. Toutes s'extasiaient devant les bras gracieux, les mains aux doigts longs, aux minuscules ongles rosés, le cou menu portant la plus ravissante tête que l'on puisse imaginer, la bouche et le nez petits, les joues rondes creusées de fossettes, les oreilles délicatement ourlées, le front haut, à moitié recouvert par des cheveux d'un blond chaud paraissant presque roux sous les lumières dansantes. Sous des sourcils bien dessinés, abrités par des cils d'une incroyable longueur, les yeux étonnaient. Très écartés du nez, aux pupilles presque ovales et dont la couleur semblait hésiter entre le vert et le gris du ciel d'un soir d'orage, selon l'humeur de leur propriétaire.

Suçant ses doigts, l'enfant regardait, sans émotion, ces visages inconnus, rougis par la chaleur du lieu. Elle frissonna et pissa debout sans se soucier des éclats de rire. Soudain, elle poussa des cris en désignant le louveteau endormi près de la cheminée. Sans la bonne Placidie, elle fût tombée de la table en voulant aller le chercher. Ludovine le ramassa et le lui tendit. La petite fille l'arracha avec une force étonnante des mains de la jeune esclave et le serra contre elle avec ravissement. Réveillé, l'animal lui fit fête à sa façon en lui mordillant le cou et en lui léchant le visage.

« Enveloppe-la chaudement et suis-moi », dit l'abbesse à Ludovine.

Romulf qui s'était tenu immobile dans un coin s'écarta en s'inclinant sur son passage.

« Suis-moi, toi aussi. Quel est ton nom? A qui appartiens-tu?

– Romulf, sainte abbesse, Romulf le Fort, dit-il, redressant sa haute taille avec fierté. Je suis homme libre et propriétaire de ma terre avec mon jeune frère Albin. L'hiver, comme la terre dort, je transporte du vin ou du fourrage pour les bons moines de Ligugé, ou pour Mgr l'Evêque ou pour le monastère quand Glodosinde m'en fait la demande. »

Agnès suivie de Romulf et de Ludovine portant l'enfant et le louveteau traversa un petit cloître et pénétra dans une longue salle aux voûtes recouvertes de mosaïques bleues d'où se détachaient les astres du ciel et des animaux fabuleux que la lueur des flammes semblait animer. Romulf regardait autour de lui avec crainte, s'attendant à chaque pas, à voir fondre sur lui une de ces terribles figures. Ils descendirent quelques marches et se retrouvèrent au centre de la salle devant le feu dont la fumée s'échappait par une ouverture faite au milieu de la voûte. Cela rappela à Romulf sa propre demeure à l'unique pièce au sol de terre battue qui avait en son centre un foyer autour duquel, avec quelques amis, gaulois, hommes libres comme lui, il aimait à s'asseoir, mangeant des châtaignes cuites sous la cendre, buvant de la bière, écoutant les plus âgés raconter des histoires de la Gaule avant que les Romains, et maintenant les Francs, en soient les maîtres et n'en aient fait un pays apeuré. Certains se souvenaient des récits qu'un père ou un aïeul faisaient de la grande bagauderie, qui avait causé tant de morts dans cette île près de Paris, chez ceux qui préféraient la révolte au lent pourrissement des affamés et des opprimés. Il aimait aussi le calme des longues soirées d'hiver passées avec Albin qui jouait si bien de la flûte, tandis qu'il réparait, à la lueur du feu, un outil ou taillait dans une souple et solide peau de buffle des carbatines que lui prenait un marchand de Poitiers en échange de tissus, d'armes, d'ustensiles de ménage ou de sel. Il était devenu très habile à ce travail et n'arrivait pas à satisfaire toutes les demandes du marchand. Il choisissait dans la peau une partie sans le moindre défaut, au grain serré. Pour l'hiver, il doublait ses chaussures de fourrure de civette ce qui les rendait extrêmement confortables. Elles étaient suffisamment montantes et bien maintenues par des lacets de cuir de chèvre pour garder les pieds à l'abri de l'eau et de la neige. Quelquefois, il abandonnait son travail et restait de longs moments à regarder se tordre les flammes où se réchauffaient son corps et son âme.

Agnès poussa une porte basse de bois sombre. Là encore, dans le fond de la pièce qui ne paraissait pas très vaste, brûlait un grand feu. De chaque côté du foyer étaient assis dans des sièges à haut dossier, une religieuse, portant un voile ceint d'une mince couronne d'or et un moine à la tête nue et rasée.

« Entre, belle Agnès, je me languissais de toi. Tu vas peut-être pouvoir nous départager, toi, qui es si sage. Fortunat s'obstine à vouloir écrire un livre sur moi, misérable créature parmi les plus misérables, alors que je lui dis qu'il serait plus édifiant pour les hommes à venir qu'il écrive une vie de saint Martin ou du bon saint Hilaire, dit Radegonde.

– Mais, ma reine, je peux très bien écrire une vie de saint Martin de Tours et une vie de la sainte fondatrice de notre monastère qui a préféré Dieu à la gloire.

– Mon bon ami, je n'y ai aucun mérite, c'est Dieu

qui m'a appelée à lui et ordonné à mon époux, le roi Clotaire, de respecter son appel.

– En vérité, Dieu est grand mais vous n'êtes pas sans grandeur non plus. Croyez-vous que je ne sache pas ce que vous souffrez dans votre corps pour l'amour de lui? »

La reine se leva avec un mouvement agacé.

« Je t'ai déjà dit que je ne voulais pas que nous parlions de ces choses-là.

– Mais enfin, Radegonde, il y a votre santé et je ne veux pas...

– Ce n'est pas à toi de vouloir, Fortunat, mais à Dieu. Plus un mot là-dessus. »

A ce moment, elle s'aperçut qu'Agnès, souriante et amusée par cette dispute presque quotidienne entre le chapelain-poète et la reine-religieuse, n'était pas seule.

« Que nous amènes-tu là, ma sœur? »

Agnès prit des bras de Ludovine, la petite et son loup et les posa à terre sur les peaux d'ours devant la cheminée. Les linges glissèrent découvrant la nudité de l'enfant. Fortunat se leva lentement, et, tous les trois debout, immobiles dans leur robe de laine blanche, la regardèrent en silence. L'enfant se laissa examiner sans un geste, sans un murmure, le regard fier et sérieux, maintenant contre son ventre le petit animal.

La reine se baissa et s'agenouilla pour être à sa hauteur. Ses doigts caressèrent les boucles, le joli visage. La petite se laissait faire avec un sourire de contentement. Une larme glissa le long de la joue pâlie et amaigrie de Radegonde. A son tour, Fortunat se pencha malgré son embonpoint dû à l'abus des bonnes chères, admirant l'enfant.

« Tant de beauté et de grâce mérite un poème.

– Agnès, veux-tu m'expliquer d'où vient cette jolie créature de Dieu? »

L'abbesse raconta ce que lui avait dit Romulf.

Celui-ci était tombé à genoux dès qu'il avait reconnu la reine. Quand cette dernière lui fit signe d'approcher, il n'osa pas se relever et avança sur les genoux comme le faisaient certains pénitents.

« N'aie crainte, brave homme. Est-ce bien ainsi que tu as trouvé l'enfant? »

Romulf acquiesça, puis, se frappant le front, il détacha de sa ceinture la bourse trouvée sur la morte aux longs cheveux noirs.

« Sainte reine, pardonne-moi, j'oubliais ceci. »

Radegonde se releva aidée par l'abbesse, prit la bourse que lui tendait l'homme. Elle défit les cordons de cuir et renversa le contenu sur la table encombrée de livres et de rouleaux de papyrus recouverts de l'élégante écriture de Fortunat. Les pièces d'or, les sous d'argent, les pierres de couleur, la médaille, la statuette, l'anneau, le morceau de parchemin et le bandeau d'or roulèrent sur le tapis de soie.

« Regarde, Fortunat, la beauté et la grosseur de ce rubis... ces émeraudes sont plus belles que celles qui ornaient la couronne du roi le jour de notre mariage... et ces saphirs, ces topazes, c'est la dot d'une princesse! D'où viennent ces monnaies, cet anneau? Peut-être ce manuscrit nous donnera-t-il une indication sur le lieu d'origine de cette enfant? Qu'en pense notre ami qui a beaucoup voyagé? »

Fortunat ne répondit pas, tout absorbé par le désir de comprendre ce qui était écrit sur le morceau de parchemin.

« Cela est curieux, je ne connais pas cette écriture bien qu'elle me rappelle certaines inscriptions que j'ai vues sur des boucliers ayant appartenu à des guerriers khazars[1]. »

La reine prit le parchemin que lui tendait son chapelain.

1. Ou Klazares, peuple scythe de l'Europe orientale.

« Cela rappelle aussi les signes dont se servent les Avars. Chez mon père, le roi Berthaire, j'ai vu des écritures qui ressemblaient à celle-ci. Regarde, par trois fois revient ce mot. Que lis-tu? »

Fortunat se pencha par-dessus l'épaule de Radegonde.

« Oui, c'est exact : Vanda... Vanda... Vanda... J'ai connu à Rome une prisonnière de haut rang qui s'appelait Vanda. Elle faisait partie d'un butin pris aux Avars. C'est sans doute le nom de cet enfant. Viens ici, petite Vanda », dit-il en la soulevant dans ses bras.

En entendant ce nom, le visage de la petite devint attentif et, portant ses mains à sa poitrine, à deux reprises elle dit :

« Vanda... Vanda...

– Cette enfant est certainement de noble origine, dit Agnès en montrant à la reine le lacet d'or trouvé dans les cheveux du bébé. Son linge fin, les pierreries de la bourse, la pierre qu'elle porte au cou, le prouvent. Pauvre petite, peut-être est-elle reine.

– Ma bonne Agnès, ce n'est pas ce que je lui souhaite. Etre reine n'est pas dans ce monde une situation si enviable puisqu'elle risque de nous faire perdre notre place dans le royaume de Dieu. Rappelle-toi cette parole de Notre Seigneur : « Il est « plus difficile à un riche d'entrer dans le royaume « de mon Père, qu'à un chameau de passer dans « le chas d'une aiguille. » Fortunat, qu'allons-nous faire d'elle? »

Dans le silence qui suivit, on entendait seulement le crépitement du feu. Même Vanda et son loup qui avaient repris leurs jeux sur les peaux d'ours, se turent. Ce fut Romulf qui rompit le silence.

« Sainte reine, avec ta permission, je veux bien me charger de l'enfant. Je prendrai femme s'il le faut, pour qu'elle ne manque de rien.

– Tu es un brave homme et tu nous donnes

l'exemple, toi, le plus pauvre d'entre nous. Ne prends pas femme sans amour, tu ne serais pas heureux et elle non plus. Agnès, notre règle interdit que nous soyons parrain et marraine, mais, ne peut-on faire une exception dans un cas comme celui-ci?

– Je le crois, ma mère. Qui désignes-tu?

– Je serai la marraine de cet enfant et toi... Comment t'appelles-tu?

– Romulf, grande reine.

– Eh bien, Romulf, tu seras le parrain.

– Moi?...

– Oui, toi, je le veux ainsi, par justice et par humilité. Sans toi, guidé il est vrai par Notre-Seigneur Jésus-Christ, cette enfant aurait-elle survécu? Plus tard, si Dieu la garde en vie, elle te devra l'amour et le respect que l'on doit à son père. Je veux qu'elle nous confonde dans le même amour et la même reconnaissance, toi, l'homme de la terre et moi, qui, bien que reine, ne suis pas digne de baiser ta chaussure. »

A ces mots, Radegonde s'inclina et baisa les pieds de Romulf.

Le visage cramoisi, il resta muet, sans mouvement, puis, lentement, s'agenouilla devant la reine qui lui donna le baiser de paix en l'appelant « mon parent ». Les cris de la petite fille firent retomber l'émotion. Fortunat se reprit le premier.

« Cette enfant a faim et froid, dame Agnès.

– Ludovine, l'animal a eu sa pitance, mais nous avons oublié la petite. Emporte-la, donne-lui à boire du lait chaud sucré de miel. Pour cette nuit, qu'elle dorme auprès de toi. Souviens-toi de son nom, Vanda. »

Ludovine s'inclina, prit le bébé tenant toujours le louveteau et sortit.

« Romulf, continua l'abbesse, tu pourras venir voir l'enfant quand tu le désireras. Dans deux jours, nous la baptiserons. Rejoins-nous, après laudes[1]. Toi aussi, tu dois avoir faim. Va aux cuisines, notre cuisinière te donnera à manger. Dis-lui que c'est moi qui t'envoie. »

Romulf partit, bientôt suivi par Agnès et Fortunat. Radegonde resta un long moment pensive, à regarder les flammes mourantes, envahie par une grande lassitude. Elle se leva péniblement et se dirigea vers son oratoire, proche de la salle d'étude et de sa cellule. Là, elle s'allongea sur les dalles froides face à l'autel où tremblotait la lumière attestant la présence de Dieu et pria pour cette enfant que le ciel lui confiait.

Des heures s'étaient écoulées quand Placidie souleva la reine et l'obligea à se lever.

« Tu n'es pas raisonnable, ô reine, il fait un froid mortel dans cette chapelle. Dieu ne peut pas être content de ce que tu fais là.

– Arrête de gronder, Placidie. Dieu non plus n'est pas raisonnable puisqu'il nous a donné la vie de son fils unique pour le rachat de nos péchés. Mon corps est engourdi de froid, mais mon âme rayonne de la chaleur et de la lumière de Dieu. »

1. A l'aurore.

## CHAPITRE II

# LE BAPTÊME

Il faisait encore nuit et la neige tombait à gros flocons quand Romulf, accompagné de son frère et de son esclave retrouvé, hébété, dans les bois, incapable de dire ce qui lui était arrivé, se présenta au monastère. Sans doute guettait-on sa venue, car la porte s'ouvrit presque aussitôt sur la bonne tête de Tranquille.

« Dépêche-toi, Glodosinde est déjà venue voir si tu étais arrivé. Tiens, la voilà qui revient. »

Tous voiles dehors, Glodosinde faillit tomber tant était grande sa précipitation.

« Dépêche-toi, mais dépêche-toi donc, maudit paysan, notre abbesse te réclame. Est-ce à un manant comme toi de faire attendre la reine. Qui sont ces deux-là?

– C'est mon frère Albin qui a tenu à m'accompagner et mon esclave Ursus.

– Qu'il reste avec Tranquille. Toi et ton frère, suivez-moi. »

Les deux frères suivirent Glodosinde, retenant mal leurs rires, surtout Albin qui voyait la grosse femme pour la première fois.

On ne pouvait imaginer plus grande dissemblance entre les deux frères : Romulf était une sorte de géant à la longue moustache rousse, aux cheveux châtain foncé, soigneusement peignés, graissés et torsadés avec un lien rouge. Rouge également l'habit qu'il portait et qui descendait jusqu'aux genoux, aux fronces maintenues par une large ceinture aux incrustations de bronze à laquelle était accroché le long couteau qui ne le quittait jamais. Un thorax[1] en peau de loutre s'arrêtait à la taille. Sur ses chausses, montaient les lacets de ses carbatines fourrées. Un manteau de drap brun, retenu par une fibule d'airain, complétait son habillement. Ainsi, il ressemblait plus à un guerrier franc qu'à un paysan gaulois. Pour la cérémonie, il avait mis ses meilleurs vêtements. Ses yeux d'un bleu très foncé disaient sa fierté. Malgré une taille au-dessus de la moyenne son jeune frère paraissait fluet à côté de lui. Ses cheveux blonds, bouclés assez courts, étaient retenus par un bandeau brodé soulignant son visage doux et imberbe. Il portait les mêmes vêtements que ceux de son frère, mais dans différents tons de bleu, sauf le thorax taillé dans la blanche fourrure d'un lièvre des neiges et le manteau de laine beige. Pas d'arme à sa ceinture, mais une flûte.

Le bruit joyeux des cloches était comme étouffé par la neige qui formait sur le sol un tapis épais. Arrivés au petit cloître, Glodosinde s'ébroua en bougonnant.

« Seigneur Dieu, cette neige est une invention du diable. Qu'est-ce qui vous fait rire ainsi, mauvais drôles? »

Riant aux larmes Romulf et Albin ne purent répondre. Ils traversèrent la salle capitulaire où par les hautes fenêtres pénétrait un jour sale et entrèrent dans l'église. Les deux frères s'arrêtèrent sur le seuil, éblouis et intimidés. L'église resplendissait de la lumière de centaines de cierges dont la cire en brûlant répandait un parfum de miel qui, mélangé à celui de l'encens, fit croire à leurs âmes simples que

1. Sorte de veste sans manches en fourrure ou en cuir.

les portes du paradis venaient de se refermer sur eux. Emerveillés par les fraîches couleurs des mosaïques, ils se retournèrent comme pour fuir ce lieu de délices, mais Glodosinde les poussa devant elle.

Au milieu de l'allée se tenait Agnès en costume de cérémonie. Nommée abbesse par Radegonde qui l'aimait comme sa fille, il y avait chez cette Gauloise issue d'une noble famille gallo-romaine, compagne de la reine depuis de nombreuses années, une dignité qui impressionnait et une douceur qui lui gagnait tous les cœurs. En cet instant c'est la dignité qui l'emportait. Sa robe blanche était tissée de la laine la plus fine, ainsi que son voile et son long manteau. Une grande croix d'or pendait à son cou. Elle tenait à la main les insignes de son pouvoir : le livre de la parole divine et le sceptre rappelant à la fois la justice et la baguette de Moïse. Autour d'elle se tenaient les deux cent cinquante religieuses reconnues dignes de servir Dieu et de l'honorer par leur naissance, leur piété, leurs connaissances des lettres grecques et latines, des textes sacrés et des écrits des Saints Pères de l'Eglise, leur humilité et leur obéissance à la règle de Saint Césaire d'Arles, règle choisie par leur fondatrice, la reine Radegonde.

Agnès bénit les deux frères qui s'étaient agenouillés devant elle. Elle se retourna et marcha vers l'autel. Toujours poussés par Glodosinde, Romulf et Albin se relevèrent et la suivirent.

Fortunat, en grand habit d'une éclatante blancheur recouvert d'un manteau aux carreaux de différentes couleurs, brodé de fils d'or et d'argent, les accueillit. A ce moment, les chants éclatèrent faisant vibrer l'air de leurs notes hautes et légères. Les portes de l'église s'ouvrirent en grand et un lent cortège pénétra sous la nef. Une jeune fille blonde aux cheveux épars couronnés de gui et de houx, vêtue d'une longue robe blanche sans aucun ornement, s'avança portant Vanda emmaillotée dont les cris perçants couvraient presque les chants. Derrière elle marchait Ludovine à qui on avait retiré son costume d'esclave et qui portait également une robe blanche un peu plus courte cependant. Elles étaient suivies par une cinquantaine de jeunes filles, certaines encore des enfants, portant la robe des nonnes, mais sans le voile. Leurs cheveux défaits, couronnés de houx, donnaient au cortège l'air d'une procession païenne, c'étaient les novices. Derrière elles, venus de Ligugé, des moines également de blanc vêtus, les mains dans les manches de leur robe, le capuchon baissé montrant leurs têtes tonsurées, entrèrent à leur tour dans l'église. Leurs voix graves s'élevèrent donnant aux chants une profondeur nouvelle. Enfin parut la reine Radegonde qui avait revêtu le manteau royal par-dessus sa robe de religieuse et ceint la lourde couronne d'or et de pierreries. Sous ses riches atours, la reine portait à même la peau un cilice qui, à chacun de ses mouvements, la blessait cruellement. Par là, elle demandait pardon à Dieu d'être encore attachée aux honneurs de ce monde. Elle marcha lentement vers l'autel devant lequel elle s'agenouilla imitée aussitôt par toute l'assemblée. Les chants cessèrent, les cris de Vanda aussi. Le silence sembla à tous léger et irréel. Fortunat se releva et se dirigea, accompagné de ses servants vers la droite de l'autel dans une chapelle où se trouvait le baptistère, grande vasque de marbre rose, surélevée, remplie d'une eau limpide et chaude. Asia, celle qui portait Vanda, s'avança suivie de l'abbesse, de Romulf et de la reine dont la main droite s'appuyait sur celle du Gaulois. Fortunat prit l'enfant et la déposa dans les bras de Radegonde. La reine écarta les linges qui l'enveloppaient. Le petit corps nu frissonna. Alors commença la cérémonie du baptême.

Les chants reprirent, plus doux, comme une berceuse. Albin sortit sa flûte et accompagna les voix. Fortunat toucha le joli corps avec les saintes huiles. Radegonde et Romulf dirent les paroles qui les unirent à l'enfant d'une manière plus irrévocable que les liens du sang. Le prêtre plongea la petite fille dans l'eau, par trois fois, en disant :

« Vanda, je te baptise au nom du Père et du Fils et du Saint Esprit. »

L'assistance répondit :

« Amen. »

Un chant d'action de grâce emplit l'église, transportant les fidèles de joie.

Hurlante, ressemblant à un petit chat qui serait tombé dans l'eau, Vanda manifesta son mécontentement devant le traitement qu'on lui infligeait. Frictionnée par Asia et Ludovine, elle cessa de gesticuler et se laissa habiller presque tranquillement. Quand elle fut chaudement vêtue, elle resta sagement assise sur les genoux de son parrain, regardant autour d'elle avec curiosité, puis lassée, elle entreprit d'arracher les longues moustaches du Gaulois. Stoïque, n'osant pas bouger, Romulf souffrit en silence sous les regards amusés de la reine et de l'abbesse. Elle s'endormit enfin, durant la messe qui suivit.

La grande salle du réfectoire avait perdu son aspect monacal. Les murs tendus de lourds tissus rouges brodés d'or, les brûle-parfum sur leurs hauts trépieds, les flambeaux accrochés aux murs, les longues tables recouvertes de nappes blanches parsemées des branchages de l'hiver, la vaisselle d'or et d'argent, les lourds gobelets enrichis de couleur, les cornes de buffle sur leur support ouvragé, les tonneaux de vin et de bière mis en perce près de la cheminée où brûlaient des arbres entiers, le sol recouvert de tapis byzantins, le va-et-vient incessant des serviteurs et des esclaves portant des viandes, des pâtisseries dégoulinantes de miel, les senteurs lourdes et épicées, les cris, les rires : tout annonçait une fête plus digne des palais de Brunehaut et de Frédégonde que du couvent de Radegonde.

Bien qu'immense, la salle ne pouvait contenir les deux cent cinquante religieuses du monastère ni les cent cinquante moines de Ligugé pour la cérémonie. Afin d'éviter tout malentendu, on avait tiré au sort ceux qui auraient l'honneur d'être admis au festin présidé par la reine. Cent religieuses et cent moines pénétrèrent en procession côte à côte dans la salle et se séparèrent pour aller s'asseoir aux deux longues tables qui encadraient celle de la reine. A droite prirent place les hommes, à gauche les femmes. Quand ils furent installés, quatre jeunes gens vêtus de la courte tunique romaine, de couleur pourpre, bordée d'un galon d'or, entrèrent. Deux d'entre eux portant sur leurs épaules des cors de la taille d'un homme se mirent de chaque côté de la porte et firent glisser sur le sol leurs instruments, sous lesquels les deux autres poussèrent un support. A un signal invisible, les deux musiciens sonnèrent l'arrivée.

L'abbesse entra la première suivie des religieuses aux responsabilités importantes : Leubovère qui s'occupait des novices, Begga, le meilleur médecin de Poitiers d'après ses confrères, Glodosinde qui assurait l'intendance du monastère, Nanthilde qui enseignait le grec et Helsuinthe le latin, Deuterie qui avait la haute main sur les habits de la communauté, Itta qui s'occupait des jardins, Plectrude de la basse-cour et des animaux domestiques, Berthe, la plus savante, qui dirigeait le travail des copistes, Baudovinie qui régnait sur la bibliothèque, Gondeberge qui avait la charge des linges sacrés et de l'entretien des lieux saints; puis venaient, Fortunat, s'entretenant avec le prieur du monastère de Ligugé et le représentant de l'évêque Marovée, qui selon son habitude, s'était fait excuser, trois autres religieux d'une rondeur agréable s'efforçant de marcher dignement, Albin rouge et intimidé, derrière eux, Radegonde appuyée au bras de Romulf. La reine s'assit sur un haut siège de bois sombre aux savantes ciselures et fit signe à Romulf de prendre place auprès d'elle. A sa droite se plaça le représentant de Marovée. Quand tous furent installés, elle leva la main et par trois fois bénit l'assemblée. Fortunat dit une prière que tous reprirent en chœur et donna sa bénédiction. A son tour le représentant de l'évêque donna la sienne. Les esclaves firent circuler des bassines d'argent contenant de l'eau parfumée. Chacun y plongea les doigts, alors, le repas put commencer.

Les plats se succédèrent plus extraordinaires les uns que les autres : hérons farcis de jeunes carpes elles-mêmes farcies d'herbes et de citrons confits, sangliers dont le ventre débordait d'oisons cuits dans le miel, langues de buffles à la sauce si forte que les larmes venaient aux yeux des convives, cervelles d'agneaux servies sur un lit de langues de rossignols confites, jambons de moutons piqués de clous de girofle, huîtres sur une épaisse couche de glace, gâteaux de sucre de toutes les couleurs en forme d'étoile et de croissant, fruits confits, amandes et, chose infiniment rare, des oranges venues de l'empire d'Orient. Un vin lourd coulait, tachant les nappes et les mentons.

Religieuses et moines furent au début silencieux et sobres. Mais, peu à peu, la chaleur, le vin, les mets épicés et généreux eurent raison de leur retenue habituelle. Le festin se poursuivit dans un brouhaha et une gaieté dignes de sa munificence.

« Seigneur Fortunat, je pense que c'est à toi que

nous devons ce plantureux repas », dit le prieur de l'abbaye de Ligugé.

La bouche encore pleine, Fortunat ne répondit pas tout de suite. Il prit le temps de vider sa lourde coupe, d'essuyer son menton et ses doigts à la nappe.

« Seigneur abbé, tu as raison. Et ne me dis pas que c'est péché. Dieu en créant toutes choses, surtout les bonnes, a voulu donner à sa créature quelques compensations pour lui faire oublier sa condition de mortel. »

Cela faisait près de dix ans que Fortunat était venu d'Italie, après un long périple à travers la Gaule. Tour à tour reçu par le roi d'Austrasie pour qui il composa des vers célébrant ses amours avec la belle Brunehaut, par les comtes qui prisaient autant ses odes aux plaisirs de la table que le joyeux compagnon et par les évêques dont il disait les mérites et la sainteté, Fortunat, séduit par l'accueil chaleureux de Radegonde et Agnès, décida d'arrêter là ses voyages et de s'établir à Poitiers.

Rien ne prédisposait ce bon vivant au calme d'un couvent. Mais il ne sut résister après un séjour enchanteur de plusieurs mois au désir pressant de Radegonde qui lui dit :

« Pourquoi partir? Pourquoi ne pas rester près de nous? »

Il demanda à être ordonné prêtre. Ce changement d'état facilita ses relations avec ses deux amies qu'il appelait du nom de mère et de sœur. La présence d'un homme soulagea les deux femmes d'une gestion difficile. Le monastère avait des biens considérables, qu'il fallait, en outre, garder avec vigilance contre les rapines et les invasions armées. On ne pouvait y parvenir qu'à force de négociations avec les ducs, les comtes et les juges. Une pareille tâche demandait beaucoup d'adresse et obligeait à de fréquents voyages à la cour des rois. Fortunat y employa tout son talent et son énergie. Il devint le conseiller, l'agent de confiance, l'ambassadeur de la reine et de l'abbesse. Son influence était aussi grande dans les affaires extérieures que dans celles du couvent. Il était l'arbitre des querelles. Toutes l'aimaient. La souplesse d'esprit de Fortunat n'avait d'égale que sa facilité de mœurs. Son orthodoxie était irréprochable, mais dans la vie, ses habitudes étaient molles et sensuelles. Il ne résistait pas aux plaisirs de la table. Il était joyeux convive, grand buveur et conteur de talent. Dans les festins donnés en son honneur au cours de ses voyages, il peignait en vers l'abondance et l'ivresse.

Radegonde et Agnès surent le retenir et se l'attacher par les faiblesses de son caractère. Chaque jour, elles envoyaient à son logis diverses friandises et faisaient apprêter pour lui des mets rares dont la règle leur interdisait l'usage. Quand elles l'invitaient à souper au monastère, non seulement la chère était des plus délicates, mais le décor de la salle à manger respirait la volupté. Des guirlandes de fleurs tapissaient les murs et les pétales de rose couvraient la table en guise de nappe. Seul, il buvait du vin puisqu'aucun vœu ne le lui interdisait.

Ces trois amis s'adressaient l'un à l'autre des propos tendres : « Ma vie, ma lumière, délices de mon âme, double de mon cœur. » Expression d'une amitié exaltée, mais chaste. Cet homme d'humeur gaie et légère, qui aimait la vie, était le confident de la souffrance secrète de la reine. Jamais, Radegonde ne parvint à oublier les impressions de sa petite enfance, et, à cinquante ans le souvenir de ces jours heureux passés dans les sombres forêts de Thuringe, auprès des siens, lui revenait aussi présent et douloureux qu'au moment de sa captivité. Elle se complaisait à se remémorer dans le moindre détail les scènes de meurtres et de violences dont elle avait été le témoin et la victime. Après tant d'années, le souvenir de ce temps révolu était pour elle un objet de culte passionné. L'image de ses parents morts ou bannis revenait sans cesse. Il y avait quelque chose de sauvage dans ses élans vers les derniers descendants de sa race, vers Hamalafroy le fils de son oncle réfugié à Constantinople, vers des cousins nés en exil dont elle ne connaissait que le nom. Elle avait trouvé la paix sur une terre étrangère, en se réfugiant dans le christianisme. Elle était reconnaissante au poète d'avoir su rendre dans ses vers ses souffrances et ses regrets. Et ainsi à les redire, enlacée à sa tendre amie Agnès, en laissant couler ses larmes.

*Tristes sont les fruits de la guerre, jaloux le destin des empires! Avec quelle rapidité s'écroulent les superbes royaumes! La cour qui brillait naguère dans toute la pompe de la puissance, aujourd'hui, à la place de ses portiques, ne montre que la solitude et les restes de l'incendie; des palais heureux, qui longtemps avaient bravé les siècles, ont été couchés sous les flammes, et la terre couleur de la cendre ensevelit les toits élancés qui resplendissaient de l'éclat des métaux. La puissance enchaînée a subi le joug d'un vainqueur ennemi, et la gloire hautaine a été précipitée dans l'abaissement le plus humble... Hélas! toute la plaine a été jonchée de cadavres sans sépulture, ou plutôt elle a été le tombeau commun d'une nation tout entière! Que Troie ne soit plus seule désormais à déplorer ses désastres : la Thuringe a connu des désastres pareils. J'ai vu des femmes traînées en esclavage, les mains liées et les cheveux épars; l'une marchait nu-pieds dans le sang de son mari, l'une passait sur le cadavre de son frère. Chacun a eu son sujet de larmes, et moi j'ai pleuré pour tous. – J'ai pleuré mes parents morts, et il faut aussi que je pleure ceux qui sont restés en vie. – Quand mes larmes cessent de couler, quand mes soupirs se taisent, mon chagrin ne se tait pas. – Lorsque le vent murmure, j'écoute s'il m'apporte quelque nouvelle; mais l'ombre d'aucun de mes proches ne se présente à moi. – Tout un monde me sépare de ceux que j'aime le plus. – En quels lieux sont-ils? Je le demande au vent qui siffle; je le demande aux nuages qui passent; je voudrais que quelque oiseau vînt me donner de leurs nouvelles. – Ah! si je n'étais pas retenue par la clôture sacrée de ce monastère, ils me verraient arriver auprès d'eux au moment où ils m'attendraient le moins. Je m'embarquerais par gros temps; je voguerais avec joie dans la tempête. Les matelots trembleraient, et moi je n'aurais aucune peur. Si le vaisseau se brisait, je m'attacherais à une planche, et je continuerais ma route : et si je ne pouvais saisir aucun débris, j'irais jusqu'à eux en nageant.*

Radegonde avait trouvé en lui un confident plein de tact, un poète sensible avec lequel elle pouvait commenter et traduire la poésie grecque et latine. Sa douceur presque féminine, lui faisait oublier les rudesses de son époux, le roi Clotaire.

Plus le repas avançait, plus les visages s'enluminaient, et plus les rires éclataient. Radegonde souriait, se contentant de quelques fèves et d'eau.

« Ami Fortunat, la gourmandise te perdra. Mais je ne veux pas t'attrister en ce jour de fête. As-tu composé quelques vers en l'honneur de ma filleule?

– Oui, ma reine. L'étrangeté de la découverte de cette enfant, son attachement pour ce loup, ce bandeau d'or, sa venue ici, ce baptême qui en fait ta fille mais aussi celle de cet homme fruste, m'ont inspiré des vers, qui, je l'espère, te plairont.

– J'en suis sûre, cela me changera de tes hymnes aux rôtis, à l'hydromel et aux sucreries d'Orient.

– Tu es injuste, reine, cela me délasse de mes

travaux sur nos Saints Pères et m'aide à supporter la frugalité des jours ordinaires où je n'ai droit qu'à trois plats de viandes et un seul poisson.

– A ce régime, dit Agnès en riant, je ne suis pas étonnée que vous deviez si souvent demander médecine à notre sœur Begga.

– Belle Agnès, tout le monde ne peut pas, comme vous et notre sainte reine, se contenter de racines, de quelques noix et de brouet. Rien de mauvais ne peut se cacher sous ce qui est si bon », dit-il, en engloutissant un poussin dégoulinant de sauce brune épicée et sucrée.

L'abbesse se leva et demanda le silence. Le bruit des rires, des voix s'éteignit peu à peu. Agnès parla en s'inclinant vers Radegonde.

« Bonne mère, nous te devons au milieu de nos travaux austères, cette halte pour manifester de la joie que nous éprouvons tous et toutes à la venue miraculeuse d'une enfant que, dans ta bonté, tu as bien voulu nommer ta fille. L'eau du baptême a purifié son âme et effacé le péché originel. Par ta charité, son corps est à l'abri de la faim et du froid. Par ton amour maternel, son cœur connaîtra la douceur d'être aimé et le bonheur d'aimer. En mon nom et en celui de la communauté, je lui souhaite bienvenue et longue vie.

– Bienvenue et longue vie... Bienvenue et longue vie... » reprirent en chœur les assistants en se levant.

La reine visiblement émue, fit un geste de la main qui ramena le calme.

« Merci mes amis, merci. Remercions Dieu de nous avoir permis de sauver cette enfant. » La reine baissa la tête, joignit les mains et dit le Pater.

« Amen, répondit l'assemblée.

– Que la fête reprenne et que notre ami Fortunat nous dise ses vers. »

Fortunat but pour s'éclaircir la voix et vint se

placer entre les trois tables face à Radegonde. Deux jeunes nonnes, avec leur luth, l'encadrèrent et commencèrent à jouer. D'une voix chaude et claire le poète déclama un long et obscur poème relatant la découverte de l'enfant parmi les loups et son adoption par la sainte fondatrice.

Quand il se tut, les applaudissements éclatèrent. Fortunat tendit à Radegonde les feuillets sur lesquels était écrit son poème. La reine les prit et les serra contre elle.

« Merci ami, tes vers emplissent chaque fois de joie mon vieux cœur. Je vais demander à Berthe de mettre ses meilleures copistes à l'ouvrage afin que chacun des nobles invités de cette fête en garde un souvenir tangible. »

Agnès fit un signe à Radegonde qui acquiesça. Elle se leva, les religieuses et les moines l'imitèrent.

« Venez, mes filles, il est temps de rendre à Dieu nos devoirs. »

Les nonnes sortirent les premières, certaines, légèrement titubantes.

La reine et l'abbesse prirent congé de leurs hôtes et se retirèrent après les avoir assurés que rien ne saurait leur être plus agréable que de les voir continuer leurs agapes. Cette délicate attention alla droit au cœur des gourmands, qui, le dernier moine sorti, se livrèrent au péché de l'ivresse. Romulf pécha moins longtemps que les autres. Il glissa sous la table et s'endormit.

Les moniales se dirigèrent vers les appartements de la reine. Celle-ci semblait lasse et s'appuyait lourdement sur le bras d'Agnès.

« Ma tendre amie, toi qui aimes tant le recueillement et le silence, cette journée a dû te paraître bien longue et bien fatigante, dit Agnès.

– Non, mon petit cœur, c'est un plaisir pour moi que de voir la joie de ceux que j'aime. Et puis, il est bon parfois que nos filles connaissent quelque délassement. Leurs travaux sont souvent durs et pénibles, les offices longs, leur nourriture frugale et la règle sévère.

– Mais certaines ont péché par gourmandise!... »

Radegonde serra Agnès contre elle en un geste de tendre affection.

« Gentille enfant, je réclame toute ton indulgence.

– Tu as raison, ma mère. Veux-tu que nous passions voir la petite Vanda?

– Oui, cela me distraira de mes douleurs. »

Un spectacle charmant s'offrit à leurs yeux. Vanda et son louveteau jouaient sur une peau d'ours en poussant force cris, grognements, rires et jappements. C'était à qui bousculerait l'autre, le ferait rouler sous lui, le mordillerait. Asia, Ludovine et Albin, leurs visages rosis de plaisir, riaient devant leurs jeux. Confus, ils se levèrent à l'entrée des deux femmes. Ludovine releva Vanda, empêtrée dans ses vêtements un peu trop grands pour elle, et la conduisit devant la reine. L'enfant leva sa jolie tête et tendit les bras. Emue, Radegonde la souleva et la serrant contre elle fredonna une berceuse de son pays. Vanda se laissa aller contre son sein essayant de reproduire de sa voix tendre de bébé, l'air chantonné par la reine qui s'assit et berça la petite fille jusqu'à ce qu'elle s'endormît. Alors, avec les gestes tendres d'une mère, elle la coucha et la recouvrit de fourrures blanches. Elle baisa une dernière fois les doux cheveux et sortit en marchant sur la pointe des pieds.

## CHAPITRE III

# URION

LES fêtes de la Nativité donnèrent lieu à de nouvelles réjouissances. Au monastère Sainte-Croix, durant ces jours, la règle s'adoucit. Les nonnes jouaient aux dés, à des jeux de balle, composaient des charades dont les solutions quelquefois irrévérencieuses envers les supérieurs du couvent faisaient rire aux éclats ces chastes filles. Les plus habiles à tirer l'aiguille brodèrent, pour la chapelle privée de leur fondatrice, un voile d'autel d'une finesse incroyable. Le moindre souffle d'air semblait animer ces délicates broderies. Celles qui excellaient dans le dessin enluminèrent un recueil des meilleurs vers de Fortunat, sachant à quel point celui-ci était sensible au soin que l'on prenait à mettre en valeur son œuvre. L'abbesse Agnès ne fut pas oubliée, Berthe recopia elle-même la règle de saint Césaire avec des encres de différentes couleurs. Certaines lettres furent rehaussées d'or. Mais celle qui eut le plus de cadeaux tant de la reine que des religieuses, ce fut Vanda. On lui fit tant de robes, de manteaux, de petites chausses qu'il y avait presque de quoi habiller toutes les fillettes de son âge. Radegonde lui passa au cou un collier de pierres grossières du Rhin, que son père, le roi Berthaire, lui avait offert peu de jours avant sa mort. Ce collier, sans grande valeur, ne l'avait jamais quittée. C'était dans son exil ce qu'elle avait de plus précieux. Aucun geste ne pouvait mieux montrer combien elle s'était, en si peu de jours, attachée à l'enfant trouvée, l'enfant des loups, comme l'appelait le poète. Parfois, elle s'en faisait le reproche et en demandait pardon à Dieu. Mais un sourire, une caresse de Vanda emplissaient son cœur d'un bonheur de miel. Coquette et tendre, la petite n'en était pas avare, mais réservait ses meilleurs baisers au louveteau que l'on avait, en vain, tenté de lui retirer. Devant ses larmes et ses cris qui la mettaient au bord de l'évanouissement, l'abbesse avait autorisé la présence de l'animal dans la chambre où dormaient Asia et Ludovine spécialement chargées de veiller sur elle. On verrait plus tard, quand il serait devenu grand. Pour le moment son comportement ressemblait plus à celui d'un jeune chat qu'à celui d'un loup ou même d'un chien.

Romulf et Albin passèrent le jour de Noël au monastère. Albin avait sculpté dans du bois tendre toutes sortes de petits animaux qui enchantèrent Vanda. Quant aux minuscules carbatines de peau blanche faites par Romulf, elles valurent à leur fabricant, malgré ses refus, une commande pour toutes les novices.

Dans le mois qui suivit Noël, Fortunat quitta le couvent sur sa jument, Néa, bête calme et solide, escorté d'une dizaine d'hommes en armes et d'un chariot de repos pour aller à Metz défendre les intérêts du monastère auprès de la reine Brunehaut. Il passa par Tours pour remettre à l'évêque Grégoire, un message de Radegonde.

Au début de l'année 577, peu de temps après le départ de Fortunat, une vieille femme gauloise se présenta à la porte du monastère et demanda à voir Begga. La portière, l'esclave Tranquille, lui dit de revenir le lendemain, jour de consultation de la religieuse. Mais la vieille, en pleurs, insista tellement, qu'émue, Tranquille la fit entrer. La femme ramassa à ses pieds un paquet qui semblait assez lourd et suivit l'esclave dans une salle de repos.

« Ne bouge pas, je vais voir si dame Begga peut te recevoir. »

Elle remercia d'un signe de tête et se laissa glisser sur le sol sans lâcher son paquet. Quelques instants passèrent.

Quand Begga entra, accompagnée de Marconèfe, la pauvre femme, tassée sur elle-même, dormait. La religieuse la regarda avec bonté et arrêta, d'un geste, Tranquille qui s'apprêtait à la réveiller. Elle s'accroupit auprès d'elle et écarta les chiffons du paquet. Le visage brûlant de fièvre d'un enfant apparut. Il ouvrit péniblement les yeux et essaya de sourire. Begga et Marconèfe le soulevèrent, sans que la dormeuse fît un mouvement, et le portèrent sur la table d'examen. Elles lui retirèrent les guenilles qui l'enveloppaient. C'était un garçon d'une huitaine d'années peut-être, maigre à faire peur, qui avait à l'aine une profonde et très vilaine blessure. Le premier soin de Begga fut de le laver.

« Ma bonne, prépare une infusion d'écorce de saule pour faire tomber la fièvre. Tranquille, apporte-moi de l'eau bouillante et de la charpie, je vais essayer de nettoyer cette plaie. C'est curieux, j'ai l'impression que cet enfant a été mordu par tout le corps. »

Le bruit des voix avait réveillé la Gauloise.

« Avance-toi, femme, qu'est-il arrivé à cet enfant? C'est ton fils?

– C'est mon fils par le cœur. Tous les fils de mon sang et les fils de mes fils sont morts, tués par la grande misère qui s'est abattue sur le peuple gaulois. Cet enfant, je l'ai trouvé à moitié dévoré par les loups et mourant de faim le jour de Noël, près de la Pierre levée. »

Begga et Marconèfe se regardèrent en entendant la femme parler de la Pierre levée. La vieille continua :

« Tous les jours, je l'ai soigné et nourri, mais je n'ai pu venir à bout de ce mal qui le ronge. La fièvre qui était tombée a repris et depuis il délire dans une langue que je ne comprends pas. Sauve-le, bonne dame, car je mourrai de sa mort tant mon cœur s'est attaché à lui.

– Avec l'aide de Dieu, je vais essayer, pauvre femme, mais il semble bien mal. Seul un miracle peut le sauver. Regarde, l'infection a envahi toute la jambe et se propage vers le ventre. Prie le Seigneur Dieu qu'il te garde ton fils.

– Dieu!... »

Le mot fut craché, plutôt que dit par la vieille, avec une telle violence et une telle haine que Begga suspendit son geste et se retourna, regardant la Gauloise avec plus de curiosité que de colère. Ce fut d'une voix douce mais ferme qu'elle dit :

« Femme, on ne prononce pas ainsi le nom de Dieu. Ignores-tu qu'il est le maître de toutes choses et que de sa volonté dépend toute vie? N'es-tu pas chrétienne?

– Si être chrétienne, c'est être baptisée, je suis chrétienne.

– Par le baptême les portes du royaume de Dieu se sont ouvertes devant toi. Il dépend de toi d'en passer le seuil, par la prière, le respect des lois de l'Eglise, des prêtres et des évêques, par une vie pure et sans péché et par la croyance profonde en la bonté de Notre-Seigneur Jésus-Christ.

– Je croirai en ton Dieu s'il guérit mon enfant.

– Ne parle pas ainsi, tu blasphèmes. »

Silencieusement, Begga avait repris ses soins. Le

malade gémissait doucement. La potion était prête, Marconèfe lui souleva la tête et lui fit boire le remède. Il avalait péniblement, s'arrêtant fréquemment. Un peu de liquide coula sur son menton et sur son cou. Begga laissa ses aides terminer les soins et revêtir le garçon d'une longue chemise de laine. Quand elles eurent terminé, elles le couchèrent.

« Quel est ton nom? » dit-elle en essuyant ses mains au long tablier qu'elle avait noué sur sa robe blanche.

La vieille redressa fièrement son corps courbé par l'âge.

« Nehalennia.

– Nehalennia? N'est-ce pas le nom que les anciens Gaulois donnaient à la déesse de la mer?

– Oui, et c'est le mien. »

Une cloche sonna.

« C'est l'heure de la prière, je dois te quitter. Pour cette nuit, tu pourras rester ici. Donne par trois fois dans la nuit la potion à l'enfant et veille à ce qu'il ne se découvre pas. Tranquille va raviver les braises et t'apporter une écuelle de soupe. Prends cette couverture pour t'envelopper. Je reviendrai demain à la première heure. »

Nehalennia prit la main de Begga et la porta à ses lèvres.

« Sois remerciée, noble dame.

– Ce n'est pas moi que tu dois remercier, mais Dieu. Je vais le prier de nous accorder la vie de ce garçon. »

Le jour n'était pas encore levé quand Begga revint en compagnie de l'abbesse. Elles trouvèrent le petit malade un peu mieux. La fièvre avait baissé, la plaie semblait plus saine.

« Tu as bien fait Begga de garder ce pauvre petit.

Je vais donner l'ordre de chauffer près de la porterie une chambre où il pourra rester jusqu'à sa guérison. Pour les soins quotidiens, sa mère s'en chargera. Qu'en penses-tu, femme ? »

Nehalennia tomba à genoux et baisa le bas de la robe de l'abbesse.

« Si vous le sauvez, je jure de n'adorer que votre Dieu et de ne plus sacrifier à Abellio.

– Relève-toi, malheureuse. Tu es chrétienne, m'a dit Begga, et tu oses prononcer le nom d'un dieu païen dans la maison du vrai Dieu ? Je veux croire que la douleur t'égare et oublier ce que j'ai entendu. Va à la chapelle prier le bon saint Hilaire de t'éclairer. Tranquille, montre-lui le chemin. »

Quand elles furent sorties, Agnès et Begga retournèrent auprès de la couche de l'enfant qui les regardait avec un sourire triste et las.

« Il semble avoir cruellement souffert. Cette femme m'a dit l'avoir trouvé le saint jour de Noël près de la Pierre levée... à l'endroit où fut trouvée Vanda.

– Vanda... Vanda... » murmura le blessé en tentant de se lever.

Begga le força à se recoucher, mais il s'agita, se débattit en criant :

« Vanda... Vanda... Vand... »

Il retomba évanoui. Begga lui fit respirer le contenu d'un flacon qui ne la quittait jamais. Il fut long à revenir à lui. Quand il rouvrit les yeux, de lourdes larmes s'en échappèrent.

« Vanda, dit-il en joignant ses maigres mains et en les tendant vers les deux religieuses.

– Elle va venir, ne t'inquiète pas, elle est sauvée. Comment t'appelles-tu ? »

L'enfant secouait la tête, il ne comprenait pas, mais la douceur de la voix de Begga l'apaisa et après avoir bu une boisson calmante, il s'endormit.

« Crois-tu que ce garçon ait pu se trouver avec Vanda? C'est un nom qu'il paraît connaître. Vivra-t-il assez pour nous le dire?

– Agnès, je ferai tout ce qui est en mon pouvoir avec l'aide de Dieu pour le sauver.

– Je sais, ma bonne Begga, je sais. »

Dans l'après-midi, on amena Vanda. Elle regarda longuement le malade comme si elle essayait de se souvenir. Comme il ouvrait les yeux, elle tenta de grimper sur le lit en criant :

« Urion, Urion. »

On l'assit près du jeune garçon. Les deux enfants s'embrassèrent, se touchèrent comme pour s'assurer qu'ils ne se trompaient pas, qu'Urion était bien Urion et Vanda, Vanda. Le garçon lui parla dans une langue inconnue de tous.

On eut beaucoup de mal à les séparer. La petite fille se mit en colère. Elle ne se calma qu'à la vue du louveteau qu'on lui avait retiré avant qu'elle entre dans la chambre du blessé.

Durant une semaine, grâce aux soins de Begga et aux visites quotidiennes de Vanda, l'état du petit malade parut s'améliorer, puis, brusquement, la fièvre reprit et tout le bas-ventre de l'enfant ne fut qu'une plaie purulente. Begga ayant épuisé toute sa science, Agnès fit venir les meilleurs médecins de Poitiers, Marileif que les rois Chilpéric et Gontran consultaient souvent et Réoval qui avait étudié à Rome et à Alexandrie.

Marileif après avoir longuement examiné la plaie déclara Urion perdu. A ces mots, la douleur de sa mère adoptive, Nehalennia, lui arracha des cris et des imprécations qui furent jugés abominables. Réoval nuança son avis en disant qu'il avait vu en

Orient des médecins sauver des malades atteints de cette gangrène en amputant le siège du mal. L'infection ayant fait de tels progrès, Marileif lui fit remarquer qu'il faudrait couper l'enfant en deux. Les médecins rirent comme à une bonne plaisanterie sous les regards courroucés d'Agnès et de Begga. Après des palabres qui n'en finissaient pas, ils se mirent d'accord pour procéder, dans un premier temps, à l'ablation des testicules qui avaient triplé de volume.

« Je réprouve cette opération qui fait d'un homme un eunuque, dit Begga, cependant, si c'est la seule chance de le sauver, je suis prête à vous aider. »

On prépara tout ce qui était nécessaire à l'opération. On donna à l'enfant un gobelet d'alcool et on l'étendit sur une table de marbre recouverte de linges blancs. Réoval fit sortir toutes les personnes dont la présence n'était pas nécessaire. Seuls, restèrent ses deux assistants, hommes très forts, chargés de maintenir le blessé immobile, ainsi que Begga et Marileif. Tous avaient revêtu de grandes blouses rouges. Sur un signe de Réoval, les assistants tinrent les épaules et les jambes du garçon. Le médecin-chef prit une fine lame très affûtée et entama les chairs tuméfiées. Un flot de pus jaillit en même temps qu'un cri inhumain. Malgré leur force, les deux hommes eurent de la peine à empêcher les mouvements fous du pauvre Urion. Sans se soucier des cris, du pus et du sang, Réoval castra le malheureux enfant, qui, épuisé de douleur, s'évanouit.

Après avoir fini de nettoyer et de panser l'horrible plaie, Réoval examina attentivement le ventre et le haut des cuisses d'Urion. Les chairs étaient plus souples, leur couleur semblait plus saine. Le visage avait perdu cette teinte grisâtre qui annonçait la mort. Il était pâle, mais d'une pâleur normale. Son pouls, quoique rapide, battait régulièrement.

« Nous saurons d'ici quelques jours, s'il s'est sauvé. Je reviendrai demain l'examiner et changer le pansement. D'ici là, il lui faut du calme. S'il souffre trop, donnez-lui un peu d'opium. »

Au bout d'une semaine, Urion avait repris de belles couleurs, mangeait comme quatre et voulait absolument se lever pour aller avec Vanda.

Ce fut Begga qui annonça à Nehalennia, que jamais son fils ne serait un homme. La religieuse recula devant le regard haineux de la Gauloise.

« Pourquoi as-tu laissé faire cela?

– Il serait mort si nous ne l'avions pas opéré.

– Il serait mort, mais il serait resté un homme. Tu m'as menti, ton Dieu n'est pas un dieu de miséricorde, qu'il soit maudit... Qu'il soit maudit. »

La malheureuse s'écroula sur elle-même. Begga tenta de la relever, mais elle fut repoussée avec une telle violence, que sa tête heurta l'angle de la haute table de marbre. Lentement elle tomba sur le sol, tandis que son voile se teintait de rouge. La vieille en ricanant se pencha sur le corps étendu et arracha de la ceinture de la religieuse le trousseau de clefs du coffre aux médicaments dangereux. Après plusieurs essais, elle parvint à ouvrir la porte. Elle ne savait pas lire, mais devina que les flacons marqués de rouge étaient ceux qu'elle cherchait. Dans un geste dément, elle déboucha un de ces flacons et en absorba le contenu. Elle en prit un autre et s'avança vers le lit d'Urion qui la regardait faire avec curiosité. Elle approcha le poison des lèvres de l'enfant, le goût en était si amer, qu'il le recracha. Elle insista avec une telle fureur que le garçon prit peur et se débattit en poussant des cris. Sans le poison, qui faisait rapidement son œuvre, sans doute Nehalennia eût-elle réussi à le tuer. Mais la force lui manqua, elle lâcha le flacon, ses mains aux doigts décharnés griffèrent sa poitrine, elle glissa sur le sol, râlant, bavant et mourut en murmurant :

« Mon petit, mon pauvre petit... Dieu... »

Revenue à elle, Begga entendit ce dernier mot. Elle parvint à se redresser, regarda autour d'elle et comprit le drame qui venait de se dérouler. Urion réussit à se lever, il s'approcha de la vieille femme, s'accroupit auprès d'elle et, dans un geste d'une tendresse infinie, caressa les cheveux blancs de celle qui l'avait aimé avec fureur.

Begga se traîna jusqu'à la porte et appela au secours. Des esclaves et des servantes accoururent, puis Marconèfe qui devint si pâle que Begga la rabroua avec une violence dont plus tard elle lui demanda pardon. Elle fit donner du lait tiède à Urion en éventuel contrepoison. Aidée de Marconèfe, elle retira son voile et examina la plaie de son front. Rien de grave. Quand l'abbesse, alertée, arriva, la salle avait repris son aspect accoutumé. Le corps de Nehalennia reposait dans une pièce voisine.

« Son abominable geste la retranche à jamais du royaume des cieux. Nous ne pouvons plus rien pour elle. Glodosinde, fais jeter le corps dans le Clain.

– O Agnès, cette malheureuse a gravement péché, elle est damnée à jamais. Mais je t'en prie, ne laissons pas son corps sans sépulture. Durant ces jours, j'ai appris à la connaître et à l'aimer. La vie de cette femme fut une longue suite de souffrances. Elle a dû perdre la raison pour agir ainsi. Je t'en prie, enterrons-la dans un coin de mon jardin.

– Cela est trop grave, je vais en parler à notre fondatrice. Je te ferai porter notre réponse dans la soirée. Voilà cet enfant à nouveau orphelin, qu'allons-nous faire de lui ? C'est un garçon, il ne peut pas rester parmi nous.

– Ce n'est plus un garçon.

– Ce n'est pas une fille non plus. Pauvre enfant, il eût mieux valu qu'il mourût.

– Dieu ne l'a pas voulu. J'ai une idée, habillons-le et élevons-le comme une fille, il est encore à un âge très tendre, il oubliera sûrement qu'il a eu un autre sexe que le nôtre.

– Begga, tu es folle, c'est une monstruosité et une tromperie ce que tu proposes.

– Je ne le pense pas. Réfléchis, parles-en à la reine. N'y avait-il pas à la cour de son père un eunuque habillé en femme qui surveillait les filles et les épouses du roi?

– Peut-être, mais ce n'était pas dans un couvent.

– Agnès, je t'en prie, nous ne pouvons pas le renvoyer comme ça. Où irait-il? Il ne parle même pas notre langue. Il pourrait rester avec les servantes. Nous sommes peu nombreuses à connaître son véritable sexe. Si nous l'aidons, avec le temps, il s'adaptera.

– Je suis sûre que c'est de la folie. Garde-le jusqu'à sa complète guérison, après, nous verrons. »

A la fin du printemps, Urion fut complètement rétabli. Depuis son opération, il avait beaucoup grossi, et ses cheveux avaient considérablement poussé. A la surprise d'Agnès, Radegonde donna son accord pour son travestissement. On lui remit la robe et la tunique des jeunes servantes. Dans les premiers temps, il arrachait ses nouveaux vêtements avec colère, puis, peu à peu, les accepta.

A la même époque, les habitants de Poitiers virent une grande louve, accompagnée de cinq louvarts[1], errer autour des remparts. Quelques-uns

1. Jeunes loups de huit à dix mois.

la virent même tenter d'escalader les murailles du monastère. Certaines nuits très froides, on entendait un lugubre hurlement jusque dans les cellules du couvent. Ces nuits-là, le louveteau que Vanda avait baptisé Ava, se mettait à hurler à la mort, aussitôt imité par la petite fille avec qui il dormait et que ces cris sinistres réveillaient. Asia et Ludovine les calmaient en leur donnant du lait chaud, sucré de miel. Certaines religieuses, parmi les plus âgées, disaient que le diable s'était introduit au couvent sous la forme d'un enfant et d'un loup et qu'il fallait prononcer les prières de l'exorcisme. L'abbesse remit fermement les choses à leur juste place, mais ne put empêcher quelques vieilles nonnes de se signer quand elles croisaient Vanda et son loup.

Avec l'arrivée des beaux jours, la louve et ses petits disparurent. Les remparts se couvrirent d'odorantes giroflées, le verger laissa exploser ses fleurs blanches et roses; Ludovine fit des balles de coucous jaunes avec lesquelles elle jouait avec Vanda; Asia fit des couronnes de marguerites et des colliers de boutons d'or et de myosotis pour la petite; les lilas embaumèrent le petit bois où aimait se recueillir Radegonde; Itta apporta dans un panier de roseaux les premières fraises; Plectrude donna ses premiers poussins à Vanda. Le loup Ava, sans doute jaloux des soins et des caresses que leur donnait sa compagne, ne fit qu'une bouchée des deux petites bêtes. Vanda en eut un gros chagrin, battit le loup et oublia. Romulf venait souvent visiter sa filleule, qui poussait des cris de joie dès qu'elle apercevait la haute silhouette. Elle s'accrochait aux fortes jambes de son ami, essayant de les encercler de ses petits bras.

« Marche... Marche... »

C'était le signal d'un jeu qu'elle adorait. Elle posait ses pieds minuscules sur ceux de Romulf et il devait marcher en la tenant par les mains. Au début, les pieds de Vanda glissaient, mais peu à peu, elle trouvait le rythme. Alors, c'étaient à travers les cloîtres quand il pleuvait et que les nonnes étaient à la prière ou à leurs travaux, ou dans les jardins quand il faisait beau, des cavalcades à n'en plus finir, ponctuées par les éclats de rire de Vanda, les jappements du jeune loup et les cris de Ludovine et d'Asia qui leur disaient de cesser ce jeu bruyant.

Quelquefois, Albin accompagnait Romulf. Vanda tirait de la ceinture du jeune homme sa flûte et la lui mettait entre les lèvres.

« Joue », disait-elle, autoritaire.

Albin s'exécutait et l'enfant turbulente s'accroupissait aux pieds du musicien, fermant les yeux, comme pour mieux savourer la simple mélodie. Dès qu'Albin arrêtait de jouer, elle le frappait en disant :

« Encore, ami Albin, encore. »

Et Albin en riant, improvisait un nouvel air. Chaque jour, elle faisait des progrès dans sa nouvelle langue sans pour autant oublier sa langue maternelle qu'elle apprenait avec Urion. Elle aimait, beaucoup, les histoires que lui racontait Asia pour l'endormir. Surtout celles où il était question de loups. Elle les écoutait un bras passé autour du cou d'Ava, avec un air de dire : « Ecoute bien il est question de nous. » L'animal paraissait comprendre et inclinait la tête de façon comique. Chaque jour, la reine faisait venir l'enfant auprès d'elle, la cajolait, lui racontait avec des mots simples la vie de Jésus ou celle des saints martyrs. Vanda écoutait sagement, mais, peu à peu, ses paupières s'abaissaient et ses yeux se fermaient, ce qui faisait dire à Radegonde oubliant l'âge tendre de sa fille :

« J'ai bien peur que cette petite n'aime guère les

histoires pieuses et qu'elle prépère les contes de nourrice. »

Cette jalousie de conteur faisait sourire Agnès qui avait avec l'enfant des rapports tendres mais distants.

La plupart des religieuses, des servantes et des esclaves avaient adopté Vanda et son loup. Seuls, l'évêque Marovée et Leubovère, chargée des novices, pensaient que la présence de cette enfant dont on ne connaissait pas les origines, trouvée dans de si étranges circonstances, risquait de perturber la bonne marche du monastère et le recueillement nécessaire aux habitants. Leubovère avait été jusqu'à interdire à ses jeunes novices de jouer, pendant les courtes récréations, avec la petite, ce qui lui avait valu de la part de l'abbesse, une réprimande affectueuse mais ferme. Leubovère avait maintenu sa position, disant qu'elle ne pouvait pas garder la charge d'instruire les novices à la vie religieuse si l'on ne respectait pas ses décisions.

Agnès s'était inclinée, obtenant toutefois que les plus jeunes pourraient, quand le temps le permettrait, partager les jeux de la petite.

Parmi ces enfants vouées à la vie monastique, se trouvait Chrotielde, âgée de onze ans, fille naturelle du roi Caribert. C'était la plus jeune et la plus turbulente des novices. Une année déjà de noviciat n'avait pu venir à bout d'un orgueil que Radegonde trouvait excessif, et d'un entêtement qu'aucune des punitions de Leubovère n'avait pu amoindrir. Insupportable à l'étude, elle savait tout juste écrire correctement le latin malgré les leçons patientes d'Helsuinthe et se refusait, à la grande tristesse de Nanthilde, à apprendre le grec. Malhabile aux travaux d'aiguille, inapte à tout travail manuel, d'une coquetterie sans borne, effrontée, railleuse, turbulente, imbue de sa haute naissance, elle passait plus de temps en pénitence ou au cachot qu'en étude ou en récréation. Ravissante, malgré un air de perpétuelle mauvaise humeur, pouvant passer sans transition de la plus exquise gentillesse à la méchanceté la plus grande, tendre et cruelle à la fois, n'acceptant de réprimandes que de la reine. Avec elle seulement, elle se pliait aux corvées de la vie monastique. Quand, par humilité, Radegonde balayait les couloirs des cellules, lavait la vaisselle des nonnes, ou ravaudait un habit, on voyait Chrotielde accomplir les mêmes gestes avec une telle expression de dégoût sur son joli visage, que l'indulgente reine se moquait d'elle.

« Mon enfant, c'est dans la joie qu'il convient d'accomplir les tâches les plus modestes. Dans leur petitesse, elles sont agréables à Notre-Seigneur Jésus-Christ, autant que les grandes choses faites par les saints.

– Je sais, ma mère, c'est pour cela que j'essaie de vous imiter. Mais je n'y arrive pas, je trouve cela indigne de moi.

– Indigne de toi! Comment peux-tu dire cela alors qu'autour de toi, tout le monde donne l'exemple?

– Mais, ma mère, moi, je suis fille de roi.

– Et moi, petite, ne suis-je pas fille et femme de roi. Fais taire ce sot orgueil qui ne peut que te nuire et te rendre pénible la vie au milieu de nous. »

La fillette devint rouge de colère.

« Je n'ai pas choisi d'être ici. Je n'aime pas le couvent, je ne veux pas être religieuse. »

Radegonde prit contre elle l'enfant pleurant et trépignant.

« Je sais, mon petit cœur, mais tu dois expier, par ta présence ici, le péché de tes parents, le roi Caribert et la malheureuse Marcofève, qui par amour rompit les liens sacrés qui l'unissaient à Dieu. Devant leur obstination, le bon saint Germain dut se résoudre à prononcer l'excommunication. Tu naquis peu après et ne dus qu'aux larmes de ta mère et à l'indulgence de l'évêque de Paris de recevoir le saint baptême. C'est peu de temps après la mort de ton père, que ta mère, avant de mourir à son tour, de honte et de chagrin, te consacra à Dieu. Dès que tu fus en âge de comprendre, ton oncle, le roi Gontran, qui avait pris soin de toi, te fit conduire ici. Il faut te résigner, ma petite colombe. Va, je vais prier Dieu pour toi. »

Radegonde baisa le front de l'enfant momentanément apaisée et la regarda s'éloigner tristement. Elle pressentait que jamais Chrotielde ne s'habituerait à la vie monastique. Cependant, nulle part ailleurs que dans un couvent, elle ne trouverait sa vraie place. Fille d'un roi, il est vrai, mais aussi fille d'une religieuse qui avait blasphémé ses vœux, elle-même fille d'un esclave cardeur de laine. L'excommunication de ses parents, rendant sa naissance illégitime, Chrotielde ne pouvait devenir qu'un malheureux enjeu entre ses oncles les rois Gontran et Chilpéric. Mieux valait pour elle l'obscurité d'un cloître à l'éclat des cours de Neustrie, d'Austrasie ou de Bourgogne.

La fille de Caribert s'était prise d'amitié pour la petite Vanda dont elle partageait les jeux quand elle n'était pas punie. A cause de cette amitié, elle s'astreignit à l'étude et à une soumission apparente envers Leubovère qui, croyant avoir maté cette âme rebelle, relâcha sa surveillance. Ce fut pour la pauvre Chrotielde les seuls moments de joie de son enfance dont, inconsciemment, elle fut reconnaissante à Vanda.

L'été ramena les bains dans la piscine, vestige de l'ancienne demeure patricienne à l'emplacement de laquelle avait été construit le monastère de Radegonde. Vanda serait restée des heures à s'ébattre dans l'eau parfumée, mais Begga, dont les avis médicaux n'étaient pas discutés, disait que ces bains prolongés risquaient d'affaiblir l'enfant.

Vanda aimait beaucoup Begga qui était douce et très gaie. Elle l'accompagnait souvent au jardin où la savante nonne cultivait les simples qui lui permettaient de soigner les divers maux de la communauté. Voyait-elle une sœur au teint jaune, qu'elle lui préparait un mélange de cichorium, d'anagallis, d'artemisia et d'arctium lappa, qui lui faisait retrouver de belles couleurs. Si une autre se plaignait de maux de ventre, elle lui donnait un remède à base de capsella et de patentella. Pour les rages de dents, un de ses onguents faisait miracle. Les pommades qu'elle appliquait sur les brûlures soulageaient immédiatement la douleur et faisaient disparaître toute trace en quelques jours. Sa réputation de savant médecin s'était répandue dans toute la ville et jusque dans la campagne. Les habitants de Poitiers et des environs venaient la consulter. Cependant, elle n'acceptait de soigner que les pauvres, leur réservant un jour par semaine. Ces jours-là, les abords du couvent étaient envahis par une foule de malades.

Begga recevait dans une salle aménagée à cet effet près de la porterie. Elle était assistée de Marconèfe et de Rugonthe, ses élèves à qui elle essayait de transmettre son savoir. Les deux religieuses préparaient admirablement, sur ses indications, potions ou pommades, mais n'avaient pas cette connaissance instinctive des plantes à laquelle on reconnaît celui qui possède le don de guérir. Albin, le jeune frère de Romulf, lui, l'avait. Un jour qu'il venait rendre visite à Vanda, Ludovine s'était démis le pied. Très rapidement sa cheville avait doublé de volume. Appelée, Begga avait trouvé le jeune homme enveloppant le pied blessé dans de larges feuilles de rhubarbe. Elle l'avait félicité en recommandant à Ludovine de ne pas bouger durant plusieurs jours.

« Ce ne sera pas nécessaire, je vais cueillir dans la forêt de quoi faire un emplâtre qui lui permettra de marcher d'ici un ou deux jours. »

Avant que Begga ait pu poser la moindre question, Albin avait disparu. Il revint quelques heures plus tard avec une brassée de plantes dont quelques-unes lui étaient inconnues. Dans un mortier de marbre, il écrasa tiges et feuilles et en fit une mixture qui dégageait une forte odeur poivrée. Il défit le pansement, tâta le pied et appliqua cette pommade sur la partie enflée. Il demanda des linges chauffés, coupés en bandelettes et serra fortement.

« Si Dieu le veut, demain tu pourras marcher. Je reviendrai, car il faut changer le pansement tous les jours, durant trois jours. »

Quand il revint le lendemain, il trouva Ludovine debout. La jeune fille lui sauta au cou.

« Je n'ai plus mal, c'est un miracle. Même Begga n'y comprend rien. Hier, quand tu es parti, elle a dit en haussant les épaules : « Encore un de ces remè-
« des de bonne femme qui font plus de mal que
« de bien. Attendons juqu'à demain, mais cela
« m'étonnerait que tu puisses marcher de sitôt. »
Albin refit les gestes de la veille, constata que toute enflure avait disparu et que le pied n'était plus douloureux.

Begga qui assistait aux soins, bonne joueuse, félicita le garçon. Elle ne le laissa partir qu'après qu'il lui eut donné la composition de l'emplâtre et fait promettre de lui apporter de quoi le préparer.

A partir de ce jour, chaque fois qu'Albin venait au monastère, elle s'entretenait avec lui des vertus de telle ou telle plante. Elle s'étonnait des connaissances d'un si jeune homme – il avait à peine quinze ans. Il disait tenir son savoir de son arrière-grand-mère gauloise, Onouava; Begga ne pouvant quitter le couvent, il devint son pourvoyeur en plantes de la forêt. En échange, il lui demanda de lui apprendre à lire les livres qu'elle consultait fréquemment, répertoire des connaissances médicales du temps, comportant de nombreuses illustrations aux riches couleurs, tant des plantes médicinales que des parties du corps humain.

Begga parla en termes chaleureux des talents du jeune homme à l'abbesse Agnès qui accepta que l'on donnât à Albin des leçons de lecture et d'écriture. En quelques mois, il sut lire et écrire le latin à la grande joie de Begga et à la fierté d'Helsuinthe, qui devant les facilités de son élève, obtint d'Agnès que Nanthilde complétât son instruction en lui enseignant le grec. Pressée par Begga et les deux maîtresses d'étude, l'abbesse donna son accord malgré les objections de Leubovère.

En deux années, le jeune paysan gaulois en sut autant que ses nobles professeurs, dont une était la nièce de saint Médard et l'autre la fille d'un noble guerrier franc et d'une dame gauloise appartenant à une famille sénatoriale de l'Auvergne. Par la suite, Radegonde et Fortunat, tenus au courant des dons et des rapides progrès du protégé de Begga, décidèrent, sur les conseils de Marileif devenu médecin-chef du palais de Chilpéric, de l'envoyer poursuivre ses études auprès des plus savants médecins des royaumes d'Europe et d'Orient.

Pour le moment, Albin, tout à la joie d'apprendre, en oubliait presque de jouer de la flûte.

Peu de temps avant Noël, Fortunat revint de son long voyage en Austrasie ayant obtenu de Brunehaut et des ducs des assurances de paix pour le monastère Sainte-Croix et la bonne ville de Poitiers et de riches présents pour la reine et l'abbesse. Son retour fut fêté comme il convient, autour de tables abondamment garnies, ce qui fit dire naïvement au poète gourmand :

« Ah! qu'il est bon de rentrer chez soi. »

La joie de Radegonde et d'Agnès fut grande à revoir leur ami. Grande aussi était leur curiosité de connaître dans le détail le déroulement de son voyage. De nombreuses soirées furent occupées à écouter Fortunat faire le récit de son voyage. Un jour, la reine demanda à son ami :

« As-tu réussi à trouver d'où proviennent les documents découverts auprès de notre petite Vanda?

– Un savant écrivain grec, versé dans les écritures de nombreuses langues a reconnu certains caractères qui lui paraissent venir de pays qui se trouveraient, croit-il, au bord de la Vistule. Il a pris copie du parchemin et m'en enverra la traduction dès que cela lui sera possible. En revanche, il a très bien reconnu la curieuse statuette. Il s'agit de Sventovit, le dieu aux quatre visages. Son culte est lié à celui des chevaux blancs, chevaux sacrés. C'est un dieu royal que les peuplades slaves adorent ainsi qu'un certain nombre d'autres dieux comme : Jarilo, le soleil quand il brille de tout son éclat, Ivan Kupalo, le soleil quand il se baigne dans l'eau pour renaître, Svarog, le dieu du feu, Vàlos, le protecteur des troupeaux, Mokos, le dieu de la pluie, de la terre humide et son compagnon Vodjanoj à la longue barbe verte, tapi au fond des rivières à guetter Rusalka, ondine et sirène...

– Oh! oui, dit la reine, je m'en souviens!... Il y avait Rusalka qui était si belle!... et Lessi le sylvain des forêts... et le sournois Vodjanoj qui nous faisait peur à mon frère et à moi. Et puis, il y avait aussi l'oiseau-chien, Simargl, qui emportait les enfants désobéissants. C'est Marelka, captive de mon père, que nous aimions beaucoup, qui nous disait les contes de son pays. Je dis les contes; mais pour elle c'était très sérieux. Nous aussi, enfants, nous y croyions. Elle venait du pays des Slaves ou des Antes. Elle croyait en un dieu suprême, dominant tous les autres dieux, maître de la terre entière, dieu terrible dont nul ne devait prononcer le nom. Il était symbolisé par une épée. Elle était convaincue que la Kikimora, la déesse domestique, l'aidait dans son travail, la nuit, tandis qu'elle dormait. »

Radegonde resta longtemps songeuse et silencieuse, son visage rajeuni par les souvenirs de son enfance au pays des sombres forêts. Agnès et Fortunat la regardaient, attendris, respectant sa rêverie.

« Vanda serait donc slave. C'est un noble peuple, courageux et mal connu. Il paraît que beaucoup d'entre eux auraient été touchés par la parole de saints missionnaires et auraient reçu le baptême. Prions Dieu, mes enfants, pour qu'il bénisse le peuple qui nous a donné notre petite Vanda. »

## CHAPITRE IV

# AN 580
# ÉPIDÉMIES ET PRODIGES DANS TOUTE LA GAULE
# CRIMES DE FRÉDÉGONDE

CETTE année-là, sur toutes les Gaules, il fit un temps épouvantable. De grands déluges accablèrent la région des Arvernes. Dans le Poitou et la Touraine, il plut, sans discontinuer, durant douze jours. La terre était à ce point gorgée d'eau qu'on ne put l'ensemencer. Les fleuves et les rivières débordèrent, causant d'affreux dommages aux villes. Les remparts de Lyon s'effondrèrent. Des troupeaux entiers périrent emportés par les eaux, les hommes ne furent pas épargnés et l'on vit plus d'un cadavre passer au fil des fleuves. Les pauvres venaient en grand nombre dans les villes demander secours. Au monastère Sainte-Croix, Glodosinde, sur l'ordre de l'abbesse, faisait distribuer chaque jour une soupe chaude et du pain aux malheureux de la ville. Jamais Begga n'avait eu autant de malades à soigner. Mais ses remèdes n'étaient pas très efficaces contre la faim et le froid humide qui accablaient ces pauvres gens. Radegonde ordonna que l'on puise dans les réserves du couvent et chargea les marchands juifs de Poitiers de vendre un plat d'or qu'elle avait reçu en cadeau de mariage de son époux le roi Clotaire. Avec le produit de la vente, elle fit acheter des vêtements chauds et des chaussures pour les plus démunis. Quand la pluie cessa, les arbres refleurirent et cependant, on était au mois de septembre.

Il y eut en Touraine de nombreux prodiges : un matin, avant le lever du jour, on vit une boule de feu traverser le ciel et se diriger vers la région du Levant. On entendit aussi comme le bruit d'un arbre qui s'abat, mais on ne put croire que cela vînt d'un arbre car le bruit fut entendu à cinquante milles à la ronde et davantage. Cette même année un violent tremblement de terre secoua la ville de Bordeaux. Le peuple fut si épouvanté, qu'il s'enfuit. La secousse s'étendit aux cités voisines, jusqu'en Espagne. D'énormes rocs se détachèrent des montagnes Pyrénées, tuant les bêtes et les gens. Des incendies éclatèrent comme par magie, brûlant les villages. Les maisons et les granges s'enflammèrent, sans qu'on pût y reconnaître une cause étrangère, si ce n'est la volonté de Dieu. La ville d'Orléans fut presque entièrement détruite, l'incendie ne laissa rien, même aux plus riches. Si d'aucuns sauvaient quelque chose, les voleurs le leur prenaient. Bourges fut violemment frappée par la grêle. A Chartres, il coula du sang quand le prêtre rompit le pain. Tous ces prodiges furent suivis de maladies cruelles. La dysenterie envahit presque toutes les Gaules. Ceux qui en étaient atteints souffraient d'une forte fièvre, de maux de reins et de maux de tête, de vomissements et de diarrhées... Plusieurs parlaient d'empoisonnement. Romulf disait que c'étaient des pustules au cœur. Cela ne semblait pas incroyable à Begga, car lorsqu'elle appliquait des ventouses aux épaules et aux jambes, et qu'éclataient les cloques ainsi produites, il s'en écoulait des matières corrompues, ce qui sauva plusieurs malades.

La contagion atteignit aussi le monastère. Deux religieuses, parmi les plus jeunes, moururent dans de grandes douleurs, mais Begga réussit à enrayer l'épidémie grâce à un breuvage d'herbes qui combattit le poison.

Cette maladie, qui avait commencé au mois d'août, s'attaquait de préférence aux enfants. Vanda et Chrotielde, atteintes à leur tour, furent sauvées. Le roi Chilpéric aussi tomba malade. A peine était-il rétabli que l'épidémie atteignit son plus jeune fils, qui n'avait pas encore reçu le baptême. Le voyant à la dernière extrémité, on le baptisa. Il allait un peu mieux, quand son frère aîné Clodobert fut touché à son tour. Leur mère, la reine Frédégonde, devint folle de douleur et prise de repentir, dit au roi :

« Dieu ne supporte plus nos mauvaises actions. Pour nous punir, il nous prend nos fils. Renonçons à nos richesses en faveur des pauvres, brûlons les registres du fisc et ne prenons que ce qui suffisait à ton père, le roi Clotaire. »

La reine se déchira le visage et se frappa la poitrine. Sur son ordre on apporta les livres des cités et on les brûla.

« Qu'attends-tu, dit-elle au roi, fais ce que tu me vois faire, afin d'éviter la mort à nos chers petits, et de tenter d'échapper aux peines éternelles. »

Le roi livra au feu tous les registres. Quand ils furent brûlés, il envoya des gens pour empêcher la levée de l'impôt. Mais le plus jeune enfant, le petit Thierry, mourut dans d'atroces souffrances.

Ivres de douleur, les parents l'emportèrent dans leur maison de Braine jusqu'à Paris et le firent ensevelir dans la basilique Saint-Denis. Quant à l'aîné, Clodobert, ils le placèrent sur un brancard et le firent conduire à Soissons à la basilique Saint-Médard. A genoux, devant le sépulcre du saint, ils firent des vœux pour lui. Mais, au milieu de la nuit, épuisé de souffrances, il rendit l'âme. On l'ensevelit dans la basilique des saints martyrs Crépin et Crépinien. Des milliers de gens, en pleurs et en vêtements de deuil, accompagnèrent ces funérailles, comme s'ils avaient perdu un parent très cher. Le roi Chilpéric fit de grandes largesses aux églises et aux pauvres.

Après la mort de leurs fils, au mois d'octobre, Frédégonde et Chilpéric, accablés de chagrin, résidèrent dans la forêt de Cuise. La reine envoya son beau-fils Clovis à Braine, dans l'horrible espoir qu'il mourût de la maladie qui avait tué ses frères. Malgré l'épidémie qui y sévissait toujours, il n'en fut pas incommodé. Peu de temps après, le roi se rendit à Chelles, près de Paris et le fit venir près de lui.

Sans aucune prudence, le jeune homme n'hésitait pas à dire à ses familiers :

« Mes frères sont morts; tout le royaume me revient. »

Il proféra sur Frédégonde des injures qui lui furent rapportées. Elle fut saisie de terreur et de colère. Toute à la douleur d'avoir perdu ses enfants, elle aurait peut-être oublié, si quelqu'un n'était venu lui dire :

« Si tu te trouves privée de fils, c'est à cause de Clovis. Convoitant la fille d'une de tes servantes, il a eu recours à sa mère pour tuer tes fils au moyen de maléfices et tu ne saurais espérer pour toi un meilleur sort. »

La reine en fureur fit saisir la jeune fille sur laquelle Clovis avait jeté les yeux, la fit dénuder et cruellement fouetter. Elle ordonna qu'on lui coupât les cheveux comme à une femme adultère. Cette longue chevelure fut attachée à un pieu devant la demeure de Clovis. La mère de la jeune fille, torturée à son tour, avoua sous la douleur tout ce que voulut Frédégonde. La reine alla trouver le roi, lui dit tout ce qu'elle venait d'apprendre, ajoutant que la vie du roi lui-même était en danger, et demanda pour Clovis un châtiment exemplaire.

Rendu aveugle par la colère, Chilpéric, sans même entendre son fils, partit à la chasse dans une forêt voisine de Chelles, accompagné seulement de quelques leudes dévoués, parmi lesquels les ducs Didier et Bobon. Ils s'arrêtèrent pour prendre une collation. Le roi envoya un messager à Clovis, lui donnant l'ordre de venir le rejoindre, seul, pour s'entretenir secrètement avec lui. Le jeune homme crut sans doute pouvoir se justifier auprès de son père des accusations portées contre lui. Ce fut sans méfiance qu'il se rendit sur le lieu du rendez-vous. Quand il arriva, Chilpéric ordonna au duc Didier et au duc Bobon de l'arrêter. Ils lui lièrent les mains, le dépouillèrent de ses armes et de ses habits, lui passèrent des vêtements grossiers et le conduisirent ainsi accoutré à la reine.

Frédégonde durant trois jours l'interrogea, essayant de lui faire avouer ce dont on l'accusait. Le jeune homme nia tout. Lassée, elle ordonna que Clovis toujours enchaîné fût conduit à Noisy près de la Marne dans une demeure royale. Peu d'heures après son arrivée, il fut frappé à mort avec un couteau que les assassins laissèrent dans la plaie et enterré dans une fosse près de la chapelle du palais.

Au même moment, des serviteurs de Frédégonde vinrent annoncer au roi que son fils s'était tué, poussé au désespoir par l'horreur de son crime. Comme preuve du suicide, ils affirmèrent que l'arme avec laquelle il s'était frappé était encore dans la blessure. Chilpéric, trompé par ces paroles, ne conçut aucun doute, ne fit faire aucune enquête. Le considérant comme un trop grand coupable pour être pleuré, il ne donna aucun ordre pour sa sépulture. Poursuivant le malheureux prince au-delà de la mort, Frédégonde fit déterrer le corps de sa victime et le fit jeter dans la Marne. Au lieu d'être emporté par le courant, il fut poussé dans les filets d'un pêcheur, qui le retira de l'eau. A sa longue chevelure, il reconnut le fils du roi, transporta le corps et l'enterra dans une fosse qu'il couvrit de gazon afin de la reconnaître. Sa besogne accomplie, il en garda le secret.

La haine démente de Frédégonde ne fut pas calmée par cet horrible meurtre. Elle expédia ses assassins dans le monastère où, depuis quinze ans, la reine Audovère, la mère du malheureux Clovis, était enfermée avec sa fille Basine. La mère fut sauvagement tuée sous les yeux de l'enfant et celle-ci enlevée et conduite au palais de la reine meurtrière.

Tous les biens qu'Audovère avait reçus de Chilpéric en compensation du divorce devinrent la propriété de Frédégonde.

Quant à la femme qui, sous la torture, avait accusé Clovis et s'était accusée elle-même, elle fut condamnée à être brûlée vive. Sur le chemin du supplice, elle rétracta ses aveux, disant qu'ils étaient mensongers. Mais Chilpéric resta curieusement indifférent, comme hébété, regardant les flammes étouffer les paroles de la malheureuse. Le brasier était éteint depuis longtemps, le roi regardait encore sans la voir la fumée macabre monter dans le ciel du crépuscule. Il était immobile, comme pétrifié. Ni les ducs, ni les comtes, pas même la reine n'osaient interrompre son étrange rêverie. Tous restaient à distance, envahis d'une peur superstitieuse devant ce long silence et cette immobilité de mort. Surmontant cette peur, Frédégonde s'avança et posa la main sur l'épaule de son époux.

« Viens, mon maître, le soir tombe, tu vas prendre froid. »

A cette voix aimée et haïe, le roi tressaillit, se leva lourdement de son siège et suivit sa femme d'un pas lent et hésitant.

Sur son passage, ses leudes s'inclinaient.

## CHAPITRE V

# AN 580

# L'ARRIVÉE DE BASINE

« TU mens... Ce que tu racontes, ne peut exister... Je sais cette femme capable de tout, mais ça... Ce crime horrible ajouté à tous les autres... non, Dieu ne le permettrait pas... Fortunat... »

Radegonde se laissa tomber à genoux, le visage entre les mains, le corps agité de tremblements. Agnès lui soutint la tête tandis qu'elle vomissait à longs traits. Placidie essuyait les lèvres et les mains souillées de la malheureuse reine, son visage inondé de larmes qui creusaient ses joues d'un mince trait brûlant. Marconèfe, que l'on avait prévenue, lui fit boire une boisson calmante. Les nausées cessèrent. Epuisée, Radegonde, portée par Placidie et Marconèfe se laissa conduire à sa cellule.

Un long silence suivit son départ. Agnès et Fortunat, perdus dans de tristes pensées n'osaient se regarder. Une toux persistante les força à relever la tête et à regarder celui qui venait d'apporter de si abominables nouvelles.

« Fortunat, je suis comme la reine, je ne peux croire ce que nous rapporte cet homme.

– Hélas! il dit vrai, la pauvre petite est dans un état lamentable. Begga est auprès d'elle et tente de la soigner.

– N'était-ce pas assez à Frédégonde d'avoir fait

répudier par malice et par mensonge, la reine Audovère, la mère de cette enfant, d'être la cause de la mort des deux fils de cette malheureuse, Mérovée et maintenant Clovis. Sans compter l'horrible assassinat de la douce et bonne reine Galswinthe, la sœur de la reine Brunehaut? N'était-ce pas assez à ce monstre d'avoir fait reléguer Audovère dans un cloître? Puis de la faire périr sous les coups de féroces assassins? Non, ce n'était pas assez, sa haine pour les enfants de son mari développe chez elle une imagination perverse qui lui fait concevoir plus ignoble que la mort : le viol d'une enfant par des serviteurs, des esclaves, des barbares ivres de sang et de stupre. Sur son ordre, Fortunat, et presque sous ses yeux et ceux de Chilpéric, le père, rendus fous de luxure et de vin, ces gredins abusèrent à maintes reprises de Basine!... Basine, fille de roi!... souillée!... Basine... encore une enfant!... douze ans, Fortunat!... douze ans! Dieu ne peut pardonner un tel crime. »

Toute secouée de sanglots, Agnès pleura abondamment. Fortunat, bouleversé lui aussi, respecta sa douleur et fit signe au messager d'approcher.

« Pourquoi as-tu conduit la fille de Chilpéric ici, à Poitiers, au monastère de la reine Radegonde? »

L'homme, une sorte de géant hirsute, mais qui, dans son abominable récit, avait fait preuve à plusieurs reprises d'une émotion réelle, répondit d'une voix enrouée :

« C'est sur l'ordre du roi. Je redis ici ses propres paroles : « Conduis auprès de notre sainte parente, « la reine Radegonde, notre fille Basine, que « nous avons surprise, la reine Frédégonde et moi, « s'adonnant à la débauche avec de vils servi- « teurs. Son indigne conduite nous fait obligation « de la rejeter de notre famille et de la considé- « rer comme morte pour nous. Seule l'ombre d'un « cloître peut cacher sa honte. Nous demandons

« à notre royale parente de bien vouloir l'accueil-
« lir et de l'instruire dans la vie religieuse. »

Agnès et Fortunat, hébétés devant tant d'hypocrisie, ne répondirent rien. L'homme ajouta :

« Sur l'ordre de la reine Frédégonde, on a revêtu Basine d'une longue robe de laine blanche et on lui a coupé les cheveux. Elle s'est laissé faire avec un drôle de sourire qui m'a fait froid dans le dos. Je l'ai enveloppée dans mon manteau et je l'ai mise dans un chariot, attelé de deux bœufs blancs. Cela fait dix jours que j'ai quitté le palais du roi. Cela fait dix jours qu'elle n'a rien voulu manger, buvant seulement un peu de lait de chèvre, qu'elle ne parle pas et qu'elle a ce sourire qui fait peine et peur.

– Tu nous as dit des choses que la reine Frédégonde n'aimerait pas que nous sachions. Pourquoi ? »

Le messager eut un geste de lassitude et regarda Fortunat dans les yeux.

« Abbé, tu es homme d'Eglise, tu ne peux pas comprendre... J'ai une fille de l'âge de la princesse Basine... »

Agnès releva son visage déformé par les larmes, elle se leva péniblement et bénit l'envoyé de Chilpéric.

« Tu as agi avec bonté, tiens, prends cette bague, je prierai pour toi et ta fille. Retourne auprès de ton maître et dis-lui que nous prendrons soin de sa malheureuse enfant. »

*

Basine resta de longs mois prostrée, silencieuse, n'acceptant de nourriture que de la main de Vanda. Celle-ci avait maintenant cinq ans, ne savait qu'inventer pour la distraire. Elle piquait dans les courtes boucles blondes de sa nouvelle amie des marguerites, des coquelicots, des épis de blé, la forçait à faire la course avec le loup Ava, venait la rejoindre dans son lit et lui racontait des histoires, mélangeant les récits de Radegonde avec ceux de Romulf. On eût dit que Vanda, si petite encore, comprenait le malheur de Basine. Un jour qu'elles jouaient avec Ava et que celui-ci lui mordillait le cou, la jeune princesse éclata de rire. Dès ce moment, le comportement de Basine devint plus normal. Elle se nourrit au réfectoire avec les novices, assista aux leçons de musique et de poésie, accepta l'amitié de sa cousine Chrotielde et se réveilla moins souvent brûlante de fièvre, le corps agité de convulsions.

## CHAPITRE VI

# AN 582

# DISPARITION DE VANDA ET DE SON LOUP AVA

UNE grande agitation régnait à l'intérieur du monastère Sainte-Croix. Des nonnes, des servantes, des esclaves, Basine, Chrotielde et Urion, l'abbesse et même Fortunat, couraient des cloîtres au petit bois, de la chapelle à la basse-cour, de la porterie aux jardins en appelant Vanda. Depuis la veille, l'enfant et son loup Ava, plus doux et plus docile que le chien le mieux dressé, avaient disparu.

Quelques jours auparavant, on avait revu l'énorme louve qui chaque hiver errait autour des murailles de Poitiers. Des chasseurs parmi les plus habiles avaient tenté de la tuer, mais elle disparaissait à leurs yeux tel le plus malin génie de la forêt.

« Il y a de la diablerie là-dessous », disaient les paysans en se signant.

Ces nuits-là, Ava ne tenait pas en place, montrant les crocs, dès que quelqu'un s'approchait. Même les caresses de Vanda n'arrivaient pas à le distraire.

Appelé, Romulf organisa les recherches. Il trouva trace du passage des fugitifs près de la tour romaine qui domine les remparts. La porte donnant sur les berges du Clain avait été ouverte. Glodosinde s'aperçut qu'il manquait une clef à son trousseau. C'était celle de la tour. Elle ne s'expliquait pas comment elle avait pu la perdre, car son trousseau ne la quittait pas et les clefs y étaient solidement attachées. On interrogea Urion qui, depuis son opération, vivait dans l'ombre de Vanda. Il éclata en sanglots et avoua avoir dérobé la clef à la demande de Vanda.

« C'est à cause d'Ava. Vanda était malheureuse de le voir si triste, de l'entendre pleurer quand venait la grande louve. Elle lui a promis qu'elle irait avec lui voir sa mère. C'est pour ça que j'ai pris la clef à Glodosinde tandis qu'elle dormait.

– Pourquoi n'es-tu pas parti avec eux?

– Oh! ma dame l'abbesse, je me ferais tuer pour Vanda. Mais les loups... j'ai trop peur... elle m'a battu en disant que j'étais sans courage... qu'avec elle je ne craignais rien... qu'elle était la maîtresse des loups... »

Romulf se retint d'assommer le pauvre Urion, si pitoyable dans ses vêtements de fille.

« Maître, maître, viens voir. »

Ursus, l'esclave de Romulf, venait de découvrir à l'extérieur des remparts, mêlées à de multiples traces de pattes de loup, les traces de tout petits pieds.

Vanda frissonna malgré son épais manteau de lynx. Elle s'appuya sur Ava, le forçant à s'arrêter. Devant eux, la horde réunie pour la chasse d'hiver, s'immobilisa. En tête marchait l'énorme louve. Elle s'arrêta devant l'enfant qu'elle flaira longuement avant de lui lécher le visage en poussant de petits grognements de plaisir. Vanda se laissait faire en riant, embrassant le museau, tirant les oreilles de sa mère nourricière. La louve, dont les longs poils avaient blanchi, s'allongea à ses pieds; Vanda s'installa sur son dos, enserrant le cou dans ses bras. La bête se releva et partit plus lentement, attentive à ne pas faire tomber son fardeau. La faim réveilla Vanda, couchée au fond d'une grotte sur une litière de feuilles mortes. La fillette se redressa, regarda autour d'elle sans étonnement, trouvant dans sa poche un morceau de pain qu'elle partagea avec Ava. La louve déposa devant elle le produit de sa chasse, un lapereau encore agité de soubresauts. Vanda regardait ses compagnons dévorer une biche de petite taille. Bien qu'un peu écœurée, elle essaya de déchirer son lapereau mais ne réussit qu'à arracher des touffes de poils encore tièdes. Ava vint à son aide, broya le petit corps et tendit à Vanda un morceau de viande sanglante. Ne parvenant pas à mâcher la viande crue, elle la suça. Cela ne valait pas la bonne cuisine du couvent. La chaleur, l'odeur de fauve, de sang et d'excréments lui tournaient la tête; elle se laissa glisser contre le ventre de la louve et retrouva, sans l'avoir cherchée, la généreuse mamelle qui l'avait déjà nourrie il y avait maintenant plusieurs années. La bête et l'enfant se retrouvaient enfin, pattes et bras enlacés.

A la demande de Radegonde, les soldats du comte de Poitiers participèrent aux recherches. Durant trois jours, le moindre bois, le plus petit taillis fut fouillé. Les hommes du comte arrivaient toujours trop tard et ne trouvaient du passage de la horde que de menus reliefs de chasse. De Vanda, nulle trace. Ils rentrèrent faire leur rapport au comte en présence de la reine, de l'abbesse et de Romulf.

« Nous pensons que l'enfant a été dévorée par les loups. »

Romulf haussa les épaules avec agacement.

« Non, ce n'est pas possible, Ava est avec elle. Vanda ne craint rien. Ces hommes ont mal cherché. Ce sont des soldats et non des paysans, ils viennent des pays du Nord, ils ne connaissent pas nos forêts, nos bois comme nous, Gaulois, les connaissons. Bénis-moi, ô reine, je ramènerai notre fille. »

En plus de son couteau et de sa fronde, Romulf prit son arc de chasse et partit. Il refit le chemin qu'il avait parcouru en sens inverse, six ans plus tôt. Un jour clair et glacé se levait sur la forêt recouverte de neige, le jeune soleil donnait aux arbres et aux herbes couvertes de givre un aspect irréel. L'épaisse couche de neige étouffait tous les bruits. De-ci, de-là, on voyait les traces gracieuses laissées par des oiseaux ou par des lièvres. Mais, aucune de loup, ni même de renard. Cela ne gênait pas Romulf, il savait où aller.

Comme si le temps s'était aboli, il entendit, dans la forêt immobile, le rire d'un enfant. Une bouffée de joie l'envahit, il ne s'était pas trompé, ce rire, il le reconnaissait, c'était celui de Vanda. Il s'arrêta. Comme autrefois, ce qu'il vît le fit frémir. Le bébé avait grandi et c'était encore plus étrange de voir une fillette jouant avec des loups.

Ce fut Ava qui, le premier, s'aperçut de sa présence. Son grognement mit ses compagnons en alerte. Les jeux cessèrent et les loups se regroupèrent auprès de la louve. Surprise de voir se terminer le jeu sans qu'elle en eût donné l'ordre, Vanda regarda dans la même direction qu'eux.

« Romulf... »

Elle partit en courant, criant et riant, tombant dans la neige dans sa précipitation et se jeta dans les bras tendus vers elle.

« Romulf, oh! que je suis contente de te voir. Je commençais à m'ennuyer. J'ai faim, je n'aime pas beaucoup le lapin cru.

– Vanda, ma fille, pourquoi es-tu partie, j'ai eu si peur. »

La horde, qui n'avait pas bougé au départ de Vanda, se mit en marche lentement, encerclant l'homme et l'enfant. Romulf reposa Vanda, fit glisser son arc, tira une flèche de son étui.

« Non, Romulf, ne leur fais pas de mal, ce sont mes amis. Ava, viens ici. »

Le loup s'approcha, sans se presser, tête baissée, comme flairant. Arrivé près de Vanda, il appuya sa tête sur son épaule. La petite fille le serra contre elle.

« Va dire à tes frères que Romulf est leur ami, qu'il est mon père et que je ne veux pas qu'on le tue. »

Ava sembla comprendre les paroles de Vanda et s'en retourna auprès de sa mère; lui rapportant, Romulf en était sûr, les propos de sa sœur de lait. La louve secouait la tête : devait-elle laisser vivre cet homme qui leur avait déjà enlevé l'enfant? Les autres loups s'approchèrent. Ava insista. Soudain, la louve bondit bousculant Ava et fut devant Romulf avant que celui-ci ait pu esquisser un geste. Le fauve le regardait avec insistance, et tourna autour de lui en le flairant. Elle repartit vers la horde, allant de l'un à l'autre. Quand elle revint, lentement cette fois, vers le petit groupe immobile, formé par Vanda, Romulf et Ava, la horde la suivit. Un à un, les loups flairèrent Romulf, s'éloignèrent de quelques pas et s'assirent dans la neige. Maintenant, où qu'il soit, les loups reconnaîtraient le Gaulois.

Vanda enlaça la louve et lui embrassa le museau. Romulf n'avait qu'un désir, quitter la forêt au plus vite. Il pencha sa haute taille vers sa fille et lui dit à l'oreille, comme s'il craignait que les loups entendent et comprennent ses paroles :

« Viens, il faut rentrer. La reine se meurt de chagrin. »

Vanda s'approcha de la louve, se frotta à nouveau contre elle et lui dit tout bas :

« Mère louve, je dois te quitter. Je reviendrai...

Elle ne put aller plus loin, de gros sanglots l'étouffaient. Romulf la prit dans ses bras, sans que la louve fît le moindre mouvement. Elle regarda sans bouger, partir l'enfant. Ava courait de Romulf à sa mère allant de l'un à l'autre, en proie à une agitation folle, poussant de petits cris. La louve grogna. Ava, après un instant d'hésitation, suivit la route de Romulf. Ils disparurent dans l'épaisseur de la forêt.

Les loups s'égaillèrent sous le bois, à la recherche de leur nourriture. La louve demeura seule, regardant dans la direction prise par Vanda et son fils.

Quand la nuit tomba, la bête dite sauvage était toujours à la même place.

La joie de revoir Vanda fut si grande, qu'on oublia de la gronder, au mécontentement de Leubovère qui disait qu'elle méritait le cachot que, si on ne la corrigeait pas, elle deviendrait une mauvaise religieuse.

« Cette enfant ne sera pas religieuse », dit Radegonde.

Cela jeta sur le couvent une ombre de doute. Cette enfant trouvée, adoptée par la reine, fille de roi peut-être, mais sans origine connue ni parents, pouvait-elle espérer honneur plus grand que de se consacrer au service de Dieu? La petite phrase de la reine fut diversement commentée et plus d'une rompit la règle du silence tant la curiosité était grande. Même Agnès ne comprenait pas l'attitude de son amie. La vie monastique n'était-elle pas ce que Radegonde pouvait souhaiter de mieux pour sa fille?

« Non, Agnès, cette enfant n'est pas faite pour le couvent. C'est un être libre qui ne peut se soumettre à une règle aussi contraire à son tempérament.

Elle ferait une mauvaise religieuse, alors qu'elle peut être une bonne chrétienne. »

L'équipée de Vanda redoubla à son égard la méfiance de Leubovère et de certaines religieuses. Les novices la regardaient avec crainte, même Basine et Chrotielde prirent leurs distances. Vanda se trouva isolée et mise à l'écart de la communauté malgré les remontrances de l'abbesse et les paroles apaisantes de la reine. Plus que jamais, la petite fille fut considérée comme l'enfant des loups. Aux yeux de beaucoup, cela sembla se confirmer quand Disciola, nièce du bienheureux Salvi, évêque d'Albi, eut une vision. Elle se promenait dans les jardins du couvent en compagnie de Basine, de Chrotielde et de Vanda. Les quatre jeunes filles jouaient à la balle, criant et riant quand, tout à coup, sous les yeux stupéfaits de Disciola, Chrotielde et Basine se transformèrent en deux louves noires, à la gueule bavante, aux crocs menaçants, d'où sortaient des blasphèmes. Vanda tournait autour d'elles en sautant, battant des mains comme en proie à une grande joie. Elle s'avança lentement devant Disciola et lui dit :

« C'est moi qui ai fait ça. Toi aussi, je peux te transformer en loup ou en tout autre animal, mais je ne le ferai pas, car, toi, tu vas mourir, tant le seigneur Dieu t'aime et se languit de toi. »

En achevant ces paroles, Vanda se changea à son tour en une énorme louve blanche, dont le corps était auréolé d'une lumière aveuglante.

« Allez », dit-elle aux louves noires.

Celles-ci s'élancèrent et dévorèrent Disciola.

Ce furent les cris de la jeune religieuse qui attirèrent Agnès. Devant ses propos incohérents, elle fit venir Begga qui diagnostiqua une fièvre due, croyait-elle, à une forte émotion. Elle recommanda le repos absolu et une surveillance constante. Les compagnes de la jeune fille se relayèrent auprès d'elle, mais très vite, on sut qu'elle était perdue. Un jour, vers la neuvième heure, elle dit aux sœurs qui la veillaient :

« Je me sens plus légère. Je ne souffre plus. Votre sollicitude ne m'est plus nécessaire, laissez-moi seule afin que je puisse me reposer et dormir. »

Respectant son désir, les religieuses quittèrent la cellule de la mourante. Quelque temps après, elles revinrent plus nombreuses guettant ses dernières paroles.

Disciola, les mains étendues devant elle, implorait la bénédiction d'on ne savait qui.

« Bénis-moi, saint et serviteur du Dieu très haut; voici, en effet, que pour la troisième fois aujourd'hui tu es importuné à cause de moi. Pourquoi donc, ô saint, supporter ces outrages répétés pour une petite femme malade? »

Les nonnes l'interrogèrent pour savoir à qui s'adressaient ses paroles. Elle ne répondit pas. Peu après, elle poussa un grand cri et rendit l'âme.

Dans le même temps, un fou qui était venu près du morceau de la vraie Croix pour être exorcisé, se précipita à terre en s'arrachant les cheveux et en criant :

« Hélas! hélas! malheur à nous qui avons subi une telle perte! »

Ceux qui étaient présents lui demandèrent ce qu'il voulait dire. Il leur répondit :

« L'âme de la jeune fille a été recueillie par l'ange Michel et il l'a lui-même transportée aux cieux. Ainsi le diable n'a pas sa part de cette âme. »

On lava le corps qui brillait d'une blancheur comparable à celle de la neige, au point qu'on ne put trouver de linceul qui parût plus blanc que lui. Pendant cette période, plusieurs novices ou nonnes eurent des visions. Une d'entre elles, la religieuse Vénérande, raconta à l'abbesse :

« Je m'imaginais accomplir un voyage, et mon

désir était de parvenir à une source d'eau vive. Comme j'ignorais le chemin, un homme se présenta sur ma route et me dit : « Voici la source d'eau vive « que tu as cherchée à grand-peine! Désaltère-toi « maintenant de ses flots afin qu'elle soit pour « toi comme une source d'eau vive jaillissant jus- « qu'à la vie éternelle. » Tandis que je m'abreuvais avidement de ces eaux, je vis venir l'abbesse. M'ayant déshabillée, elle me revêtit d'un vêtement royal qui brillait avec son or et ses bijoux d'un tel éclat qu'on pourrait avec peine l'imaginer; l'abbesse me dit « C'est ton époux qui t'envoie ses présents. »

A la suite de cette vision, la nonne pria l'abbesse de lui préparer une cellule dans laquelle elle se cloîtrerait. Quand celle-ci fut achevée Agnès dit :

« Voici la cellule, que désires-tu maintenant? »

Elle demanda alors qu'il lui fût permis de se retirer de la communauté, ce que l'abbesse accepta avec répugnance. Les religieuses se rassemblèrent avec un grand chœur de chanteuses, des lampes furent allumées, Radegonde et Agnès la prirent par la main et on la conduisit jusqu'à la cellule. Puis après avoir fait ses adieux à toutes et embrassé chacune d'elles, elle fut cloîtrée; on mura le passage par lequel elle était entrée. A partir de ce jour, elle vaqua à l'oraison et à la lecture et se nourrit de l'eau et du pain qu'on lui déposait par une petite ouverture laissée dans le mur.

Dans ce climat de mysticisme fou, Vanda se replia sur elle-même. Elle se plongea dans l'étude, cherchant dans les livres l'oubli des tracasseries de Leubovère, de la froideur des jeunes novices, mais surtout de l'attitude de Basine et de Chrotielde. Les deux cousines ne se quittaient plus, ne pensant qu'à leurs parures. Elles avaient obtenu de la tendresse de la reine d'ajouter à la stricte robe blanche des religieuses des galons brodés, des manches larges, une ceinture richement ornée et le bandeau d'or, signe de leur appartenance royale. Elles traitaient les autres novices comme des servantes, ne supportant pas la moindre contradiction. Croyant faire plaisir à Vanda, Radegonde lui avait donné de magnifiques galons brodés d'or par elle-même. La petite l'avait remerciée avec émotion, mais ne les porta pas. La reine s'en étonna.

« Pardonne-moi, ma mère, je ne peux pas porter ce que toi-même tu ne portes pas. »

Radegonde la serra dans ses bras, émue.

« Je suis loin de ces artifices terrestres, mes plus beaux atours sont la grâce de Dieu et son amour. En devenant l'épouse du Christ, j'ai renoncé à toutes ces vanités. Mais toi, enfant, tu peux sans pécher te parer de ces ornements et porter le bandeau d'or que l'on trouva près de toi.

– O reine, il n'est pas sûr que j'y aie droit!

– Tu y as doublement droit. N'es-tu pas ma fille?

– Je suis votre fille trouvée.

– Ne sois pas triste, enfant chérie. Notre bon Fortunat fait des recherches pour retrouver les traces de ta famille par le sang. Quels que soient les résultats, sache que ta vraie famille est ici et que je t'aime.

– Moi aussi, je vous aime. »

Elles restèrent longtemps tendrement enlacées.

« J'entends sonner l'heure de la prière, viens double de mon cœur, allons prier Dieu de nous garder en son amour. »

Les visites de Romulf comblaient Vanda de joie. Ensemble, ils faisaient de longues promenades dans les jardins et dans le bois du monastère, suivis par Ava et Urion. Celui-ci semblait s'être habitué à sa nouvelle condition. Bien que de haute taille, il avait de plus en plus l'air d'une fille, ses joues, ses bras, ses hanches s'étaient arrondis. Tout dans son comportement était féminin, jusqu'à sa voix. Au couvent, tout le monde, à l'exception de la reine, de l'abbesse, des médecins Réoval et Marileif et de Begga, croyait qu'il était une fille; quant à Vanda, elle ne se posait même pas la question. Ensemble, ils parlaient dans leur langue natale. Que se racontaient-ils? C'était leur secret. Mais, après ces conversations, Vanda restait songeuse de longues heures. Dès qu'il sut parler à peu près correctement le latin, Fortunat, à de nombreuses reprises, interrogea Urion sur le pays d'où il venait. Ses réponses étaient embarrassées et confuses et, dans ses yeux, le poète pouvait lire une peur intense, qui augmentait encore quand on lui parlait des parents de Vanda.

« Sans doute a-t-il été témoin de scènes de massacres d'une telle horreur que son cerveau s'est embrumé », pensait avec découragement l'ami de Radegonde.

CHAPITRE VII

# AN 584

# NOUVELLES ÉPIDÉMIES
# LONG SÉJOUR DE VANDA CHEZ ROMULF

Au mois de janvier, les roses fleurirent dans les jardins du monastère Sainte-Croix, tandis qu'autour du soleil apparaissait un grand cercle formé de diverses couleurs. Des gelées brûlèrent les vignes, les orages qui suivirent les dévastèrent totalement. Ce qui restait après la grêle fut consumé par une longue sécheresse. Les paysans irrités contre Dieu ouvraient les clôtures des vignobles et y introduisaient troupeaux et bêtes de somme en proférant des imprécations.

Des arbres, qui avaient produit des pommes au mois de juillet, donnèrent d'autres fruits au mois de septembre, le bétail fut décimé, les maigres moissons détruites par les pluies. Il y eut dans les principales villes des Gaules de nombreuses épidémies. Les gens mouraient dans de grandes souffrances. Le monastère ne fut pas épargné. Malgré les soins dévoués de Begga et de ses assistantes plusieurs religieuses moururent.

Dans les couloirs, dans les jardins, dans les cellules et même à la chapelle, des nonnes s'effondraient en vomissant des matières épaisses et jaunâtres. Au cou, aux aisselles et aux aines apparaissaient d'affreux bubons, qui crevaient en répandant une puanteur épouvantable. Dans la ville de Poitiers, on brûlait les cadavres, espérant ainsi enrayer l'épidémie.

Radegonde, craignant pour la vie des novices, les renvoya dans leurs familles. Basine et Chrotielde partirent chez leur oncle le bon roi Gontran. Quant à Vanda, elle fut confiée à Romulf. Ludovine, Asia et Urion l'accompagnèrent. Ainsi tranquillisée, la reine put donner tous ses soins à ses chères sœurs.

La maladie disparut comme elle était venue, subitement. Agnès, très affaiblie par tant de nuits à veiller au chevet des malades et des mourantes, dut s'aliter. Par prudence on attendit plusieurs semaines avant de faire revenir les novices. Ces quelques mois passés en compagnie de Romulf et d'Albin, qui était revenu d'Alexandrie avec le titre de médecin, furent parmi les plus heureux de l'enfance de Vanda. Elle avait troqué la longue robe blanche contre une courte tunique teinte en rouge, maintenue par une large ceinture, ses jambes étaient nues et ses pieds chaussés de légères carbatines. Ainsi vêtue, elle connaissait enfin le bonheur d'être libre, de courir à travers les prés et les forêts sans se prendre les pieds dans sa robe et sans se heurter aux murs. Les jardins, les bois, les prairies du couvent étaient vastes, mais prisonniers de hautes murailles. Souvent, avec l'aide d'Urion et d'Ava, elle les escaladait et regardait, rêveuse, la campagne qui s'étendait au loin, les petites rivières du Clain et de la Boivre au tracé capricieux, les étangs de Saint-Hilaire et de Montierneuf d'où montaient l'été des myriades d'insectes et l'hiver des brumes inquiétantes, les champs de blé et d'orge parsemés de bleuets et de coquelicots qu'agitait le moindre souffle de vent, les vignes, et, près du gué Saint-Cyprien, les parcs à huîtres dont les poitevins étaient si friands. De son observatoire, elle dominait la ville, les ruines des anciens temples païens, des arènes d'Hadrien, le baptistère Saint-Jean et la maison du bon saint-Hilaire où l'on venait en pèlerinage, la basilique où se réfugiaient ceux qui étaient poursuivis, les cimetières antiques, les larges routes dallées partant vers Saintes, Limoges ou Tours, les falaises blanches, les immenses forêts formant autour de Poitiers une sombre et profonde ceinture où vivaient des animaux sauvages et parmi eux ses frères les loups.

Maintenant, en compagnie de ses amis gaulois, toujours suivie par Urion et Ava, elle pouvait parcourir ces forêts qui de loin lui semblaient impénétrables. Sous leur couvert, elle découvrait leurs clairières, leurs buissons d'aubépine, leurs parterres de muguet, de violettes ou de boutons d'or. Les habitants des sous-bois n'étaient pas tous féroces : la biche et son faon se désaltéraient à la même source que Vanda, les lapins broutaient des fleurs semblables à celles dont elle ornait sa chevelure, les huppes, les rossignols, les rouges-gorges ne s'effrayaient pas de sa présence.

Avec Albin, elle partait tôt le matin à la cueillette des simples ou bien suivait Romulf pour relever les collets dans lesquels se prenaient de gros lièvres que l'esclave Ursus préparait avec une sauce poivrade tout en se léchant les doigts. Très vite, elle sut se servir d'une fronde avec autant d'habileté que Romulf et abattre l'oiseau en vol. Albin lui montra comment pêcher les écrevisses, attraper les truites à la main ou au petit harpon. D'Orient, il avait rapporté des chevaux, cadeau de l'empereur au protégé de Radegonde. Vanda devint très rapidement une excellente cavalière. Ils se baignaient dans l'eau transparente du Clain, se laissant entraîner par le courant parmi les algues de rivière parsemées de fleurettes blanches. Ils échouaient sur de petites plages de sable fin et doux, laissant le soleil sécher leurs corps nus. Souvent, ils s'endormaient dans les bras l'un de l'autre. La petite ne comprenait pas pourquoi Albin la repoussait parfois et se jetait à l'eau sans l'attendre. Elle le rattrapait et s'accrochait à son dos en lui mordillant le cou ou les oreilles. Ils se débattait comme un sanglier attaqué par un chien, mais la fillette ne lâchait pas prise.

A plusieurs reprises, elle quitta la demeure de Romulf sans faire de bruit et s'enfonça dans la forêt en compagnie d'Ava à la recherche de la horde.

Une nuit sans lune et sans étoiles, alors que harassée par une trop longue marche elle s'était endormie, blottie contre son loup, la tiédeur humide d'une langue à la fois douce et rêche la réveilla. A une certaine qualité de l'air, elle sentit que la fin de la nuit était proche. Tout était comme suspendu. Les oiseaux nocturnes s'étaient tus, ceux du jour dormaient encore. C'était l'heure silencieuse qui précède l'aurore, celle où les mourants s'éteignent, celle où la terre retient sa respiration et ses parfums. Le silence était tel que Vanda entendait les battements de son cœur.

Elle se souleva, cherchant Ava de la main, ses doigts ne rencontrèrent que la mousse. Elle s'assit et vit en face d'elle la mince lueur de deux prunelles qui la regardaient fixement. Ce n'était pas les yeux d'Ava.

Elle n'éprouvait aucune peur, une légère inquiétude, peut-être, devant l'absence de son loup. Elle se leva et se dirigea vers ces yeux qui la fixaient.

« Viens, ami, n'aie pas crainte, viens. »

Une langue lécha les doigts tendus, tandis qu'un museau fouillait le cou de Vanda en grognant.

« La louve! la louve! »

Malgré l'obscurité, elle reconnut sa mère nourricière. Elle enlaça l'animal, heureuse d'avoir retrouvé enfin celle qu'elle cherchait.

Ensemble, elles virent se lever le jour et revenir

Ava en compagnie d'une jeune louve. Il s'avançait penaud, poussant devant lui sa compagne, qui grogna quand Vanda voulut la caresser; un coup de patte la fit cesser.

« Je vois que tu as pris femme, Ava. Vas-tu me quitter maintenant ? »

Les yeux de la petite se remplirent de larmes. Elle embrassa tendrement son loup. Tout était dans l'ordre des choses. Depuis longtemps déjà, Ava devenu adulte aurait dû la quitter pour suivre une femelle. Seul son amour pour Vanda l'avait retenu de s'enfuir. C'était un magnifique animal dans la force de l'âge, qui n'avait connu des hommes que des caresses.

« Va, c'est mieux ainsi pour toi. Promets-moi de revenir me voir. »

Par deux fois, Ava inclina la tête et repartit lentement vers une nouvelle vie, suivi de sa femelle.

Vanda pleura longtemps la tête enfouie dans la fourrure de sa mère. Le soleil était déjà haut quand elle sécha ses pleurs. La louve l'accompagna jusqu'à la lisière du chemin qui menait à la ferme de Romulf et s'en retourna vers les siens. Depuis l'aube, Romulf et Albin, fous d'inquiétude, la cherchaient à travers bois. Seul Ursus était à la maison.

« Les maîtres ne sont pas contents. Tu dois avoir faim, tiens, prends ce bol de soupe. »

Vanda repoussa le bol, elle se sentait incapable de manger. Elle alla s'allonger sous le vieux tilleul, dont les fleurs embaumaient et s'endormit lourdement.

« Maître, maître, Vanda est revenue. »

Romulf et Albin se précipitèrent vers le tilleul prêts à gronder l'enfant. Mais les traces de larmes sur ses joues les arrêtèrent. Romulf alla chercher une couverture et la recouvrit.

Elle se réveilla au milieu de l'après-midi et sourit

à Albin qui était demeuré auprès d'elle. Comme il allait ouvrir la bouche, elle lui mit la main sur les lèvres.

« Ne dis rien, ami Albin, ne me gronde pas. Je suis heureuse car j'ai revu la louve et je suis triste car Ava est parti, il a pris femme, je ne le verrai plus.

– C'est normal, un jour, toi aussi, tu partiras avec un époux, dans ton pays, peut-être.

– Jamais Albin, jamais. Je veux rester ici toute ma vie. Je ne veux pas connaître le pays dont me parle Urion. Les dieux y sont méchants et les hommes cruels. Ils ont tué mon père et chassé ma mère.

– Fortunat dit que tu es peut-être reine dans ce pays.

– Cela m'est égal. Radegonde n'a-t-elle pas renoncé à être reine? Va-t'en Albin, laisse-moi, j'ai envie d'être seule. »

Albin songeur retourna à ses plantes et à leurs secrets.

Depuis le départ d'Ava, Vanda restait plus volontiers auprès des deux frères, ne se lassant pas d'entendre raconter les vieilles légendes gauloises, les soirs où le temps les obligeait à s'asseoir autour du foyer.

Elle connut ainsi les quatre saisons qui rythment la vie des paysans, le printemps aux fraîches et acides couleurs, l'été à l'opulence blonde, l'automne à la royale parure et l'hiver habillé de blanc. Elle connut aussi les giboulées de mars qui surgissent brutalement, les chaudes et bruyantes pluies d'orage qui laissent la terre comme alanguie, tandis que s'échappent ses parfums à la fois subtils et lourds, et les froides ondées de novembre qui transpercent le meilleur des habits. Elle aima tout dans cette campagne poitevine qui était sa patrie d'adoption : la terre souvent ingrate et le ciel d'un bleu de rêve, les rivières calmes, les ruisseaux sautillants et les étangs endormis, les petits bois et les grandes forêts. Elle aimait aussi les animaux, domestiques ou sauvages, la vie des paysans et celle des nonnes, les champs et la ville de Poitiers, les longues flâneries à l'ombre des chemins creux et les heures d'étude à la lumière de la lampe. Elle aimait encore monter à cheval et chanter à la chapelle. En elle se bousculaient deux natures opposées, l'une aspirant au calme, l'autre à l'aventure.

# CHAPITRE VIII

## AN 585

## MORT DU ROI CHILPÉRIC
## RETOUR DE VANDA AU COUVENT

QUELQUES jours avant Pâques, un messager de Radegonde vint demander à Romulf de reconduire Vanda au couvent. La reine craignait la reprise de la guerre entre les rois de Bourgogne et de Neustrie, à la suite de la mort l'année précédente de leur frère et oncle, le roi Chilpéric. Les campagnes seraient à nouveau dévastées, les paysans enrôlés de force et les femmes violées ou enlevées. Vanda remit sans plaisir son vêtement de couventine et fit ses adieux à Romulf. Albin l'accompagna pour présenter son hommage à la reine, qu'il n'avait pas vue à son retour d'Orient à cause de l'épidémie.

Le temps étant à la pluie, Radegonde avait envoyé un chariot couvert, traîné par deux bœufs blancs, signe de l'appartenance royale de vanda. A la demande de celle-ci, le messager, qui était âgé, prit place à l'intérieur du chariot. Il s'assit dans la paille face aux deux amis, à qui il raconta les circonstances de la mort de Chilpéric telles que l'évêque de Tours les avait rapportées à la reine. Ludovine, Asia et Urion suivaient avec les hommes de l'escorte.

### RÉCIT DE LA MORT DU ROI CHILPÉRIC
### ET CE QUI S'ENSUIVIT

La nuit venait de tomber sur la forêt de Chelles

près de Paris, le roi Chilpéric, suivi d'une petite escorte, revenait de la chasse et se dirigeait vers sa villa. Il arrêta sa monture, fit signe à un serviteur, qui sauta de cheval et se présenta devant lui. Le roi s'appuyait sur son épaule pour descendre, quand, soudain, un homme se précipita sur lui et le frappa de deux coups de couteau, l'un à l'aisselle et l'autre au ventre. Il mourut avant d'arriver au palais.

Dès qu'il apprit l'assassinat, Manulf, l'évêque de Senlis, arriva, fit laver et parfumer le corps et le fit revêtir de ses meilleurs vêtements. Il passa la nuit à chanter des hymnes en compagnie du clergé, de la reine Frédégonde, des soldats et des domestiques du roi. Au matin, on déposa le cadavre royal dans un bateau qui descendait la Seine et, au milieu de grandes cérémonies, on l'ensevelit à la basilique Saint-Vincent de Paris[1] tandis que Frédégonde, qui craignait pour sa vie, se réfugiait dans la cathédrale avec les trésors qu'elle avait emportés et où elle était accueillie par celui qu'on disait être son amant, l'évêque Ragnemod. Quelques mois après la mort du roi, elle mit au monde un fils qu'elle prénomma Clotaire. Sur les conseils de l'évêque, elle envoya des ambassadeurs au roi Gontran, lui demandant d'être le parrain de son fils et de prendre possession du royaume de son frère en attendant que l'enfant soit en âge de régner.

Le roi Gontran mobilisa une armée, quitta Chalon et se dirigea sur Paris pour recueillir sur les fonts baptismaux le fils de son père Chilpéric.

Dès son arrivée à Paris, des ambassadeurs de son neveu, le roi Childebert, vinrent lui demander, au nom de leur maître, de leur remettre Frédégonde, afin qu'elle soit jugée des nombreux crimes qu'elle avait commis ou fait commettre, entre autres l'assassinat de son époux par un de ses amants le chambrier

1. Aujourd'hui, église Saint-Germain des Prés.

Eberulf. Gontran refusa de livrer la femme de son frère, mais ordonna une enquête sur les circonstances de ce crime. Frédégonde, délaissée par Eberulf et craignant les résultats de l'enquête, l'accusa d'avoir assassiné son époux et emporté un grand trésor en Touraine. Le misérable se réfugia dans la basilique de Saint-Martin de Tours, qu'il connaissait bien pour l'avoir souvent pillée. Des mesures furent prises pour l'empêcher de s'enfuir. A tour de rôle, des Orléanais et des Blésois montèrent la garde. Tous ses biens furent saisis; on exposa au public ses trésors d'or et d'argent et tous les objets précieux qu'il gardait chez lui.

Le roi Gontran envoya à Tours un nommé Claude, qu'il combla de présents avec l'ordre de le tuer. Cet homme cupide alla trouver la reine Frédégonde, qui lui remit des pièces d'or en lui demandant de supprimer celui que maintenant elle haïssait. Il réussit à s'introduire dans l'intimité d'Eberulf, à qui il jura fidélité sur le tombeau de saint Martin. Par ses serments, il gagna sa confiance. Chaque jour, il guettait l'occasion de commettre son crime, mais Eberulf était toujours entouré de serviteurs et d'esclaves. Un soir, Claude convia le fugitif à un repas et lui servit des vins mélangés d'aromates, puis des vins plus corsés de Laodicée et de Gaza. Tout au plaisir de boire, Eberulf ne vit pas s'approcher un des esclaves de son hôte qui lui donna un violent coup de couteau tandis que Claude tirait son épée et se précipitait sur celui qu'il appelait son ami. Eberulf se défendit avec courage et lui coupa un pouce, mais il succomba sous le nombre et mourut en répandant sa cervelle.

Ainsi périt l'assassin du roi Chilpéric. Ses meurtriers ne vécurent pas longtemps. Les pauvres immatriculés[1] et d'autres malheureux de la ville de

1. Inscrits sur les registres et recevant des secours de la ville.

Tours, indignés du crime commis à l'intérieur du lieu sacré, se précipitèrent armés de pierres et de bâtons et les massacrèrent.

Les nouvelles données par l'envoyé de la reine firent paraître à Vanda et à Albin le voyage très court. Ils arrivèrent dans Poitiers sans incident. La lourde porte du monastère s'ouvrit et l'attelage pénétra dans la cour de la porterie. Plusieurs religieuses et novices s'étaient portées à la rencontre de Vanda, parmi elles, Chrotielde et Basine, resplendissantes de beauté et de jeunesse dans leur robe enjolivée de galons rouges, verts et bleus, rehaussés de broderies d'or. Sur la longue chevelure brune tressée de Chrotielde et sur les boucles dorées de Basine était posé le long voile de lin tombant jusqu'aux pieds, leur tête était ceinte d'un bandeau d'or. Comme il faisait froid, elles avaient jeté sur leurs épaules un manteau de laine blanche que retenaient des fibules incrustées de pierres précieuses.

Les retrouvailles des trois jeunes filles furent joyeuses. Chrotielde raconta combien le roi Gontran l'avait trouvée belle, trop belle pour être nonne, lui promettant, disait-elle, de lui trouver un époux digne de sa beauté. Elle parla des hommages que lui rendaient de jeunes et nobles guerriers, de ses bijoux, de ses robes. Basine ne disait rien.

« Et toi Basine, t'es-tu amusée? demanda Vanda.

– Elle!... C'est une sotte, chaque fois qu'un homme s'approchait d'elle, elle se sauvait en pleurant chez la reine.

– Tu as tort Chrotielde de te moquer d'elle. »

Vanda prit Basine par la taille et l'embrassa sur la joue.

« Tu aurais dû venir avec moi. J'ai appris à monter à cheval, à pêcher l'écrevisse, à chasser avec une fronde...

– Pêcher l'écrevisse!... chasser avec une fronde!... railla Chrotielde, en voilà des jeux de princesse!... Tu oublies que nous sommes filles de roi. Il est vrai que toi, tu es aussi fille de paysan et que tu... »

Vanda ne laissa pas Chrotielde aller plus loin, elle la jeta à terre et entreprit de lui cogner la tête sur les dalles du couloir conduisant chez la reine. Glodosinde qui les suivait, tenta de les séparer, mais une ruade de Vanda envoya la grosse femme rouler jusqu'aux pieds de Radegonde que le vacarme et les cris avaient alertée.

« Que signifie ceci? Est-ce toi Vanda la cause de ce désordre? »

A cette voix aimée, Vanda lâcha Chrotielde saignant du nez ce qui redoubla ses cris. Elle se jeta aux pieds de la reine.

« O reine, cette folle a voulu me tuer, moi, votre parente.

– Tais-toi Chrotielde, tu oublies que Vanda est ma fille. Cependant elle sera punie, si elle est cause de ce qui vient de se passer dans la maison de Dieu consacrée à la prière et au silence. Retire-toi. Quant à toi, Vanda, suis-moi.

– Ma mère, il y a là Albin, de retour de Constantinople, qui veut vous présenter son hommage. »

Albin s'agenouilla devant la reine qui le releva avec grâce et lui baisa le front.

« Albin, le jeune homme aux simples, l'élève de Begga et notre protégé! Quel bel homme te voilà devenu! »

En effet, on ne pouvait imaginer jeune homme plus séduidant : le visage imberbe à la mode romaine, encadré de cheveux frisés châtain clair assez longs, animé par un regard intelligent, une bouche rieuse découvrant dans le rire des dents remarquablement blanches. Très grand, bien découplé, il était vêtu d'une tunique jaune bordée d'un galon mauve, s'arrêtant aux genoux, serrée à la taille par une ceinture de cuir à laquelle était attachée une courte épée. Ses chausses rouges étaient fixées sous les genoux par des rubans de la même couleur que la tunique. Il portait des chaussures de cuir souple teint en bleu, son manteau était retenu sur l'épaule par une fibule d'airain incrusté d'or.

« Va saluer Begga, elle sera heureuse de te revoir. »

Albin s'inclina avec respect devant celle à qui il devait tant et s'éloigna après un dernier regard à Vanda.

« Viens, petite, allons chez moi. »

Quand la porte des appartements de la reine se referma sur elles, sans un mot, elles se précipitèrent dans les bras l'une de l'autre. Radegonde ne cacha pas ses larmes de joie en revoyant son enfant chérie.

« O mon cœur, que tu m'as manqué. Dieu me pardonne de t'aimer autant... Laisse-moi te regarder, comme te voilà grandie... et embellie... l'air des forêts te réussit mieux que celui de notre couvent.

– Ma mère, vous m'avez manqué aussi. Je suis heureuse de vous retrouver. Comment va l'abbesse Agnès ? »

Le front de la reine s'assombrit.

« Pas très bien, les soins de Begga sont inefficaces. Notre bon médecin Réoval n'y comprend rien.

– Ne soyez plus inquiète, mère, Albin la guérira.

– Quelle confiance tu as, enfant, dans les talents de ton ami.

– Même l'empereur de Constantinople le consulte.

– Je souhaite que tu aies raison. Nous lui demanderons d'examiner notre pauvre amie. »

Radegonde s'assit sur sa haute chaise tandis que Vanda s'installait à ses pieds, les bras croisés appuyés sur les genoux de sa mère adoptive, son joli visage levé vers elle dans une expression de tendre confiance, abandonnant ses mains dans celles de la reine.

« J'ai été témoin, tout à l'heure, d'une bien triste scène. Que s'est-il passé? Pourquoi te battre comme un mauvais garnement? C'est indigne de toi. »

Vanda ne répondit pas et picota de baisers les belles mains. Radegonde n'insista pas.

« Sois patiente avec Chrotielde, c'est une mauvaise tête, mais un bon cœur. Elle n'est pas heureuse parmi nous et espère pouvoir nous quitter.

– Pourquoi la retenir? Elle préfère la parure à la prière ou à l'étude.

– Je le sais. J'ai peur pour cette pauvre enfant. Quant à Basine, sois douce et tendre avec elle, c'est un agneau mortellement blessé. Elle essaie de copier sa cousine, elle feint d'aimer comme elle les bijoux et les rubans, mais cela n'est qu'apparence. Je crains que le goût de vivre ne soit mort en elle. Nous ne pouvons l'aider qu'à force d'amour. Viens, allons saluer l'abbesse. »

Dans la cellule d'Agnès, elles retrouvèrent, amené par Begga, Albin qui venait de l'examiner. Vanda, qui le connaissait bien, remarqua sur son visage calme un air soucieux.

« Seuls, beaucoup de repos, une bonne nourriture et des promenades quand il fait beau dans le jardin, peuvent venir à bout de cette langueur. Les soins de Begga sont excellents, mais malheureusement inutiles.

– Ma bonne Radegonde, je te donne bien du souci.

– Ne t'inquiète pas de ça, ce garçon a raison. Tout d'abord, tu vas changer de cellule et t'installer dans la vaste chambre près de la mienne, elle donne sur les jardins et le soleil la réchauffe.

– Mais, ma mère...

– Ne discute pas. Ce sera beaucoup plus commode pour Begga. N'est-ce pas Begga?...

– Je me rends, ma reine, je me rends. Qu'il en soit fait selon votre désir. Vanda... est-ce toi?... que tu as grandi... Viens m'embrasser. »

Vanda posa ses lèvres sur le front brûlant de l'abbesse. Depuis son départ, comme elle avait changé! Ses yeux cernés de brun s'enfonçaient dans le pâle visage amaigri, aux pommettes trop roses, aux lèvres amincies et blêmes. Ses beaux cheveux bruns aux reflets dorés étaient maintenant striés de nombreux fils blancs. Cette visite fatiguait visiblement l'abbesse et Vanda se sentit comme une envie de pleurer. A la demande de Begga, tous se retirèrent. Radegonde seule resta au chevet de son amie, après avoir autorisé Albin à revenir l'examiner.

Vanda retrouva sans déplaisir ses camarades d'études, mais surtout ses professeurs, Nanthilde et Helsuinthe. La docte Berthe était morte durant l'épidémie, Ingeburge bien que très jeune, l'avait remplacée, mais n'avait pas son talent. Elle trouva en Vanda une élève extrêmement douée. Elles devinrent très rapidement amies.

La joie d'apprendre fit oublier à Vanda les plaisirs de la nature, les courses à travers bois, les bains dans l'eau limpide des rivières, même Ava fut un peu oublié. Fortunat, absent lors du retour de Vanda, fut émerveillé de sa beauté et de ses dons. Il initia la fillette aux belles lettres, lui prêta les livres des meilleurs auteurs grecs et latins.

## CHAPITRE IX

# AN 586

## ASSASSINAT DE PRÉTEXTAT
## MIRACLES ET PRODIGES
## LES LOUPS ENVAHISSENT POITIERS

PEU de jours après Pâques, une triste nouvelle parvint au monastère Sainte-Croix et plongea Radegonde, Agnès et Fortunat dans un profond chagrin. Leur ami, l'évêque de Rouen Prétextat, avait été assassiné sur l'ordre de Frédégonde. Celle-ci ne lui avait jamais pardonné l'aide apportée à son beau-fils Clovis ni surtout d'avoir été rappelé d'exil et remis dans ses fonctions après l'assassinat de son époux le roi Chilpéric.

A maintes reprises, elle s'était trouvée en présence de cet homme qu'elle avait fait injustement condamner et bannir. Elle s'attendait à lui voir l'attitude humble et soumise d'un proscrit amnistié. Or, il se tenait devant elle, fier et dédaigneux. Blessée dans son orgueil, elle laissa éclater sa haine et dit à haute voix au cours d'une cérémonie :

« Cet homme devrait savoir que le temps peut revenir pour lui de reprendre le chemin de l'exil. »

Avec calme et mépris il répondit en la regardant :

« Dans l'exil, comme hors de l'exil, je n'ai point cessé d'être évêque, je le suis et le serai toujours;

mais toi, peux-tu dire que tu jouiras toujours de la puissance royale? »

Un lourd silence suivit ces paroles de l'évêque. Tous s'attendaient à voir Frédégonde insulter celui qui venait de lui parler si durement. Elle n'en fit rien et sortit sans dire un mot.

Revenue dans son palais, elle fit venir auprès d'elle l'évêque Mélaine, que le retour de Prétextat venait de chasser de Rouen où il avait été nommé par Chilpéric. Ce fut sur lui que la reine déversa sa colère et sa haine. Elle lui confia ses sinistres projets. Mélaine, qui désirait plus que tout retrouver son évêché, accepta de l'aider.

Mélaine n'était pas le seul à regretter le retour de Prétextat. Un des archidiacres nourrissait à l'égard de l'exilé une haine mortelle. Frédégonde l'admit dans le complot. Il fut décidé qu'il chercherait parmi les esclaves attachés au domaine de l'église de Rouen, un homme que la promesse d'être affranchi avec sa femme et ses enfants séduirait suffisamment pour l'inciter à commettre le double crime de meurtre et de sacrilège. Il trouva le malheureux à qui il remit deux cents pièces d'or : cent de la part de Frédégonde, cinquante de Mélaine et le reste de lui. On arrêta la date du 14 avril, jour de la fête de Pâques.

Ce jour-là, l'évêque de Rouen se rendit de bonne heure à l'église et, selon la coutume, il commença à réciter les antiennes dans leur ordre. Pendant que les chœurs reprenaient la psalmodie, le vieillard, fatigué, s'assit sur son banc, le front entre les mains, demeura ainsi longuement, abîmé dans la prière, et n'entendit pas venir son assassin. Quand celui-ci fut tout près de lui, il tira son couteau et frappa l'évêque sous l'aisselle. Prétextat poussa un cri pour appeler à l'aide, mais personne ne bougea parmi les clercs, soit par lâcheté, soit parce qu'ils approuvaient le crime, ce qui permit à l'assassin de s'enfuir. Le malheureux réussit à se lever et à se traîner vers l'autel en appuyant ses deux mains sur l'horrible plaie. De ses mains ensanglantées, il se hissa au pied de l'autel et atteignit le vase d'or où l'on gardait l'Eucharistie réservée pour la communion des mourants. Il brisa le pain consacré et communia, rendant grâce à Dieu de lui avoir laissé le temps de s'unir à lui avant de mourir. Il tomba entre les bras de ses fidèles serviteurs enfin accourus, qui le transportèrent dans sa chambre. Peu après, Frédégonde, prévenue du succès de l'entreprise, ne résista pas au plaisir de voir son ennemi mourant et se présenta dans les appartements de l'évêque accompagnée du duc Bêppolème et du duc Ansovald, qui n'étaient au courant de rien. La reine eut du mal à dissimuler son plaisir en constatant le peu de temps qui restait à vivre à sa victime. Elle prit un ton apitoyé pour dire :

« Quelle tristesse, ô saint évêque, pour nous aussi bien que pour le reste de ton peuple, qu'un pareil malheur soit arrivé à ta personne vénérable. Que le Ciel nous indique celui qui a osé commettre cette horrible action, afin qu'il soit puni d'un supplice égal à son crime. »

Tant de perfidie donna au vieillard la force de se soulever et de répliquer.

« Et qui donc a fait cela, sinon celui qui a assassiné des rois, qui a répandu si souvent un sang innocent, et qui a commis dans ce royaume tant de méfaits divers ? »

La reine, ne montrant aucun trouble, sans un mot, se retira. Peu après Prétextat rendit l'âme.

Les habitants de Rouen, des petites gens aux seigneurs francs, romains ou gaulois, furent consternés devant ce crime abominable.

L'évêque Leudovald qui gouvernait l'église de Rouen en attendant la nomination d'un nouvel évêque, ordonna une enquête et, après avis du clergé de la ville, fit fermer toutes les églises de Rouen et interdire qu'on y célébrât aucun office jusqu'à ce qu'on eût retrouvé les assassins.

Le roi Gontran, prévenu des accusations portées contre Frédégonde, envoya trois évêques, Artémius de Sens, Véran de Cavaillon et Agricius de Troyes, auprès des grands qui élevaient le fils de Chilpéric, le jeune roi Clotaire, pour leur demander de punir la reine. Ils furent écoutés avec attention et respect, mais les grands ne firent rien pour convoquer la reine et la châtier.

A Poitiers, au monastère Sainte-Croix, l'abbesse ordonna plusieurs jours de jeûne et de nombreuses prières.

Peu de temps après, Agnès, la douce Agnès, la fille adoptive de Radegonde, son amie, sa confidente, mourut dans ses bras, après une longue agonie. La douleur de la reine fut immense, on craignit pour sa vie. Vanda, par sa présence et son amour, l'aida à supporter son chagrin.

Leubovère fut nommée abbesse à la grande colère de Chrotielde et de Basine et à la tristesse de Vanda. Ce fut à la même période que Radegonde eut une vision. Un jour que, retirée dans sa cellule, elle priait, le corps meurtri par de trop lourdes chaînes, elle vit un jeune homme d'une grande beauté qui lui parla doucement avec un tendre respect :

« Pourquoi, dans l'ardeur de vos vœux, me suppliez-vous avec tant d'impatience et tant de larmes? Pourquoi m'adressez-vous de si ardentes prières, et vous livrez-vous à une si cruelle pénitence pour moi, qui suis toujours à côté de vous? Vous êtes une perle de grand prix, et je vous dis que vous êtes au premier rang de ma couronne. »

La reine se confia à Baudovinie et à Tranquille en leur demandant le silence jusqu'à sa mort qu'elle sentait prochaine.

A la suite de cette vision, son visage fut transformé, comme éclairé de l'intérieur. Un doux sourire errait sans cesse sur ses lèvres pâlies par les jeûnes et les mortifications, ses pieds semblaient frôler le sol tant sa démarche était légère. Convaincue que Dieu allait très vite la rappeler à lui, elle se rapprocha encore des novices et surtout de Vanda, dont le caractère fier et hostile à toutes contraintes lui inspirait une grande inquiétude pour l'avenir. Elle fit venir auprès d'elle une dizaine de ces jeunes lles, leur prodiguant sa tendresse et ses recommandations :

« Je vous ai choisies pour mes filles; vous êtes la lumière de mes yeux, vous êtes ma vie, mon repos et toute ma félicité. Vous êtes la vigne nouvellement plantée; travaillons ensemble, dans ce monde, à nous assurer la vie éternelle; servons le seigneur dans une foi entière et dans un amour sans partage, avec une sainte frayeur, cherchons-le dans la simplicité du cœur, afin que nous puissions dire avec confiance : Donnez, Seigneur, ce que vous avez promis, car nous avons fait ce que vous avez commandé. »

Souvent prise de crainte devant la jeunesse étourdie des novices, elle les serrait contre elle.

« Hâtez-vous de recueillir le froment du Seigneur, car je vous dis, en vérité, vous n'aurez pas toujours le temps de vous hâter; hâtez-vous parce que vous regretterez ce temps; oh! certainement vous le regretterez, et vous le demanderez en vain avec amertume. »

A la même époque, elle opéra plusieurs miracles. Elle chassa le démon du corps de la femme du charpentier du couvent. Une des religieuses était atteinte depuis de nombreuses années d'une maladie curieuse : pendant le jour, son corps était glacé par le froid et, la nuit, une flamme ardente la consumait, elle ne pouvait plus bouger. Les plus habiles médecins de Poitiers, Begga et Albin avaient épuisé leur science. La reine fit mettre la moribonde dans un bain et seule avec une servante la guérit en promenant sa main sur tout le corps d'où la douleur disparut. La religieuse se leva, prit la nourriture qu'auparavant elle repoussait avec horreur. Une autre sœur, ayant appliqué sur ses yeux presque privés de vue un paquet d'absinthe que Radegonde avait porté sur sa poitrine pour se rafraîchir, retrouva la vue et le mal s'en alla sans laisser de trace.

La reine se fâchait quand on parlait de guérison miraculeuse, convaincue que Dieu, et lui seul, opérait des miracles et qu'il convenait de le remercier par des prières et des sacrifices.

Vanda s'ennuyait dans cette atmosphère de mort et de saints prodiges. Depuis que Leubovère avait été élue abbesse, la règle s'était durcie tout en perdant de sa rigueur primitive. Finis les courses dans les cloîtres et les jardins, les bains joyeux dans la piscine, les longues heures passées à rêver en compagnie des poètes, les visites à Romulf (même celles du Gaulois étaient soumises aux tracasseries de Leubovère et n'avaient lieu qu'une fois par mois). A maintes reprises Vanda s'était rebellée contre les ordres de l'abbesse, ce qui lui avait valu trois jours de cachot et l'interdiction de revoir Albin avant son départ pour l'Espagne, où il était appelé comme médecin par le roi Reccared. Vanda ne se plaignit pas à sa protectrice, mais, après une colère qui effraya tellement Leubovère qu'elle n'osa pas l'enfermer à nouveau, l'enfant sombra dans une mélancolie qui inquiéta Begga et fut remarquée par la reine.

« Qu'as-tu, mon enfant, tu sembles malheureuse parmi nous? Où sont tes belles couleurs de rose? Où est ton entrain? Ta joie? Je te vois distraite aux offices, comme indifférente? Le Seigneur Dieu n'aime pas les âmes tièdes. Dis-moi, délices de mon cœur, dis-moi tes peines.

– Je n'ai rien, ma mère. Je regrette notre bonne mère Agnès. »

Radegonde poussa un soupir et une larme coula sur sa joue.

« A moi aussi, ma fille, elle me manque. Je prie Dieu de me rappeler à lui afin que je la retrouve. En même temps, elle caressa d'un air de tristesse songeuse les jolis cheveux aux chauds reflets. « Que désires-tu? Je donnerais tant pour entendre à nouveau ton rire. N'aie crainte, parle.

– O ma mère, ma mère, pouvez-vous faire disparaître les murs et laisser s'envoler tous les oiseaux qu'ils contiennent ?... Pouvez-vous laisser le vent emmêler mes cheveux? Le cheval m'emporter au galop vers les forêts où m'attendent mes frères les loups?... Pouvez-vous me redonner Ava et sa douce chaleur, Romulf et ses bras qui m'élèvent haut dans le ciel et Albin aux tendres mains? J'ai envie, ma mère, de courir dans les bois et dans les champs vêtue d'une courte tunique, de me baigner dans la Boivre et dans le Clain, d'entendre la nuit chanter le rossignol et le jour les grillons de l'été, j'ai envie de suivre le lièvre et le faon et de les abattre avec ma fronde, d'écouter celui que vous m'avez donné pour père me raconter la vie de ses aïeux gaulois, de me promener dans les rues de Poitiers autrement qu'avec Tranquille ou Ludovine quand nous allons porter les aumônes des pauvres... J'ai envie... J'ai envie d'être libre... » dit-elle en éclatant en sanglots.

Radegonde resta un long moment silencieuse, sa main caressant toujours les cheveux de sa fille.

« Enfant... pauvre enfant... libre.... sais-tu ce que ce mot renferme de souffrance? Sais-tu qu'être libre peut être la pire des choses? Que cette liberté tu peux la perdre à chaque instant? Reine un jour, le lendemain esclave, tu gémis ta vie entière sur la perte de ce précieux don. J'ai connu cette liberté, j'ai connu l'esclavage et pis encore, l'illusion de la liberté dans la possession du pouvoir. Je ne suis redevenue libre qu'ici. Libre sous le regard de Dieu. Pour certaines âmes, la vraie liberté est là; dans ce choix. Pour toi, il est trop tôt, tu le comprendras plus tard. A qui ne veut pas de maître, il n'est que Dieu.

– Dieu peut-il remplacer le soleil sur ma peau, le parfum des sous-bois après l'orage, l'odeur fraîche des ruisseaux?...

– Dieu est tout cela, dit Radegonde en l'interrompant. Dans la prière, il embaume ton âme d'un parfum suave et généreux, il brûle ta peau de son amour divin et rafraîchit ton front de sa rosée céleste. Dieu est en toi et en toute chose, il veille sur toi comme sur le plus précieux de ses biens. Il t'a donné la vie et t'aime comme son enfant. Il a mis sur ton chemin un corps solide et un cœur tendre; ton père Romulf et une pauvre femme qui n'en peut plus d'aimer Dieu et lui demande pardon chaque jour de distraire un peu de son amour pour te le donner, à toi, ma fille. Prions-le, mon enfant, de te donner la force de le servir et d'accomplir ton destin. Remercions-le de ses dons généreux. »

Elles s'agenouillèrent. Lorsque Vanda se leva, elle avait retrouvé sa sérénité. Quant à la reine, elle avait perdu la sienne. Elle demanda à voir l'abbesse.

« Leubovère, ma mie, je suis inquiète pour ma fille Vanda. Dieu me rappelle à lui avant que j'aie pu finir d'élever cette enfant. Que dois-je faire? Que me conseilles-tu?

– O reine, dans ta bonté tu ne vois pas les défauts de cette enfant. Elle est violente, orgueilleuse, obstinée et insolente. Elle n'écoute que ses désirs, ne fait que ce qui lui plaît. De plus, malgré son jeune âge, elle a une mauvaise influence sur les novices.

Elle passe des heures à parler dans une langue inconnue à Urion qu'on lui a donné comme servante et qui n'obéit qu'à elle. Quand je lui demande : « De quoi parlez-vous? » elle me répond : « Cela ne vous intéresserait pas. » Elle n'est pas assidue à la prière, elle est souvent distraite durant les offices. Cependant, contrairement à Chrotielde et à Basine, elle ne rechigne pas pour balayer les couloirs, laver le linge, porter le grain à la basse-cour, ravauder ses hardes, mais elle le fait avec indifférence sans penser à offrir au Seigneur son modeste travail. Malgré ma défense, elle continue à emprunter des livres à Fortunat et à se faufiler la nuit dans les cuisines pour lire à la lueur de l'âtre.

– Ce n'est pas là un bien gros péché.

– Peut-être pour une fille dans le monde, mais non pour une religieuse qui doit en tout obéissance à ses supérieurs.

– Où as-tu pris que Vanda serait religieuse?

– Que peut-elle être d'autre? N'est-ce pas un honneur que d'être la servante de Dieu, son épouse.

– Oui, ma bonne Leubovère, si Dieu nous a choisies.

– Mais enfin, ma mère, que voulez-vous faire de cette enfant? Elle ne peut être que religieuse, comme Basine et Chrotielde.

– Et faire, comme elles, de mauvaises religieuses? Non Leubovère, cette enfant n'est pas faite pour le couvent, du moins pas encore. J'avais pensé la marier à un prince de ma maison, mais son origine incertaine me l'interdit.

– Si vous me laissez faire, elle ne sera pas une mauvaise religieuse. Elle a une mauvaise tête, mais elle est intelligente, elle comprendra très vite son intérêt.

– Son intérêt?... Je crains que Vanda soit bien

loin de tout ça. N'oublie pas qu'elle a survécu dans la forêt.

– J'aimerais bien l'oublier. Elle a le même regard que son loup Ava, qui heureusement a disparu, mais il lui reste quelque chose d'animal, surtout quand elle se met en colère ou se dispute avec Chrotielde. L'enfant des loups m'inquiète, il y a là quelque chose du diable.

– Tais-toi, tu dis des bêtises. Comment toi, l'abbesse de ce couvent, une femme instruite, peux-tu croire à ce conte de nourrice?

– Je sais que tu n'aimes pas, ô sainte reine, que l'on évoque sa parenté avec les loups. Mais les braves gens de la ville de Poitiers sont venus hier me demander d'envoyer Vanda au-devant d'une horde qui attaque les passants isolés. Ils ont à leur tête une vieille louve grise que des esclaves et des servantes ont vue errer autour du couvent. Que dois-je dire à ces pauvres gens? Trois enfants et deux femmes ont déjà été dévorés.

– Que peut Vanda à tout cela?

– C'est ce que j'ai répondu. Ils m'ont dit qu'une vieille femme, Placidia, pythonisse de la très ancienne tribu des Theifales[1] avait prédit « qu'une louve grise tuerait femmes et enfants, mais qu'elle serait chassée par une vierge qu'elle avait nourrie de son lait ». Ils sont repartis en disant qu'ils reviendraient demain, c'est-à-dire aujourd'hui et qu'ils te demanderaient audience... »

Un bruit confus de voix traversa les murs de la cellule de Radegonde. Leubovère se leva et alla ouvrir la porte. Ce qu'elle vit lui sembla tellement surprenant qu'elle resta un moment immobile.

« Que se passe-t-il, Leubovère?

1. Les Theifales, de race gothique, habitaient une partie de l'ancien territoire du Poitou, où ils s'étaient installés au IVe siècle. Ils conservèrent leurs coutumes longtemps après l'invasion franque. Ils donnèrent son nom à la petite ville de Tiffauges en Vendée.

– Il se passe, ô reine, que le peuple de Poitiers a envahi le monastère, brisé la sainte clôture, et que les esclaves n'ont pas la force de le contenir.

– Qu'on le laisse s'avancer. »

Leubovère sortit et donna l'ordre aux esclaves de laisser passer les habitants de la ville envoyés en délégation par leurs compatriotes. Ils s'avancèrent, ayant à leur tête un riche commerçant de Poitiers, connu de Radegonde pour sa piété et l'importance de ses aumônes. Il entra le premier dans l'humble cellule et tomba à genoux ainsi que ses compagnons.

« Eh bien, Leudovald, que se passe-t-il de si grave pour que tu violes, toi et tes amis, la maison des servantes de Dieu?

– Pardonne-moi, ô sainte reine, c'est la douleur de ces pauvres gens qui m'a donné le courage de venir jusqu'à toi. Deux autres enfants ont été dévorés par les loups.

– Pauvre petits, je prierai pour eux. Mais ne pouvez-vous chasser ces bêtes féroces? N'avez-vous pas d'hommes assez braves parmi vous pour vous défendre de ces animaux?

– Ils sont diaboliques. Chaque fois que l'on croit les atteindre, ils disparaissent. Leur agilité, leur rapidité sont telles que les flèches de nos arcs, les pierres de nos frondes ne les atteignent pas. Nous ne savons plus que faire. Je me suis souvenu de l'enfant trouvée auprès des loups, de sa fuite dans la forêt pour rejoindre la meute quelques années plus tard. J'en ai parlé aux anciens et à la vieille Placidia, dont nul ne connaît le grand âge. Ils m'ont affirmé qu'elle seule pouvait les chasser et sauver nos enfants. »

Radegonde resta silencieuse un long moment regardant ces hommes à genoux. Une grande peine étreignait son cœur : Qu'en serait-il de Vanda si elle réussissait à faire sortir les loups de la ville? Pour tous, elle serait une sorcière, quelqu'un dont on se méfie, que l'on redoute, qu'on lapide ou qu'on brûle. Plus jamais, elle ne serait une enfant comme les autres, pour toujours elle serait l'enfant des loups.

La reine se leva lentement. A ce moment-là, il n'y avait plus rien chez elle de l'humble religieuse, de l'aimable fondatrice, de la mère attentive, c'était une reine qui regardait son peuple. Quand enfin elle parla, tous y compris l'abbesse et les religieuses qui s'étaient jointes à elle, se courbèrent.

« Par pitié pour vous et vos enfants, je consens à ce que ma fille Vanda se rende en procession là où gîtent les loups et qu'avec l'aide du Dieu Tout-Puissant, elle les chasse de la ville. Que l'on fasse venir Vanda », ajouta-t-elle, en se tournant vers les nonnes groupées autour de leur abbesse.

Vanda arriva, ses longs cheveux attachés en queue de cheval au sommet de sa tête, le bandeau royal barrant son front, vêtue de la robe des couventines. Elle ne parut pas surprise de voir la cellule de sa mère envahie par une multitude inconnue. Elle s'inclina devant l'abbesse, puis devant la reine.

« Tu m'as demandée, ma mère?

– Oui, mon enfant. Ces pauvres gens croient que tu peux chasser les loups qui les blessent et qui les dévorent.

– Je le crois aussi, ma mère. »

Un murmure de soulagement emplit la petite pièce.

« Ma mère la louve m'a dit que jamais aucun loup de sa horde ou d'une autre horde ne me ferait de mal, car ils sont mes frères. »

Leubovère eut un regard triomphant vers Radegonde, un regard qui disait : « Vous voyez, je vous l'avais bien dit. » Le cœur de la reine se serra.

« Va, ma fille, nous t'accompagnerons en procession jusqu'à la porte du monastère que la règle nous interdit de franchir. Tu suivras en compagnie de Ludovine, d'Urion et de Tranquille, le marchand Leudovald et ses amis et pendant ce temps-là, nous prierons pour toi le Seigneur Dieu. En attendant, rendons-nous à la chapelle pour l'office saint. »

La foule s'écarta et laissa passer Radegonde et Vanda, tendrement enlacées.

Un vent glacial soufflait dans les ruelles de Poitiers, la neige durcie était glissante, la lumière d'un soleil pâle ne parvenait pas jusqu'à la terre. La petite troupe avait allumé des torches. Vanda demanda à rester seule malgré les supplications de Ludovine et de Tranquille. Urion, quant à lui, se tenait tremblant sous le porche d'une maison.

Bientôt, la petite silhouette disparut dans le jour sale. Malgré le lourd manteau doublé de fourrure et ses chaudes carbatines, Vanda avait froid. Sans peur, elle avançait en modulant des sons dans les rues vidées de leurs habitants, elle arriva sur une petite place, près de la maison où avait vécu le bienheureux saint Hilaire. Un grognement l'avertit qu'elle avait trouvé.

De l'ombre d'un mur, sortit un loup très grand au poil sombre et luisant, qui la regarda d'un air sournois. Vanda s'avança vers lui, tendant ses mains nues sans cesser de moduler. Le loup flaira et recula en montrant les dents. La petite s'avança encore, l'animal grogna, le poil soudain hérissé. Quand Vanda fut à deux pas de lui, il s'arrêta, la gueule rouge bavante et les crocs prêts à mordre. Une masse grise le bouscula et le fit rouler dans la neige. Une très courte lutte qui ressemblait plutôt à une discussion un peu vive s'engagea et cessa aussitôt. Le grand loup, maté, se coucha aux pieds de Vanda. La louve, car c'était elle, s'approcha de Vanda, la regarda longuement comme pour s'assurer qu'elle ne se trompait pas, que c'était bien là l'enfant qu'elle avait nourrie. Elle laissa bientôt échapper une douce plainte et posa sa tête levée contre Vanda, qui la serra contre elle lui prodiguant des mots tendres que la bête semblait comprendre.

« O ma mère louve, pourquoi t'attaques-tu aux petits enfants, toi qui m'as sauvée?... Je sais que la neige recouvre toute la contrée, que beaucoup d'animaux de la forêt sont morts, que les bergeries et les basses-cours sont bien gardées, mais il fallait venir me voir, ma mère la reine aurait permis que je te nourrisse toi et les tiens. Mais maintenant, les hommes veulent vous tuer. Il faut partir. »

La louve baissait la tête comme un animal familier pris en faute.

« Ne prends pas cet air-là, tu n'aurais pas dû manger ces enfants, c'est ça qui a mis les gens en colère. Il faut les comprendre, tu n'aimerais pas que l'on vienne tuer tes petits. »

La louve approuva d'un énergique grognement. Sept ou huit loups, tous très grands, s'approchèrent.

« Je ne vois pas Ava, Où est-il? Ava... Ava... »

Elle fut bousculée et roulée dans la neige avec une telle force qu'elle en fut étourdie. Ava lui léchait le visage, le cou, les mains.

« Arrête... Arrête, tu me mouilles la figure... pousse-toi, tu es lourd... Oh! mon ami, que je suis contente de te voir! Où est ta femme? As-tu des petits? »

Longtemps, ils conversèrent ainsi et se cajolèrent. La nuit était maintenant tombée, on apercevait la lueur des torches.

« Ne bougez pas, je vais aller trouver ces hommes

et leur dire que vous acceptez de partir. Je reviens tout de suite. »

Vanda courut vers les lumières et, s'adressant à Leudovald, lui dit :

« Mes frères les loups acceptent de se retirer et ne reviendront pas. Je leur ai promis qu'on ne leur ferait aucun mal. Je vais les guider jusqu'à la porte du nord.

– Mais ils vont traverser la ville, s'écria, affolé, le riche marchand.

– Il ne se passera rien si vous n'essayez pas de les empêcher le passer.

– Pourquoi la porte du nord et non pas celle du sud qui est tout près?

– Parce que, dans le sud, il n'y a plus de gibier et qu'au nord de Poitiers, il en reste encore. Ils sont comme vous, ils ont faim et ils ont froid.

– Fais comme tu l'entends, nous te suivrons en chantant des psaumes. »

Vanda retourna auprès de ses amis et, les mains appuyées sur les encolures de la louve et d'Ava, elle s'avança entre eux suivie des mâles de la horde. Bien des années après, des siècles mêmes, les vieilles femmes poitevines racontaient à leurs petits-enfants, comment une jolie princesse avait sauvé des loups la ville de Poitiers.

La petite troupe, suivie par des hommes et des femmes emmitouflés dans des fourrures ou des haillons, passa sans embûche la porte du nord. A quelques pas des hautes murailles, Vanda fit ses adieux à ses amis. Ce fut le visage couvert de larmes qu'elle rejoignit la foule qui était restée aux pieds des remparts.

« ... il y a du diable là-dessous.

– ... une sorcière...

– ... notre évêque Marovée n'aimerait pas ça...

– ... elle a quand même chassé les loups...

– ... qui te dit que ce n'est pas une louve elle-même...

– ... à la place de la reine Radegonde, je me méfierais...

– ... c'est le démon introduit au couvent... »

Vanda retrouva Ludovine et le pauvre Urion tremblant de tous ses membres. L'esclave Tranquille lui fit un rempart de son corps massif.

« Ecartez-vous... Laissez passer la fille de la reine... »

Aux approches du monastère Sainte-Croix, les propos devinrent franchement hostiles.

« ... faut la brûler...

– ... elle est complice des loups... ils vont revenir et tuer nos enfants...

– ... il faut la tuer avant qu'elle les rappelle...

– ... à mort la sorcière... à mort l'enfant des loups... »

Aidés de Leudovald, Tranquille et Urion réussirent à arracher Vanda à la foule et à parvenir devant la porte du couvent, qui s'ouvrit immédiatement. Un spectacle inouï frappa de stupeur cette foule en délire et la précipita à genoux, les mains tendues, remplie d'une peur superstitieuse.

Radegonde venait d'apparaître, son manteau royal sur son humble robe, une lourde couronne surchargée de pierreries posée sur son voile, entourée de l'abbesse et de ses filles chacune tenant à la main un cierge allumé et chantant un hymne, composé par Fortunat, à la joie du retour de l'enfant prodigue. Elles avaient l'air, ainsi, d'anges défendant l'entrée du Paradis à ceux qui étaient morts en état de péché mortel.

La reine s'adressa à la foule avec colère.

« Misérables, je vous ai donné ma fille pour qu'avec l'aide de Dieu, elle vous délivre des loups et voilà comment vous la remerciez. Vous insultez la miséricorde divine qui a permis ce miracle. Etes-vous inconscients ou méchants? Faites pénitence pour que le Seigneur vous pardonne. Quant à moi, je vais prier pour vous. Viens, mon enfant. »

Les portes se refermèrent sur les religieuses et sur Vanda.

La foule resta silencieuse. Personne n'osait parler, ni même regarder son voisin. Peu à peu, tous se retirèrent et regagnèrent leurs demeures où les attendaient leurs enfants.

La neige se mit à tomber, effaçant toutes traces du passage des loups.

## CHAPITRE X

# AN 587

# FUITE DE VÉNÉRANDE LA RECLUSE
# MORT DE RADEGONDE

CHAQUE année, quelques jours avant Pâques, la reine et l'abbesse venaient prendre des nouvelles de Vénérande la recluse et s'assurer qu'elle voulait continuer à se mortifier ainsi. Chaque année, Vénérande les renvoyait avec de douces paroles, protestant de son bonheur. En ces Pâques de l'an 587, quand Radegonde arriva devant la cellule murée, des gémissements et des imprécations lui parvinrent. Elle se précipita contre l'ouverture par où on remettait à la recluse sa nourriture et appela d'une voix inquiète :

« Mon enfant, qu'y a-t-il? Es-tu souffrante?... Vénérande, parle, je t'en conjure... »

Des cris, suivis de rires, lui répondirent.

« Cette malheureuse est devenue folle, vite, appelez les ouvriers qui travaillent à la piscine. »

Les ouvriers arrivèrent, armés de piques et de lourds maillets. Ils eurent vite fait de mettre à bas le mur de brique. Quand il fut tombé, ils s'avancèrent, puis reculèrent avec frayeur. Là, tapie comme une bête au fond de son terrier, une créature couverte de poils hirsutes et gris emmêlés d'immondices, vêtue de guenilles grisâtres, les membres nus d'une maigreur effrayante terminés par des mains et des pieds décharnés, aux ongles d'une longueur démesurée, les regardait avec des yeux d'une méchanceté inouïe, tandis que sortaient d'une bouche édentée et bavante des injures et des rires.

Radegonde s'avança vers la brèche. Elle s'arrêta, suffoquée par la puanteur. Jamais, elle n'avait rien vu de si horrible. Elle se reprocha d'avoir permis cela et les larmes coulèrent le long de son visage.

Vénérande se leva péniblement et vint vers le petit groupe médusé. Dans la jeune lumière du printemps, elle était encore plus atroce.

Son corps semblait en état de décomposition, recouvert d'une mousse verdâtre où grouillait la vermine. Tous reculèrent, incommodés par l'horrible odeur dégagée par cet être qui avait été une femme.

Soudain, avec un grognement de bête féroce, elle se précipita droit devant elle, tellement désarticulée que l'on pouvait craindre à chaque instant de la voir tomber en morceaux.

« Elle va se blesser », cria Radegonde, qu'on la rattrape.

Les ouvriers s'avancèrent. L'un d'eux lui prit un bras qu'il relâcha aussitôt avec un cri. Il regardait sa main avec une horreur croissante, la secouant comme pour en arracher une bête visqueuse.

« J'ai touché la mort, j'ai touché la mort », disait-il d'une voix stupide. Ses compagnons le regardèrent avec effroi et refusèrent de s'approcher de la folle. Elle reprit sa course, se dirigea vers la terrasse dominant le Clain, escalada le mur et se jeta dans le vide.

Un même hurlement jaillit de la poitrine des témoins du drame.

Autant que le permettaient sa fatigue et son âge, la reine alla vers le mur et se pencha. En bas de la haute muraille, elle vit le corps sans mouvement de Vénérande, elle la crut morte et une prière monta à ses lèvres. Cependant... non, ce n'était pas possible, ce corps, précipité d'une si grande hauteur, bougeait, se redressait, se levait et s'éloignait en boitant vers la rivière; bientôt, il disparut derrière un fourré.

« C'est un miracle, murmuraient les religieuses.

– Qu'on aille la chercher », ordonna l'abbesse, et qu'on la conduise à l'infirmerie.

Pendant des jours, on chercha en vain la pauvre Vénérande, on alla même jusqu'à fouiller la vase du Clain. Nulle trace.

Ce fut très longtemps après qu'on apprit que la malheureuse s'était réfugiée dans la crypte de la basilique de Saint-Hilaire, où les fidèles lui apportaient quelque nourriture.

La reine et l'abbesse demandèrent à l'évêque Marovée de faire reconduire au monastère la religieuse en folie. Mais l'évêque de Poitiers leur répondit qu'elle refusait obstinément de quitter l'asile de la basilique et que de plus, elle proférait contre la sainte fondatrice et l'abbesse des horreurs et des injures. Radegonde en fut douloureusement attristée.

En cette année 587, tout lui était souci. Elle avait été consultée par le roi Gontran qui désirait qu'un pacte fût conclu entre son neveu le roi Childebert et lui-même à propos de la ville de Senlis, mais en fait pour empêcher que les querelles sanglantes entre Brunehaut et Frédégonde continuent à dévaster les royaumes de la Gaule. Radegonde avait écrit aux deux reines des lettres empreintes d'une grande douleur dans lesquelles elle leur demandait de cesser leurs luttes fratricides, de faire la paix pour sauver la couronne et peut-être la vie de leurs fils.

Brunehaut répondit que son fils le roi Childebert

et elle-même n'avaient d'autre souci que le bonheur de leur peuple et qu'ils s'en remettaient à la sagesse des évêques Grégoire et Félix. La réponse de Frédégonde fut toute différente, elle refusait aux rois d'Austrasie et de Bourgogne tout droit de parler en son nom et en celui de son fils encore enfant.

Radegonde transmit ces lettres à Gontran, qui demanda à son neveu Childebert de venir sans tarder le voir à Chalon.

La santé de la reine déclinait de jour en jour. Elle attendait avec sérénité le moment où Dieu la rappellerait à lui. Elle s'inquiétait cependant de l'avenir de son monastère et de celui de certaines religieuses. Chrotielde, notamment, lui donnait beaucoup d'inquiétude. La fille du roi Caribert avait, malgré sa répugnance, prononcé ses vœux. C'était maintenant une très belle jeune femme de vingt et un ans, à la démarche altière et au regard hautain. Rien, ni les tendres remontrances de la reine, ni les punitions pourtant sévères de l'abbesse, n'avait pu venir à bout de son orgueil. Fille de roi, elle voulait être traitée comme telle au mépris de la règle de saint Césaire. Aux heures de promenades et de récréations, on la voyait entourée d'une cour composée de religieuses parmi les plus jeunes et des novices filles de riches seigneurs francs. Elle les dominait du prestige de sa naissance, qu'elle ne manquait jamais de rappeler comme en témoignaient le bandeau d'or posé sur son voile et sa robe monacale ornée de rubans brodés d'or. Ses compagnes favorites étaient sa cousine Basine, qui l'imitait en tout et Vanda qui, malgré ses treize ans, avait sur Chrotielde un ascendant certain, bien qu'elle refusât de s'associer à leur coquetterie vestimentaire par amour et respect pour Radegonde.

Tout en la plaignant, la reine redoutait un coup

de tête de la part de Chrotielde. Rien de plus terrible que le cloître pour celles qui ne veulent pas renoncer au monde. Basine l'inquiétait moins, elle la savait influençable mais trop blessée pour avoir jamais l'envie profonde de retourner auprès des rois. Son grand souci c'était Vanda : qu'allait-elle devenir après sa mort ? Désemparée, elle écrivit au roi Gontran et lui demanda de prendre soin de Vanda comme un père quand elle ne serait plus. Elle lui fit parvenir des colis de pièces d'or et de bijoux devant servir à l'établissement de sa fille, le priant de lui trouver un époux qui la rendrait heureuse, et ajoutait qu'elle ne désirait pas qu'elle se fasse religieuse, n'ayant pas la vocation.

Ce fut l'évêque de Tours, Grégoire, qui transmit à la reine la réponse de Gontran. Réponse qui calma un peu ses alarmes. Le moment tant désiré et redouté à la fois, arriva.

Depuis quelques jours, la reine ne s'alimentait plus, son organisme usé par tant de macérations et de souffrances ne supportait pas la moindre nourriture. Seule Vanda parvenait à lui faire boire un peu d'eau. Quand elle sentit l'instant venu, elle demanda à recevoir une à une les religieuses et les novices. A toutes, elle prodigua des conseils adaptés au caractère de chacune, demanda leurs prières pour le repos de son âme et les bénit. Elle reçut Vanda la dernière et lui parla longuement, la serra dans ses bras en pleurant et la bénit une ultime fois. Son fidèle ami Fortunat lui donna les saints sacrements. Avant de rendre le dernier soupir, elle demanda pardon à tous, plus particulièrement aux servantes et aux esclaves, joignit les mains, leva les yeux au ciel en disant :

« Me voici Seigneur. »

Elle mourut un sourire aux lèvres. Une circonstance miraculeuse accompagna son décès : un certain Domolenus, agent du fisc, habitait un bourg dans les environs de Poitiers et il était près de mourir d'une oppression qui l'étouffait. Il vit en songe la sainte reine arriver dans son village, il courut au-devant d'elle, la saluant avec empressement et lui demandant ce qu'elle désirait de lui. Elle lui répondit qu'elle était venue pour le visiter. Et comme le vœu du peuple de cet endroit était de voir bâtir une église en l'honneur de saint Martin, elle lui prit la main et lui dit en lui montrant un emplacement : « C'est ici que doivent reposer les saintes reliques du vénérable confesseur; bâtissez-y un temple qui soit digne de lui. » Par miracle, le lendemain, le pavé et les fondements du temple se trouvèrent posés au lieu même qu'elle avait indiqué, et où depuis a été construite la basilique. La reine, dans ce même songe, lui passa la main sur sa gorge, et lui toucha doucement sa bouche, en disant : « Viens pour que Dieu rétablisse et relève ta santé » puis elle ajouta : « Je te prie d'élargir, pour l'amour de moi, ceux que tu retiens en prison. »

Le tribun du fisc, en s'éveillant, ne sentait plus sa douleur; il raconta son rêve à sa femme, et ajouta qu'à cette heure il croyait la sainte partie pour le ciel. Il envoya en ville prendre des informations, et fit donner l'ordre de mettre en liberté sept prisonniers qu'il retenait aux fers. Le messager lui apprit au retour que la reine avait cessé de vivre.

Radegonde mourut le treizième jour du mois d'août de l'an 587, un mercredi matin, jour béni entre tous, car on croyait que Jésus était né un mercredi. Au même moment, mourut son ami Junien dans son abbaye de Jaunay. L'un et l'autre s'aimant tendrement, s'étaient réciproquement promis de prendre des mesures pour que si l'un des deux venait à mourir, la nouvelle en fût portée à celui qui survivrait, le jour même du décès, afin que l'âme du défunt fût accompagnée dans le redoutable voyage, des prières de celui qui restait sur terre. On envoya donc de Chaunay, où Junien était mort, et de Poitiers des messagers qui se rencontrèrent à mi-chemin. Depuis, à cet endroit, un prieuré fut élevé, appelé la Toussaie, dans la paroisse de Ceaux-lès-Couhé, à six lieues de Poitiers.

La mort de celle qu'on appelait déjà sainte Radegonde plongea les habitants du monastère Sainte-Croix dans une douleur profonde. On dut arracher Tranquille, l'esclave aimée, du cadavre de sa maîtresse. Jamais la bonne Tranquille n'avait voulu être libérée de ses liens de servitude, elle disait que c'était dans le cœur qu'était la vraie liberté. Elle avait suivi, encore enfant, Radegonde quand Clotaire l'enleva de Thuringe, elle avait connu l'horreur d'être séparée des siens, de perdre son pays. Jamais elle n'avait voulu quitter la reine, dont elle était devenue au fil des années mieux qu'une servante fidèle, une amie, une confidente. Chrotielde et Basine versèrent des larmes amères, sentant bien qu'elles venaient de perdre une précieuse alliée. Baudovinie, qui s'occupait des écritures, écrivit dans son livre :

« Malheur à nous, parce que nous portons la peine de nos péchés. Notre cœur est plongé dans l'amertume, nous pleurons et nous sommes désolées, mais nous n'avons pas mérité de la posséder plus longtemps. – Le matin même du jour où nous fûmes frappées d'un si grand malheur, des ouvriers qui travaillaient aux carrières de la colline voisine, pendant que nos cris et nos sanglots arrivaient jusqu'au ciel, entendirent la voix des anges qui parlaient dans les airs. « Laissez-la, disait l'un d'eux, « car ces plaintes et ces regrets ont touché le Sei-« gneur. » Mais ceux qui l'avaient emportée répondaient : « C'en est fait, le paradis s'est ouvert, elle y « est associée à la gloire des anges, et se repose

« dans le sein de l'Eternel. » Nous croyons encore qu'elle ne s'est pas séparée de nous, puisqu'elle règne avec celui-là seul à qui son cœur a cherché à plaire, et nous devons la révérer plutôt que de pleurer sur elle. Nous avons perdu, en effet, pour cette vie une reine et une mère, mais nous avons envoyé devant nous, dans le royaume des cieux, une puissante médiatrice, et si son trépas a laissé sur la terre une douleur indescriptible, il a plongé les anges dans une céleste allégresse. »

La plus cruellement meurtrie fut Vanda. Pour la seconde fois, elle perdait une mère. Sa première pensée, en voyant le cadavre, fut : « Je vais la rejoindre. » Sa connaissance des plantes lui permit de se confectionner un poison mortel. Elle allait le porter à ses lèvres, quand elle entendit la voix de sa bien-aimée :

« Que fais-tu, malheureuse? Ne sais-tu pas que si tu absorbes ce poison, nous serons séparées pour l'éternité et que, du haut du ciel, j'aurai la douleur de te voir souffrir dans les flammes de l'enfer. »

Vanda tomba à genoux, le verre s'échappa de ses mains et se brisa. Le visage inondé de larmes, elle tendit les bras en direction de la voix.

« O ma mère, pourquoi m'avez-vous abandonnée? Pourquoi m'avez-vous laissée seule au milieu de nos ennemis? Revenez, ou alors laissez-moi mourir.

– Tu dois vivre. Tu es destinée à accomplir des grandes choses, fais-les pour l'amour de moi, pour l'amour de Dieu. Abandonne ces idées de mort, tu es la vie, ne la perds pas volontairement, car tu perdrais l'autre. Jure-moi que tu n'attenteras pas à tes jours. »

Vanda resta écroulée sur le sol, accablée. Quand, lentement, elle releva la tête, ses larmes étaient taries, son visage était calme et son regard ferme. Elle leva la main et dit d'une voix forte :

« Pour l'amour de toi, et de toi seulement, je jure de vivre autant qu'il plaira à Dieu. »

Elle crut entendre comme un soupir de soulagement, puis la voix reprit :

« Confesse-toi à l'abbesse d'avoir eu cette pensée criminelle et demande-lui en mon nom le pardon. »

Leubovère eut du mal à cacher son agacement à la confession de Vanda. Elle ne doutait pas que la sainte fondatrice eût parlé à sa filleule, mais elle avait d'autres soucis. Ce fut donc avec indifférence qu'elle donna son pardon et sa bénédiction à celle qu'elle appelait toujours en son for intérieur « enfant des loups ». L'abbesse avait quelques excuses, elle devait assurer les obsèques de la reine et contenir la douleur des religieuses.

Elle envoya quérir l'évêque de Poitiers, Marovée, mais celui-ci était absent, occupé, lui dit-on, à visiter les paroisses de son diocèse. Leubovère comprit que l'évêque n'avait toujours pas pardonné à Radegonde d'avoir, sans lui en avoir parlé, fait venir de Terre sainte un morceau de la Vraie Croix, don de l'empereur Justin le Jeune et de sa femme l'impératrice Sophie. Cette inimitié avait obligé la fondatrice du monastère de la Sainte-Croix, à se mettre sous la protection des rois. L'abbesse fit prévenir alors l'évêque de Tours de bien vouloir présider les obsèques. Grégoire arriva aussitôt. Son émotion fut grande en revoyant celle qui avait été pour lui une tendre et fidèle amie. La mort n'avait point laissé sur le beau visage de la reine l'effrayante empreinte de son passage, sa figure avait même conservé les couleurs de la vie et de la santé. A cet aspect, l'évêque affirma qu'il lui semblait voir un ange sous une figure humaine et il fut frappé d'étonnement et de respect comme s'il se fût trouvé en présence de la mère de Jésus.

Durant trois jours, on attendit vainement le

retour de Marovée pour donner aux funérailles la solennité convenable. Toute la communauté était réunie et chantait les psaumes d'usage, et s'il arrivait que le chant fût un instant suspendu, les voix étaient soudain étouffées par une explosion de gémissements et de pleurs. Devant l'absence de l'évêque de Poitiers, Grégoire fit seul les cérémonies avec une pompe digne de celle qui en était l'objet. La reine fut, selon son vœu, ensevelie dans la basilique qu'elle avait commencé de bâtir en l'honneur de sainte Marie, au milieu de ses filles qui l'avaient précédée et de sa très chère Agnès.

On emporta les restes vénérés en dehors du monastère. Comme elle avait établi pour règle que nulle avant de mourir n'en devait franchir la porte, toute la communauté, excepté Vanda qui suivit le cortège soutenue par Romulf, se porta sur les murs et sur les tours dont il était environné. Les cris et les gémissements furent tels qu'on n'entendait plus le chant des prêtres et du clergé. Les religieuses répondaient aux psaumes par des pleurs, aux hymnes par des cris, aux alléluias par des sanglots. Elles supplièrent qu'on déposât le cercueil au pied de la tour, pour voir encore une fois celle qu'elles appelaient leur mère. Un aveugle, s'étant approché du cortège, recouvra la vue. Rendant grâce à Dieu, il suivit la longue procession en chantant, tandis que se lamentaient les religieuses en se déchirant le visage.

*« Pourquoi, ô notre mère, nous laissez-vous orphelines? A qui nous avez-vous remises dans notre désolation? Nous avons abandonné nos parents, nos richesses, notre patrie pour nous attacher à vous, et à qui nous avez-vous livrées, si ce n'est à des larmes éternelles et à une douleur qui ne finira jamais? Jusqu'ici, ce monastère était plus vaste pour nous que l'étendue de nos cités et de nos campagnes; partout où nous*

*pouvions la rencontrer, votre douce présence valait pour nous, et les prés fleuris, et les moissons chevelues, et les violettes, les roses et les lis qui embellissent les champs. Vos paroles étaient pour nous la clarté du soleil, ou comme l'astre qui porte la lumière à travers la nuit de nos consciences; mais la terre entière s'est obscurcie devant nous, et notre clôture trop étroite nous resserre et nous étouffe, puisque nous n'avons plus le bonheur de vous voir. – Faut-il que nous soyons abandonnées par notre sainte mère? Heureuses celles qui sont parties avant vous pour le ciel. Ah! Nous savons que vous êtes associée au chœur des vierges célestes et réunie à la gloire de Dieu; mais au milieu de ces consolantes pensées, nous sommes brisées par ces lamentables paroles : Nous ne verrons plus notre mère*[1]. »

Jusqu'au dernier instant, Grégoire et Leubovère avaient espéré l'arrivée de Marovée.

« Que ferons-nous, dit l'abbesse, si notre évêque n'arrive pas, puisque le lieu où elle doit reposer n'a pas encore reçu la bénédiction épiscopale? » L'évêque de Tours céda aux demandes des magistrats et des citoyens qui s'étaient réunis pour assister aux funérailles de la bienheureuse reine. A leurs prières, il consacra un autel dans le caveau même. On déposa le corps dans une grande caisse de bois contenant des herbes aromatiques, et, pour ce motif, la fosse ayant été creusée plus large, il avait fallu déplacer deux tombes. Après avoir achevé l'office, Grégoire s'en retourna, laissant à Marovée l'honneur de recouvrir le sépulcre et d'y célébrer la messe.

Lorsqu'il fut rentré, l'abbesse et ses filles le conduisirent dans tous les endroits du monastère où la reine avait coutume de lire et de prier. En gémis-

1. Baudovinie, *Vie de sainte Radegonde.*

sant, elles lui disaient : « *Voici la place où nous la voyions s'agenouiller pour implorer, avec des ruisseaux de larmes, la divine miséricorde, mais nous ne l'y verrons plus; voici le livre où elle lisait, mais les sons de cette voix si pleine de grâce et d'une aimable sagesse n'arriveront plus à nos oreilles; voici les fuseaux qu'elle maniait pendant ses longues heures de jeûne et d'insomnie, mais nous n'y trouverons plus ces doigts sanctifiés.* »

A ces mots, les larmes recommencèrent à couler, malgré les paroles réconfortantes de l'évêque, lui-même en pleurs.

Depuis la mort de sa tendre amie, Fortunat n'était plus que l'ombre du joyeux compagnon qu'il avait été. Il sollicita de l'abbesse la permission de se rendre auprès du roi Gontran afin de prendre des dispositions pour l'avenir de Vanda. Leubovère, avant de donner sa réponse, demanda à Marovée ce qu'elle devait faire. L'évêque répondit qu'il désirait réfléchir. Ce fut seulement peu de temps avant Noël qu'il donna son accord. Fortunat, autorisé à faire ce voyage, devait en rendre compte fidèlement.

Vanda perdait ainsi son seul ami véritable dans le monastère. Elle avait beaucoup changé depuis la mort de sa bienfaitrice. Elle s'était fait remarquer par son assiduité aux offices, par sa soumission aux ordres de ses supérieures. « J'en ferai une religieuse, pensait Leubovère. Notre sainte reine s'est trompée, l'enfant a la vocation. » En effet, rien dans son attitude ne pouvait la détromper. L'abbesse n'était pas assez bonne ni assez sensible, pour s'apercevoir que la petite souffrait et cherchait un refuge dans la prière, le silence, les travaux manuels ou l'étude pour tromper sa peine. Cela eut pour effet d'atténuer son ressentiment à l'égard de l'enfant des loups, qui eut à nouveau la permission de recevoir son parrain, le Gaulois Romulf.

Leurs retrouvailles adoucirent un peu le chagrin

de la jeune fille. La reine, avant de mourir, avait remis à Romulf une bourse contenant cinq cents pièces d'or et deux coffrets, l'un rempli de bijoux à remettre à Vanda en cas de nécessité, l'autre contenant ce qui avait été trouvé près d'elle à la Pierre levée. Elle lui avait fait part de ses intentions concernant leur filleule et de son désir de le voir accompagner Vanda chez le roi de Bourgogne. Le brave homme avait approuvé respectueusement et attendait avec impatience l'autorisation de Leubovère pour obéir à ces ultimes vœux.

## CHAPITRE XI

# AN 588

# RENCONTRES DANS LA FORÊT

Le printemps amena le retour de Fortunat. Tous dans le monastère lui firent fête. Sa rondeur, sa bonhomie avaient manqué aux habitants du couvent. Même Leubovère, peu portée aux démonstrations, manifesta son plaisir. Avec lui, revint un peu de la gaieté disparue avec Radegonde. Vanda se jeta dans ses bras en pleurant. Il fut péniblement surpris du changement survenu chez l'enfant chérie de la reine. Son teint avait perdu les couleurs de la santé, les cernes bleuâtres de ses yeux disaient ses nuits sans sommeil, ses mains amaigries paraissaient presque transparentes, la longue robe de novice flottait sur son corps devenu fragile. Elle avait beaucoup grandi et paraissait plus que ses quatorze ans.

« Cette enfant est malade, dit-il à Leubovère, il faut la soigner au plus vite. »

On fit venir les meilleurs médecins de Poitiers, qui déclarèrent que c'était le chagrin qui la tuait et que seul un changement de vie pouvait la sauver.

« Je vais écrire au roi Gontran pour lui demander de la recevoir au plus tôt, dit Fortunat à l'abbesse.

– Ne m'avez-vous pas dit que le roi acceptait volontiers la tutelle de Vanda mais qu'il demandait à ce qu'elle reste sous la protection de l'évêque Marovée et de la mienne une année encore?

– Oui, je le sais, mais il y va de la vie de Vanda. Si elle mourait, je n'oserais pas me présenter devant la sainte reine lors du jugement dernier. J'ai parlé à Vanda, tout ici lui rappelle sa mère, chaque lieu où elle passe lui remet en mémoire un moment heureux...

– Elle n'a qu'à prier le Seigneur Dieu, grommela l'abbesse.

– Elle le prie sans cesse, lui demandant le courage de vivre sans l'amour de sa mère. Je suis inquiet, Leubovère, très inquiet.

– Chalon est loin, les routes ne sont pas sûres. Avec la belle saison, elle guérira.

– Non, le mal est trop profond. Envoyons-la chez son père Romulf, en compagnie d'Urion, de Ludovine et de deux ou trois servantes.

– Je n'aime pas savoir nos novices en dehors de la clôture.

– Mais, Vanda n'est pas une novice.

– Elle le sera. Cette petite a la vocation. »

Fortunat se leva avec colère.

« Vous savez bien que c'est faux, Leubovère, cette enfant est pieuse et ponctuelle à ses devoirs, mais n'a pas le désir de se faire nonne.

– Son attitude, son assiduité aux offices, elle qui était si distraite, qu'en faites-vous?

– Son attitude? Son assiduité aux offices? Mais c'est la manifestation de son chagrin, de son égarement, de sa solitude.

– Sa solitude au milieu de nous? Vous plaisantez, ami Fortunat. Sa solitude au milieu de deux cent cinquante religieuses!

– Oui, abbesse, sa solitude. Depuis la mort de la reine, cette enfant est plus que jamais tenue à l'écart, beaucoup de nonnes ne lui adressent plus la parole de peur de vous déplaire, car on sait que vous ne l'aimez guère et que vous ne parvenez pas à oublier les circonstances de sa venue au monastère. Pour vous, elle reste l'enfant des loups, une sorcière dangereuse, dont il faut s'écarter. N'avez-vous jamais imaginé ce que peut être un tel abandon pour une âme aussi jeune ? Je vous en conjure, pour l'amour de notre sainte fondatrice, pour l'amour de Dieu, laissez partir Vanda. »

Leubovère resta un long temps silencieuse avant de répondre.

« C'est vrai que je n'aime pas beaucoup cette enfant. J'ai toujours pensé que par elle beaucoup de malheurs arriveraient à la communauté dont j'ai la charge. Je sens en elle quelque chose de mauvais, de trop différent, une force et une obstination dangereuses chez une femme, une soif d'indépendance et de liberté incompatible avec son sexe. Seule sa consécration à Dieu pourrait contenir tout cela.

– Ce serait aller contre le vœu de la reine.

– Je sais, dit Leubovère d'une voix lasse. C'est dur Fortunat d'avoir la responsabilité de deux cent cinquante âmes. Je m'en sens indigne et incapable. Ne dites pas le contraire, je sais que j'ai raison. Depuis la mort de notre fondatrice, il y a un relâchement dans les mœurs, un laisser-aller général. Avec les beaux jours, les jeux ont repris, c'est normal, mais des novices, des religieuses aussi, y apportent une vigueur, un plaisir suspect.

– Vous êtes trop exigeante, ma bonne, il faut bien que les corps prennent un peu d'exercice.

– Je le sais. Croyez-moi, nous allons vers des jours difficiles pour le monastère de Sainte Radegonde. Je parlerai à notre évêque de Vanda et je ferai ce qu'il m'ordonnera de faire. »

Fortunat dut s'incliner.

Peu de temps après, l'abbesse fit appeler Fortunat, qui la trouva dans son cabinet en compagnie de l'évêque Marovée. Le poète les salua respectueusement.

« Relève-toi, mon frère, dit celui-ci, l'abbesse m'a parlé de la fille adoptive de la reine et des dispositions prises pour que Vanda soit recueillie par le roi Gontran. Je ne m'oppose pas à ce que l'enfant rejoigne le palais du roi un peu plus tard. Mais puisqu'on la dit malade, qu'elle se rende chez son père adoptif, le Gaulois Romulf en compagnie d'une suite digne de la fille de notre chère sainte.

– O évêque, tu agis ainsi sagement. Au nom de l'enfant, je te remercie. »

Vanda partit à la fin du deuxième mois[1] sur un chariot traîné par deux bœufs blancs, en compagnie de Fortunat qui avait tenu à l'accompagner. Dans un autre chariot suivaient Urion, Ludovine, Asia, et trois servantes de condition libre et d'un âge avancé. Le petit convoi était précédé d'une troupe d'hommes en armes appartenant à l'évêque de Poitiers, qui voulait manifester par là son respect à la protégée de la reine Radegonde, maintenant celle du roi Gontran.

La nature, encore dans son jeune printemps, laissait éclater de toutes parts ses verts tendres et acides, le jaune de ses coucous et des premiers boutons d'or, le bleu céleste de ses myosotis, le parfum sucré des dernières violettes. Parfois, l'odeur encore hivernale d'un sous-bois arrivait jusqu'au chariot de Vanda, dont les narines frémissaient comme celles d'un jeune animal qui sent l'approche de son gîte ou de son gibier favori. Un peu de couleur revenait sur ses joues. Balancée par

1. Avril.

les cahots du chemin, sa tête s'appuyait contre l'épaule du confident de la reine.

« Ami Fortunat, c'est à toi que je dois de respirer l'odeur de la nature libre, de quitter un endroit qui me rappelle tant de joies et où je ne trouve plus que tristesse et larmes. Les bonnes et douces paroles de ma mère me manquent tant! Je sens monter en moi des désirs mauvais. Oh, je les combats avec l'aide de Dieu! Mais que cela est dur! Je suis si seule, si faible. Certaines nuits, je dois faire des efforts immenses pour ne pas me sauver rejoindre mon autre mère et mon loup Ava. Eux aussi me manquent. Ce n'est qu'auprès d'eux que j'ai été acceptée, protégée, aimée. Au couvent, j'ai souvent senti qu'on me reprochait de ne pas appartenir vraiment à la communauté. Pour Basine et Chrotielde, je suis la fille adoptée de la reine. Donc j'ai droit aux mêmes égards qu'elles. Mais le doute qui plane sur mon origine fait qu'elles me regardent comme une usurpatrice. Les novices jalousent ce qu'elles appellent ma liberté vis-à-vis de la règle. Les religieuses, à l'exception de Begga, de Nanthilde et d'Helsuinthe voient en moi une sorcière ou tout au moins quelqu'un dont il vaut mieux se tenir éloigné. Quant à l'abbesse, tu connais ses sentiments à mon égard. Pour elle, je suis l'enfant des loups avant d'être celle de la reine. Elle pense que ce malheur, comme elle dit, peut être conjuré si je me fais nonne. J'y ai sérieusement pensé, mais je me suis dit que ce serait tricher avec moi-même et avec Dieu qui mérite mieux qu'un cœur tiède et dolent. C'est pourquoi je ne veux pas être religieuse.

– En as-tu parlé à l'abbesse?

– Pas encore, j'attends d'avoir retrouvé mes forces et d'être plus calme.

– Que tu es raisonnable, petit chevreau. Contrairement à notre sainte disparue, je ne suis pas inquiet pour toi. A la cour du roi Gontran, tu seras accueillie et traitée comme une reine. Dans sa demeure de Chalon, un appartement t'est destiné. L'intendant du palais s'occupe de trouver des servantes et des esclaves pour te servir, les brodeuses travaillent à tes robes et les orfèvres à tes bijoux. La reine Brunehaut, qui était présente lors de ma visite au roi, m'a assuré de sa protection et de celle de son fils, le jeune roi Childebert. Mais, tu te tais, on dirait que cela ne te fait pas plaisir?

– Je n'en sais rien. Je redoute la cour de ces rois que l'on dit cruels. Je n'oublie pas que Frédégonde commanda à ses serviteurs de violer Basine.

– Mais ce n'est pas à Frédégonde que tu auras affaire.

– Je sais, mais Brunehaut est elle-même fort cruelle.

– Tous les rois sont cruels, il n'en est pas un seul qui n'ait tué de ses propres mains, non seulement un ennemi, mais un parent, un frère ou un enfant. Le pouvoir rend méfiant. Celui qui le détient, redoute de le perdre et pour le préserver n'hésite pas à tuer, et comme il tue aussi de peur d'être tué, tout règne n'est qu'une immense tuerie d'innocents. J'ai beaucoup voyagé à travers les royaumes des Gaules, dans ceux au-delà du Rhin comme dans ceux d'Espagne ou d'Italie, partout j'ai vu du sang sur les mains des rois.

– Qu'y a-t-il dans le pouvoir qui le rende si séduisant aux yeux des hommes?

– Chez certains, il y a le désir de n'être pas dominé, chez d'autres, celui d'amasser de grandes richesses ou de conquérir des terres nouvelles ou encore d'être le maître d'autres hommes...

– Certains aiment la justice, l'interrompit Vanda.

– Ils aiment la justice quand elle leur est favorable. Que peut un misérable face au caprice d'un grand? Hélas! la justice n'est pas pour les pauvres ni pour les esclaves, bien que l'Eglise s'efforce d'améliorer leur sort. »

Des cris, des clameurs, interrompirent leur conversation; ils écartèrent les rideaux de cuir et se penchèrent pour voir. Quand le lourd véhicule s'arrêta, Vanda voulut descendre. Fortunat la retint et héla le chef des soldats.

« Que se passe-t-il? Pourquoi nous arrêtons-nous?

– Un homme, en tête, a cru voir un loup.

– Oh! Fortunat, c'est Ava, j'en suis sûre. Il me semblait avoir senti son odeur tout à l'heure. Laisse-moi y aller.

– Non, je ne veux pas que ces hommes te voient en compagnie d'un loup, cela serait rapporté immédiatement à l'évêque et à l'abbesse et les confirmerait dans leurs croyances absurdes. »

Vanda se rejeta sur les coussins du chariot en soupirant d'une voix soudain lasse :

« Tu as raison, ami Fortunat. »

Elle ferma les yeux quand le convoi reprit sa route sur l'ordre de l'aumônier.

Ils arrivèrent à la tombée du jour chez Romulf, qui depuis le matin allait et venait de sa maison à la route, de la route à sa maison tant son impatience de revoir sa filleule était grande. Grâce aux libéralités de Radegonde, il avait fait construire des bâtiments plus dignes de recevoir celle qu'il appelait en secret « sa petite reine ». Ils se jetèrent dans les bras l'un de l'autre, riant et pleurant. Le Gaulois la maintenait au bout de ses bras tendus comme pour mieux s'assurer que c'était elle, sa fille, qu'elle était bien le petit enfant trouvé un jour d'hiver. Comme Fortunat à son retour, il s'étonna de sa taille, puis de sa pâleur.

« Ami Romulf, je comprends ta joie de revoir ta fille, mais ne pourrais-tu t'occuper de ceux qui l'accompagnent?

– Pardonne-moi, Fortunat, j'oublie en voyant Vanda les lois de l'hospitalité. »

Les deux hommes s'embrassèrent avec une véritable amitié. C'étaient des hommes au cœur généreux, ignorant la jalousie, la mesquinerie, bons vivants tous les deux, aimant le vin et la bonne chère. A sa façon, le paysan gaulois était un poète chantant la terre et sa patrie, comme l'ancien étudiant de Ravenne, devenu prêtre, chantait les miracles des saints, la cour des rois ou les plaisirs de la table. De plus, ils avaient un amour en commun, Vanda.

« J'ai fait préparer, continua Romulf, un repas digne de toi. J'espère qu'il te plaira. »

Le succès de son souper dépassa toutes les espérances de Romulf. Les serviteurs de Fortunat durent le porter dans son lit, tant il avait fait honneur au vin et à la cervoise de son hôte. Quant à Vanda, fatiguée par la route, elle demanda la permission de se retirer de bonne heure.

Le lendemain, dès les premières lueurs de l'aube, Vanda se leva, attentive à ne faire aucun bruit. Elle ne mit pas sa robe de couventine, seulement une courte chemise de laine qui s'arrêtait aux genoux. Elle chaussa des carbatines qu'elle laça autour de ses mollets nus, ceintura sa chemise d'un large lien de cuir sous lequel elle glissa un couteau à lame courte et une fronde, prit sur le lit de Ludovine, qui dormait, une cape de laine brune dont elle rabattit un des coins sur sa tête aux cheveux tressés. En passant devant la salle de repas, elle sourit en entendant des ronflements sonores. Dans la cuisine, elle trouva une boule de pain et une cuisse de lièvre rôti dans du miel, enveloppa le tout dans un linge blanc et sortit sans être vue dans le matin piquant.

Elle s'arrêta sur le seuil, contemplant les longues traînées de brume au-dessus des champs, puis, dans le lointain, le brouillard enveloppant la forêt d'un halo cotonneux et magique. Tout était silence, comme suspendu à la disparition de ces voiles blanchâtres et mouvants.

Elle tira le verrou de la porte d'enceinte et descendit à travers champs en direction de la forêt.

Il semblait que les brumes nocturnes se dissipaient sous ses pas. Devant elle s'ouvrait l'allée des arbres, éclataient les chants des oiseaux, une biche et son faon la regardèrent passer, les yeux confiants, les petits lapins firent des cabrioles de bienvenue, une tourterelle d'une caresse familière la frôla de son aile, un écureuil, d'émotion, en laissa tomber sa provision de glands et de noisettes, un sanglier se détourna avec un grognement. Le soleil entrait avec elle dans la forêt, chassant les peurs de la nuit. Elle s'avançait dans la paix du matin avec une assurance tranquille, sentant qu'une à une ses terreurs, ses peines, disparaissaient dans le calme d'un jour nouveau. De la terre montait une force qui se répandait dans son corps trop longtemps enfoui sous la robe monacale, son sang circulait avec une vigueur qui la fit chanceler. Elle s'arrêta et s'appuya contre un chêne plusieurs fois centenaire. Contre elle, elle sentait vivre l'arbre, sa respiration formidable, le mouvement lent de ses branches et le bruissement de soie de ses jeunes feuilles encore revêtues de leur teinte dorée de printemps. L'émotion lui coupa les jambes. Elle se laissa glisser le long du tronc, dont la rugosité lui fut douce. Les larmes coulèrent lentement le long de ses joues, mais c'étaient des larmes de paix, de simple bonheur d'exister. Comment exprimer, mieux que par des larmes, cette exquise sensation qui bouleverse le corps et le cœur quand on prend conscience du miracle indicible de la vie? Vanda n'analysait pas ce sentiment, elle le vivait, avec reconnaissance. Une prière d'action de grâces monta à ses lèvres :

« O Créateur de toutes choses, comment te remercier de m'avoir permis de naître au milieu des merveilles de ta nature? Bénis-moi et ne permets pas que je t'offense jamais. »

Vanda ferma les yeux, savourant le moment qui passe. Elle eut faim. Elle défit son petit paquet et déchira un morceau de viande de lièvre. Elle mangea lentement, en personne qui apprécie la saveur des aliments. Des oiseaux, plus hardis que d'autres, s'approchèrent; elle leur émietta du pain, sur lequel ils se jetèrent avec des pépiements joyeux.

Avant les animaux eux-mêmes, elle perçut dans les bois une nouvelle présence et cessa de manger, tandis que disparaissaient les bêtes à leur tour alertées et qu'un silence inquiet s'abattait sur ce coin de la forêt. Lentement, sans le moindre bruit, Vanda se leva, l'œil et l'oreille aux aguets. Bientôt, lui parvinrent des éclats de voix. Elle se dissimula derrière le chêne.

D'abord apparut, monté sur un cheval noir et blanc, un homme au visage bestial encadré de longs cheveux roux emmêlés, vêtu d'une tunique jaune déchirée par endroits, barrée par un baudrier retenant à droite une longue épée dans son fourreau de cuir richement orné d'argent et à gauche un bouclier fendu. A sa ceinture, une francisque était glissée. D'une main, il retenait les rênes de son cheval, de l'autre, il tenait une lance. Derrière lui, cinq autres cavaliers aux vêtements déchirés, aux armes abîmées. Deux hommes visiblement blessés se maintenaient avec peine sur leur monture.

« Comte Chuppa, arrêtons-nous, Génobaude et Saruc doivent se reposer et panser leurs blessures.

Les soldats du Roi Childebert ont perdu notre trace. Maudits soient les habitants de Tours, je ne les aurais pas crus aussi acharnés à préserver leurs biens. Je suis sûr que c'est ce fourbe d'Animodus qui, après avoir trahi le roi, nous a dénoncés à lui par peur ou par cupidité. Rien, il ne nous reste plus rien, ni butin, ni serviteurs et tous ces compagnons morts!... Ah! je me vengerai. »

L'homme qui parlait ainsi à l'ancien connétable du roi Chilpéric était grand et maigre, le front ceint d'un bandage sale et maculé de sang, son long corps enveloppé dans une cape noire déchirée.

« Tu as raison, Chariulf, arrêtons-nous, j'ai faim. Que nous reste-t-il à manger?

– Plus rien. Il faudra attendre que nous soyons ce soir à Poitiers, à moins que nous rencontrions sur notre route une riche ferme pas trop bien gardée. Il reste un peu de vin. »

Les deux hommes descendirent de cheval, imités par les autres cavaliers. Les blessés s'allongèrent sur la mousse en gémissant, tandis que les autres faisaient quelques mouvements pour détendre leurs membres engourdis par une trop longue course. Chuppa et Chariulf s'assirent au pied du chêne qui dissimulait Vanda.

« Que comptes-tu faire maintenant? demanda Chariulf à son camarade tout en détachant son épée et son encombrant bouclier.

– Je vais retourner me mettre sous la protection de la reine Frédégonde, engager de nouveaux compagnons et aller à Mareil chercher pour en faire mon épouse la fille de feu l'évêque Badégisile, la belle Magnatrude. J'espère convaincre la mère, qui porte le même prénom que sa fille, de me la donner pour femme, sinon, je l'enlève.

– Pour ma part, je vais regagner l'asile de la basilique Saint-Martin de Tours.

– Si j'étais toi, je chercherais asile ailleurs, à Saint-Hilaire de Poitiers, par exemple.

– Je verrai, à Saint-Martin, j'ai mes aises et mes habitudes.

– Deviendrais-tu un homme de quenouille, toi que j'ai connu hardi au combat, grand buveur de vin et violeur de filles, dit avec un gros rire Chuppa.

– Ne ris pas camarade, après tant d'années passées à guerroyer pour le compte du plus offrant, j'ai envie de me reposer. Après, je verrai ce que je veux faire. »

Tout à coup, ses yeux et son oreille devinrent attentifs. Il fit signe à Chuppa de ne pas bouger. D'un bond, il fut debout, ramassa son épée et contourna l'arbre.

Vanda avait perçu son mouvement et ce fut le couteau à la main que Chariulf la découvrit. Il resta un moment étonné, sans bouger, la regardant attentivement. La jeunesse de Vanda, sa tenue, la couronne de ses cheveux le rassurèrent.

« Chuppa, viens voir ce que j'ai trouvé. »

Le roux éclata d'un rire énorme quand il vit Vanda, si fluette dans sa cape brune.

« Voilà bien maigre gibier, ce sera quelque berger, quelque esclave échappé à son maître.

– Je crois que tu te trompes, regarde ce casque de cheveux, la fierté de ce regard, l'attitude courageuse, la petitesse des mains.

– Oui, je vois un maigriot au visage de fillette.

– Tu l'as dit.

– Quoi?

– Une fillette.

– Une fille?... Ah?... tu crois?... »

Chuppa s'approcha et tenta d'écarter les pans de la cape. Il recula avec un cri de surprise en se tenant la main.

« Maudite soit ton idée de fille, cet esclave m'a blessé. Holà camarade! qu'on se saisisse de lui. »

Vanda était trop près de ses assaillants pour se servir de sa fronde, elle n'avait que son couteau pour seule arme et sa longue inaction physique au monastère lui avait fait perdre un peu de sa confiance en son habileté à le lancer comme le lui avaient appris Romulf et Albin.

Un des hommes valides s'approcha en riant à l'idée de se mesurer à un si petit adversaire. Cette insouciance lui valut un coup sérieux à l'épaule. Son camarade, venu à la rescousse, y laissa une oreille.

Dans la lutte, les nattes de Vanda se déroulèrent et peu à peu se défirent.

« Tu te trompais, Chariulf, ce n'est pas une fille, c'est un démon », dit Chuppa en faisant sauter de la pointe de son épée le couteau des mains de Vanda, qui tenta de s'enfuir.

Un des blessés jeta sa lance dans les jambes de la jeune fille, qui tomba. D'un bond, Chuppa fut sur elle, la retourna et la maintint sous lui. Un long moment, leurs regards combattirent.

« Voyons si mon ami a raison, si tu es bien une fille », dit-il en déchirant le haut de la chemise de laine.

La poitrine encore enfantine de Vanda apparut, émouvante et fragile.

La brute eut un grognement de satisfaction et entreprit d'arracher les derniers lambeaux de la chemise.

« Lâche-moi, vilain porc. »

Les compagnons du vilain porc rirent malgré leurs blessures, tant l'expression leur parut exacte. Rien de plus ignoble, en effet, que le visage rouge boursouflé, déformé par un désir brutal, de celui qui était leur chef.

« Alors, comte, tu te laisses insulter par une

petite paysanne, dépêche-toi de la soumettre pour que nous en profitions aussi.

– Oh! la sorcière », cria avec rage Chuppa en se redressant le visage lacéré, la chemise déchirée de Vanda à la main tandis que nue elle s'enfuyait.

Soudain, elle s'arrêta, humant l'air.

« Ava, Ava, la louve... Je suis ici... Venez... »

Ces appels arrêtèrent les hommes qui allaient la saisir. Ils regardèrent autour d'eux, inquiets, puis, n'entendant ni ne voyant rien qui ressemblât à un être humain, se ruèrent sur Vanda. Brusquement, l'homme à l'oreille coupée, qui tenait un des bras de la petite, s'écroula sous une masse de poils gris. Ses cris s'étranglèrent dans sa gorge en un gargouillis et un bruit d'os brisés. L'autre hurla quand une mâchoire d'épouvante broya son épaule blessée, des griffes labourèrent sa poitrine. Saruc laissa un morceau de son mollet droit entre les mâchoires d'Ava. Il réussit à s'enfuir. Génobaude, trop affaibli par ses précédentes blessures, n'eut pas cette chance. Il était déjà sur son cheval quand la louve, d'un bond formidable, sauta sur ses épaules et le désarçonna. Il tomba lourdement sur sa lance qui le transperça de part en part.

Vanda, ses cheveux emmêlés tombant jusqu'à ses pieds, nue, ayant pour seul vêtement ses chaussures, contemplait le carnage avec un air de satisfaction effrayant.

Malgré leurs nombreuses blessures, Chuppa et Chariulf se battaient avec courage. Ils avaient tué deux loups et blessé plusieurs autres, mais le nombre allait avoir raison d'eux.

Vanda fit un geste. La louve abandonna le combat et vint se coucher à ses pieds. L'enfant des loups se pencha et lui parla à l'oreille. Les deux hommes eurent plus peur de ce murmure que de la meute entière.

« Si tu le peux, jeune fille, rappelle tes loups,

nous te couvrirons d'or, cria Chuppa d'une voix essoufflée.

– Pitié, enfant, ce n'est pas mort de chrétien que de mourir mangé par des loups! »

Vanda et la louve se redressèrent.

« Va, tue-le », dit-elle, en désignant le connétable.

Comme dans un cauchemar, les deux hommes virent s'élever l'énorme bête grise, sans avoir le temps d'esquisser le moindre mouvement. Avant même d'avoir compris ce qui lui arrivait, Chuppa se retrouva prisonnier du fauve, le cou maintenu entre les crocs acérés de la gueule sanguinolente. Quant à Chariulf, il succomba sous l'assaut d'Ava et de sa femelle. Mais les animaux vainqueurs ne resserraient pas leur étreinte, retardant le supplice final, le rendant, par là, plus effroyable encore.

Vanda, enveloppée de ses cheveux, ramassa l'épée de Chuppa et s'approcha du misérable.

« Grâce, petite, grâce.

– M'aurais-tu fait grâce, tout à l'heure? Toi qui voulais me faire violence? Déshabille-le, ma louve, que je le vois nu comme il m'a vue nue. »

La bête comprit, car elle entreprit de déchirer des dents et des griffes la tunique de Chuppa, qui bientôt ne fut plus qu'une charpie sanglante.

« Tue-moi, mais arrête cet animal. Au nom de Notre-Seigneur Jésus, je t'en supplie, tue-moi, mais ne laisse pas une bête m'humilier! »

Vanda s'approcha et mit sa main sur la tête de la louve.

« Laisse-le, ma mère, je lui fais grâce au nom de Notre Seigneur Jésus. » Et disant ces mots, elle maintint Chuppa cloué au sol par la pointe de sa propre épée.

« Je vais te laisser aller, chien, puisque tu as invoqué le nom du fils de Dieu. Souviens-toi que je suis reine et non pas esclave et que tu ne dois jamais te retrouver sur mon chemin, à moins que tu ne viennes à moi avec des mots de repentance et de soumission. »

Vanda souleva l'épée et se recula. Chuppa se redressa péniblement, à moitié nu, le corps déchiré de toutes parts.

« Que comptes-tu faire de moi? demanda Chariulf d'une voix étouffée par le poids des deux animaux.

– Ava, Léna, laissez-le. Tu es libre, toi aussi, mais souviens-toi de moi.

– Belle enfant, je suis à moitié mort, mais je ne t'oublierai, ni toi, ni tes loups. Tu es magicienne pour commander ainsi à une horde?

– Non, ce sont mes frères... Laisse ton épée. Elle est mon butin ainsi que l'épée de celui que tu nommes Chuppa.

– Bien que fille, tu es digne de la porter. Je suis heureux qu'elle t'appartienne. Prends-en grand soin, car elle a touché les saintes reliques de Mgr Martin et celles de Saint-Germain de Paris. Que Dieu te garde, fillette. Mon nom est Chariulf.

– Va, Chariulf, Dieu t'accompagne avec ton vilain compagnon. »

Entourée de ses loups, Vanda les regarda se hisser péniblement sur leur monture et s'éloigner à petit trot. Quand ils eurent disparu, elle entoura la louve de ses bras et embrassa son museau, ses oreilles. Ava fut aussi longuement cajolé et remercié sous l'œil jaloux de sa femelle.

Des appels firent cesser leurs effusions. Vanda reconnut la voix de Romulf. Elle s'enveloppa dans la cape marron et attendit l'arrivée de son père adoptif.

« Dieu soit loué, te voilà, dit Romulf en la soulevant et en la serrant contre lui, indifférent aux grognements des loups. Pourquoi être partie, seule, sans rien dire?

– Je voulais revoir la forêt et mes amis.

– Que s'est-il passé ici ? » dit-il, en découvrant les trois cadavres des compagnons de Chuppa et ceux des deux loups.

Vanda raconta avec le moins de détails possible ce qui s'était passé. Romulf et ses serviteurs poussèrent des exclamations horrifiées.

« Ces hommes ont eu ce qu'ils méritaient. Ma fille, promets-moi de ne plus sortir si imprudemment. Si tu veux aller dans la forêt, je t'accompagnerai. Nous avons eu si peur ! Si tu n'avais pas rencontré Ava et sa meute, que serais-tu devenue ?

– Mon père, je te promets de ne plus te faire peur ni peine. A ton tour, promets-moi que je verrai Ava et ma louve aussi souvent que je le voudrai. »

Cette promesse arrachée à Romulf, elle fit ses adieux à la horde, tandis que les serviteurs chargeaient sur des brancards les corps des victimes.

Fortunat, son bon visage de gourmand tendu par la peur et l'angoisse, n'eut pas le courage de réprimander Vanda. C'est en pleurant qu'il la serra entre ses bras. Elle le cajola si bien qu'il promit d'oublier cet incident. Mais que faire des corps des trois bandits ? Il devait prévenir le comte de Poitiers et l'évêque. Cela l'ennuyait, car on ne manquerait pas de lui poser des questions sur les circonstances de la mort de guerriers francs, même devenus hors la loi.

Le brave homme était bien embarrassé. Il prit sur lui cependant de faire enterrer les corps, de dire sur la tombe des misérables les prières des morts, et de n'en pas parler.

Quelques jours passèrent dans le plus total bonheur pour les trois amis, qui ne se quittaient que pour prendre un peu de repos. Vanda avait retrouvé de belles couleurs et sa vivacité d'enfant des bois. Dès l'aube, elle partait chasser en compagnie de Romulf et d'Urion devenu fort habile à la fronde. Rarement bredouilles, ils revenaient, affamés, las, mais contents. Ils partageaient avec Fortunat un premier repas fait de miel, de lait, de petits fromages et de fruits. Romulf les quittait. Vanda prenait ses livres et travaillait avec le poète. Souvent, plongés dans une interprétation difficile d'un passage des écritures saintes ou dans la traduction d'un poète grec, ils oubliaient le temps, et le retour de Romulf les surprenait.

« Déjà... » disait Vanda en s'étirant.

Fortunat dut les quitter, appelé par ses fonctions auprès de l'abbesse de Sainte-Croix et par la rédaction de l'ouvrage qu'il voulait écrire en hommage à Radegonde. Tous le virent partir avec tristesse.

Romulf tint sa promesse et conduisit Vanda voir ses amis les loups. Bientôt, il la laissa aller seule, comprenant qu'elle était plus en sécurité avec eux qu'avec lui. Entre la louve et l'homme, il y avait comme un courant de sympathie distante, d'estime réciproque. Ne s'étaient-ils pas institués les protecteurs de l'enfant trouvée? La horde avait aussi accepté la présence du Gaulois. Avec Urion, ce fut plus difficile. Il gardait encore le souvenir des blessures qui lui avaient été infligées autrefois par les amis de Vanda. Sa peur était si grande qu'elle se communiquait aux sauvages animaux, dont le poil se hérissait dès qu'ils l'apercevaient. La jeune fille les gronda, leur expliqua qu'Urion était également son ami, qu'il venait du même pays qu'elle et qu'ils devaient l'aimer. A Urion, elle promit que jamais aucun membre de la horde ne lui ferait le moindre mal. En devenant fille, le malheureux enfant en avait pris la faiblesse et la timidité, et malgré toute l'affection de Vanda, ne parvenait pas à surmonter sa peur. Cependant, par amour pour elle, il fit un effort considérable et accepta d'accompagner Vanda dans les bois. Peu à peu, il réussit à vaincre sa frayeur.

Quelques jours après la date du premier anniversaire de la mort de la bienheureuse Radegonde, Vanda découvrit dans un coin de la forêt qu'elle ne connaissait pas, une source coulant dans un bassin naturel entourée d'herbes odorantes. Malgré l'ombre des arbres, il faisait une chaleur pénible annonciatrice d'orage. Vanda était seule avec la louve. Elle retira sa courte tunique de lin blanc, ses sandales et noua ses cheveux au sommet de sa tête. Elle glissa dans l'eau froide avec un soupir de contentement, tandis que la louve se désaltérait avidement. Ayant bu, elle grogna en direction de la baigneuse.

« Oui, ma Louve, va chasser, je ne bouge pas. »

L'animal bondit et disparut dans les fourrés.

Vanda se glissa sous la cascade fraîche, riant sous le picotement de l'eau. Bientôt elle frissonna et courut s'allonger au soleil. Peu à peu son corps se réchauffa, un merveilleux bien-être l'envahit. Derrière ses paupières closes éclataient des formes aux couleurs de l'arc-en-ciel, qui se mêlaient, se confondaient en un miroitement éclatant. Elle joua quelque temps à serrer et desserrer ses paupières, changeant ainsi les formes et les couleurs. Elle se retourna et offrit son dos au soleil. Le nez enfoui dans la mousse, qui libérait, au soleil d'août, ses parfums, Vanda s'endormit. Ses jeux sous la cascade avaient eu pour témoin un très jeune homme aux longs cheveux blonds, au beau et intelligent visage imberbe, qui, pour l'instant, ne perdait pas la jeune fille de vue. Une tunique à manches courtes, rayée de bleu et de rouge, recouverte d'un rheno[1] bleu et blanc, s'arrêtait à ses genoux nus. Il portait une épée au fourreau richement orné, accroché à son baudrier. A sa ceinture, une francisque. Un collier de grosses pierres vertes et rouges pendait à son cou. Debout, il serrait contre sa poitrine la tête de son cheval pour l'empêcher de hennir. Jamais il n'avait vu quelque chose de plus beau que cette enfant presque femme, même la reine Faileube, que sa mère la reine Brunehaut lui avait donnée comme épouse, n'avait pas cette grâce de vierge et cette beauté païenne. Pour la première fois, le jeune roi Childebert regardait une femme sans éprouver d'autre désir que celui de la regarder encore. Près de lui, son cheval trembla. D'une main ferme, il le maintint immobile. Au loin l'orage gronda, tandis que dans le ciel, montaient de sombres nuages. Soudain, un loup bondit de la clairière et se jeta sur la jeune fille endormie. Childebert lâcha son cheval, tira son épée et courut. Son élan fut arrêté par l'éclat de rire de Vanda qui, entourant la louve de ses bras nus, se frottait contre elle avec des grognements et des cris de joie. Tout à coup, la bête se raidit, son poil se hérissa, elle grogna, muscles bandés, en se tournant dans la direction du jeune homme. L'homme et l'animal se mesurèrent du regard. D'un bond Vanda fut debout, serrant la louve contre elle.

« Qui que tu sois, n'avance pas, sinon je dis à ma mère de te tuer.

– Mais c'est toi qui vas être tuée.

– Ne crains rien pour moi, je suis maîtresse ici. Va-t'en. »

Childebert à regret remit son épée au fourreau.

1. Sorte de long gilet de laine ou de fourrure sans manches.

« Quel est ton nom? Qui es-tu pour commander aux loups?

– Ne t'approche pas... Mon nom ne te regarde pas... Je ne te demande pas le tien.

– Je suis le...

– Ça ne m'intéresse pas... Tu t'es perdu?

– Oui, je cherche la route de Poitiers.

– Va vers la gauche, tu ne peux pas te tromper, là tu trouveras la route qui mène à Poitiers.

– Je te remercie, pourrai-je te revoir?

– Non, va-t'en. »

Il fit un mouvement en direction de Vanda, qui lâcha la louve.

« Si tu fais un pas de plus, tu es mort. »

Childebert recula, sans quitter des yeux le couple étrange formé par une fille nue et un loup, détacha son cheval, que la peur rendait fou.

Dès que le roi fut en selle, l'animal s'enfuit au galop, sans qu'il puisse le retenir.

Vanda remit ses vêtements et, songeuse, regagna la ferme de Romulf. Elle ne parla à personne de cette rencontre.

Le froid fut précoce cette année-là, une pluie glacée s'abattit sur le Poitou, la Touraine, le Limousin, détruisant la totalité des vignes. Beaucoup d'animaux domestiques furent retrouvés morts, les pattes raidies, le ventre gonflé. Le blé pourrit dans les réserves. Dans les campgnes les plus touchées, les bêtes et les gens se disputaient de maigres récoltes de châtaignes. Menacés par la famine, les plus démunis cherchaient refuge dans les villes.

Chaque jour, à Poitiers, des groupes de malheureux franchissaient les portes de la ville. Ils étaient accueillis avec bonté par le clergé qui les inscrivait sur ses registres, ce qui leur assurait une maigre mais sûre subsistance. L'abbesse du monastère de

Sainte-Croix fit distribuer des couvertures, des vêtements pour les enfants et une partie des provisions du couvent. C'est dans cette atmosphère de tristesse et d'angoisse que Vanda revint. Elle avait supplié en vain Romulf de la garder auprès de lui ou de la conduire chez le roi Gontran, mais il s'était montré inflexible tant il était inquiet pour la vie de sa fille adoptive. Moins que jamais, la campagne était sûre, des troupes armées sillonnaient les bois, des groupes d'affamés pillaient les fermes et les villages isolés, tuant tous ceux qui s'opposaient à leurs rapines, violant et enlevant les femmes.

Ni les religieuses, ni ses camarades ne reconnurent Vanda dans la superbe et grande jeune fille au teint hâlé, serrée dans sa robe blanche devenue trop étroite et si courte qu'elle découvrait largement les chevilles. L'abbesse l'accueillit assez aimablement, la serrant contre elle et lui donnant sa bénédiction. Basine se jeta à son cou avec une joie qui fit plaisir à Vanda. Quant à Chrotielde, elle regarda avec jalousie celle dont la beauté déjà surpassait la sienne, mais se montra accueillante. N'était-elle pas la protégée du roi Gontran? On ne savait jamais, cela pouvait servir. La couturière du couvent, Deuterie, fut chargée de confectionner une robe à la taille de Vanda. Pensant bien faire, elle cousut au bas de la robe et des larges manches des rubans brodés d'or ayant appartenu à Radegonde. Croyant que c'était sur l'ordre de Leubovère, Vanda ne dit rien et revêtit la robe, tressa ses cheveux avec des rubans pourpres et bleus, sur lesquels elle posa le long voile retenu par un bandeau d'or. C'est ainsi vêtue qu'elle rejoignit ses compagnes à la chapelle. Tout naturellement, après s'être inclinée devant l'abbesse, elle prit place au premier rang auprès de Chrotielde et de Basine, dont les robes, comme la sienne, s'ornaient de galons brodés, en dépit des instructions sévères contenues à ce sujet dans la règle de Saint-Césaire. A la fin de l'office, pendant la courte récréation qui précédait l'étude, les novices et quelques religieuses, parmi les plus jeunes, l'entourèrent et la félicitèrent sur l'élégance de sa toilette. Même Chrotielde lui adressa un compliment.

Urion, vêtu de la robe courte des servantes dérangea ces bavardages sur la largeur des rubans et la longueur des manches en venant dire à Vanda que l'abbesse la demandait.

Leubovère l'attendait en compagnie de l'évêque Marovée dans la bibliothèque du couvent. Vanda s'agenouilla pour recevoir la bénédiction du prélat.

« Est-ce bien une fille devant se consacrer à Dieu que je vois là? Où est la modestie et l'humilité des servantes du Seigneur? Qui t'a autorisée, fille impudique, à te parer ainsi? »

Vanda se tourna vers l'abbesse, attendant qu'elle dise que c'était elle qui avait ordonné de coudre les galons et de lui remettre le bandeau d'or. Mais Leubovère répondit à l'évêque en la regardant avec sévérité :

« Comme toi, Seigneur évêque, je suis choquée de voir cette fille ainsi vêtue. Je ne l'ai vue dans cette nouvelle tenue que tout à l'heure, à l'office. Si tu ne m'avais honorée d'une visite impromptue, je l'aurais fortement réprimandée et punie. Elle subit là l'influence de Chrotielde qui, malgré le cachot, s'obstine à vouloir être traitée en fille de roi. »

Une folle colère s'empara de Vanda : elle arracha le bandeau d'or de sa tête et déchira les galons de sa robe, qu'elle jeta devant elle.

« Je n'ai pas besoin de cela pour être fille de roi et reconnue comme telle.

– Mon enfant, tu perds la tête, demande pardon à Sa Seigneurie de t'être ainsi oubliée devant elle! »

Vanda ne bougea pas, les bras croisés, regardant

fièrement l'évêque sans la moindre trace de contrition.

Marovée se leva, avec des yeux terribles.

« Je crains que notre regrettée reine n'ait eu envers toi une trop grande indulgence. Ne m'oblige pas, ma fille, à une excessive sévérité.

– Ne parle pas ainsi de ma mère, évêque.

– Oublies-tu qui je suis, enfant de la Pierre levée? Oublies-tu que je suis plus que ton père et que tu me dois une totale obéissance? Tu seras châtiée de ton insolence. Leubovère, qu'on la mette au cachot jusqu'à la fête de la Nativité!

– Jusqu'à la Nativité! oh, seigneur évêque, c'est bien long.

– Cela lui donnera le temps de réfléchir, de s'humilier devant Dieu et de Le prier. »

Vanda fut conduite au cachot que, sur les ordres de Leubovère, on avait garni de paille sèche. On lui apporta trois couvertures et Fortunat obtint que, trois heures par jour, elle aurait une lampe, des livres, du papier et de quoi écrire. Sa provision d'eau et de pain fut renouvelée tous les jours.

Grâce aux livres de Fortunat, le temps ne lui paraissait pas trop long. Sa réclusion la confirma dans son désir d'être libre, de quitter au plus vite le couvent. Elle demanda à voir Romulf, cela lui fut refusé. Ce fut dans son cachot qu'elle apprit la mort d'Asia, qui avait choyé son enfance. Malgré ses supplications, on lui refusa de l'accompagner jusqu'à sa dernière demeure. Alors, en elle, mûrit lentement un projet.

CHAPITRE XII

# AN 589

# MALADIE DE VANDA – MORT DE LA LOUVE

DE mémoire d'homme, jamais hiver ne fut aussi rigoureux. Sous l'action du gel, les arbres éclataient, les pierres elles-mêmes souffraient, s'émiettant au moindre choc. Les oiseaux gelés en plein vol tombaient sur le sol. Les bois, les champs, les rivières étaient recouverts d'animaux raidis. Au début, les paysans y virent une aubaine, on allait pouvoir manger de la viande, améliorer un peu l'ordinaire composé surtout de brouets. Mais ces cadavres, dès qu'ils étaient réchauffés, se décomposaient. Ceux qui, trop affamés, en mangèrent, moururent dans d'atroces souffrances. Il était fréquent, au détour d'un chemin, de rencontrer les cadavres, à moitié dévorés par les loups ou les chiens redevenus sauvages, d'hommes, de femmes et d'enfants surpris par le froid alors qu'ils s'enfuyaient vers la ville.

A Poitiers, la basilique Saint-Hilaire était pleine de malheureux tentant de se réchauffer autour des hauts bassins de métal emplis de braises. Chaque jour, les esclaves du comte et de l'évêque enlevaient les morts de la nuit. C'était surtout les vieillards et les enfants qui mouraient, ainsi que les femmes en couches.

Devant ce froid mortel, Fortunat avait obtenu de l'évêque et de l'abbesse que la peine infligée à

Vanda fût diminuée. Quand on ouvrit la porte du cachot, tout d'abord on le crut vide, mais un faible bruit, comme un gémissement, sembla s'élever du tas de paille. A l'intérieur, un froid enveloppant et humide saisit les religieuses envoyées par Leubovère. Elles s'approchèrent, tremblantes, craignant la présence de quelque animal, écartèrent la paille, découvrant Vanda grelottante de fièvre. Elles tentèrent de la relever, mais la jeune fille, les mains gonflées d'engelures, se débattait en disant des mots incohérents. Méroflède partit en courant chercher du secours. Begga arriva, suivie de Ludovine, de Basine et d'Urion. Elles s'arrêtèrent sur le seuil du cachot, bouleversées par le visage décomposé, le corps amaigri de Vanda, qu'éclairait la lampe tenue par Flavie. Begga entra, toucha le front et les mains de la malade en murmurant :

« Mon Dieu... »

Urion écarta sans ménagement Basine et Ludovine qui pleuraient, souleva Vanda comme un enfant, balbutiant des mots dans leur langue commune.

« Vite, dit Begga, emmène-la à l'infirmerie. »

Durant de longs jours, on crut que Vanda allait mourir, mais peu à peu, grâce aux soins de Begga et à sa solide constitution, la mort s'éloigna d'elle et les forces lui revinrent. Pendant ses nuits de délire, elle se redressait sur son lit et, regardant droit devant elle, s'adressait à la défunte reine. Les nonnes qui la veillaient et passaient une partie de la nuit à genoux, étaient persuadées que Radegonde lui répondait. L'une d'elles, Alboflède, sujette à des visions, affirma avoir vu la sainte pleurer en appelant Vanda « sa pauvre enfant ». Leubovère la gourmanda, mais celle-ci maintint ses dires devant l'évêque même.

Fortunat, Basine et Chrotielde venaient tous les jours prendre des nouvelles de la malade. Quand ils furent autorisés à entrer dans sa chambre, ce fut avec émotion qu'ils la serrèrent dans leur bras. A partir de ce jour, la santé de Vanda se rétablit rapidement.

*

Chrotielde semblait s'être prise d'une grande affection pour la convalescente. Elle passait de longs moments avec elle, autant que le lui permettaient ses rares loisirs. Elle entretenait chez Vanda une sourde colère contre l'abbesse et l'évêque.

« Je suis sûre qu'ils ont voulu te tuer. Ils redoutent que tu ailles chez le roi Gontran, mon oncle, et t'en veulent de l'amitié que la défunte reine a eue pour toi.

– Ce n'est pas suffisant pour tuer.

– Crois-tu? La haine de Marovée est toujours vivace. Il n'a pas pardonné à Radegonde l'envoi du fragment de la Vraie Croix par l'empereur, outre le fait de s'être mise sous la protection des rois et non de la sienne.

– Tout cela est si vieux!

– Les gens d'Eglise ont la rancune tenace. Ainsi, Leubovère ne te pardonnera jamais, à toi, enfant trouvée, d'avoir été adoptée par la reine, alors qu'elle a une nièce pour qui elle avait rêvé de cet honneur. Elle, qui est de petite naissance, nous refuse ce qui est dû à la nôtre.

– Je crois que tu exagères, nous sommes dans un couvent et non dans les chambres d'un palais. La règle est stricte à ce sujet. Je n'approuve pas, tu le sais, ton goût de la parure en un lieu consacré à la prière.

– Ce que tu peux être ennuyeuse. Je n'ai pas

demandé à être ici, cette règle n'est pas la mienne.

– Pourquoi as-tu prononcé tes vœux?

– Pour avoir la paix, pour être tranquille, pour être plus libre, s'écria Chrotielde avec colère en se levant. Je ne veux pas passer ma vie ici. Je me sens devenir folle. J'en arrive à détester Dieu.

– Tais-toi, tu blasphèmes.

– Oh! tu es trop bête, tu n'es pas fille de roi, sinon tu ne parlerais pas comme ça.

– Calme-toi. Peu importe qui je suis, fille de gueux ou fille de roi, comme l'a écrit Fortunat, et surtout, enfant des loups. Eux m'ont appris ce qu'était la liberté. Comme toi, je veux être libre, mais non pas pour les mêmes raisons. Quand le moment sera venu, nous aurons besoin l'une de l'autre.

– Que veux-tu dire?

– Je connais le moyen de sortir d'ici.

– Alors, partons vite.

– J'ai appris des loups que la hâte n'est pas bonne et qu'il vaut mieux attendre le moment propice.

– Attendre, toujours attendre.

– Oui, attendre. Quand je serai prête, je te le ferai savoir. »

Malgré les supplications de Chrotielde, Vanda ne voulut pas en dire plus. Fatiguée, elle lui demanda de se retirer et de la laisser se reposer.

A nouveau, des loups pénétrèrent dans la ville. Les habitants les tuèrent sans trop de mal, tant ils étaient affaiblis par la faim. Un jour, devant Vanda, une vieille religieuse raconta qu'une cinquantaine de loups avaient été massacrés.

« Il paraît que ton loup est parmi eux », ajouta la vieille avec une méchanceté incompatible avec son état.

Elle s'enfuit devant la pâleur subite de Vanda.

« Sortez tous, laissez-moi seule. Non, pas toi Urion, reste. »

Dès que la chambre fut vide, Vanda rejeta les couvertures de fourrures et se leva.

« Vite, trouve-moi des vêtements, aide-moi à m'habiller.

– Maîtresse, tu ne peux pas te lever.

– Obéis. »

Le pauvre Urion l'aida à s'enrouler les jambes de bandes de laine, à enfiler l'une sur l'autre deux chemises et sa robe, à emprisonner sa tête dans un capuchon qui retombait sur ses épaules. Elle serra sa robe de nonne par une large ceinture de cuir dans laquelle elle glissa l'épée prise à Chariulf et un poignard byzantin cadeau d'Albin. Elle jeta sur le tout un long manteau de laine noire et chaussa d'épaisses carbatines fourrées, qu'Urion laça.

« Suis-moi, emporte une couverture de fourrure, tu en auras besoin. Prends la lampe. »

La nuit était tombée et s'annonçait noire. Vanda ne rencontra personne dans les couloirs du monastère. Dehors, dans les jardins, la terre gelée rendait un bruit sonore. Légère, elle courait suivie d'Urion, gêné par la lourde couverture. Ils arrivèrent ainsi aux remparts dominant le Clain. Vanda désigna à Urion un renfoncement dans le mur.

« Mets-toi là, et attends-moi. Si je ne suis pas revenue avant le jour, rentre au couvent et ne dis rien.

– Mais...

– Tais-toi, je sais ce que je fais. Ava n'est pas mort et la louve est en danger. Je dois y aller. Donne-moi la lampe. »

La jeune fille escalada le mur et se mit à plat ventre sur le large parapet, ses jambes pendant dans le vide. Du pied, elle chercha un creux, qu'elle trouva sans trop de difficulté, puis un autre. Elle descendit ainsi le long de la muraille. Soudain, un de ses pieds toucha des broussailles.

« C'est ici », pensa-t-elle.

Elle descendit encore et se trouva à la hauteur d'un buisson poussé dans le mur, elle l'écarta et découvrit une ouverture assez grande pour laisser passer un homme même corpulent. Une large pierre était avancée devant l'entrée permettant de s'y tenir facilement. Vanda pénétra dans une galerie parfaitement invisible de l'extérieur, leva sa lampe et examina l'endroit. Le sol était de sable sec et les murs de pierres coupantes. Courbée, elle s'enfonça dans le tunnel qui s'ouvrait devant elle et descendait en pente douce, faiblement éclairée par la lumière de la lampe. Après un temps qui lui parut bien long, le sol devint plat. Elle sut qu'elle était arrivée. Sur sa droite, s'ouvrait une galerie. Elle se souvenait que celle-ci aboutissait au pied du mur d'enceinte du monastère et que l'autre sortait dans la cabane d'un jardinet planté de légumes à l'intérieur des murs de la ville.

Le vent s'engouffrant dans sa cape la fit frissonner. Les rues étaient désertes et noires. Nul bruit que le craquement des pierres sous l'action du gel et le claquement d'une porte de bois. Vanda hésita. Vers où se diriger? Soudain, il y eut comme une rumeur. Elle dissimula sa lampe dans la cabane du jardinet et se cacha dans le renfoncement du mur. Le bruit se rapprocha accompagné d'une lueur brumeuse qui faisait se mouvoir des ombres démesurées. Vanda entendait nettement le claquement de dizaines de pieds sur la terre gelée et des voix en colère.

« Maudit animal, il nous a encore échappé! »

Vanda tressaillit de joie. Il n'était pas trop tard, elle allait pouvoir sauver sa louve. Comment savait-elle que c'était elle que la foule poursuivait? Elle n'aurait su l'expliquer.

« On va l'avoir, ce fils du diable.

– Il a tué nos petits, nous tuerons les siens.

– A mort, le loup, à mort. »

La troupe armée de piques, de faux, de bâtons et de couteaux, composée d'hommes aux visages fatigués et amaigris, grelottant dans de trop légers vêtements ou engoncés dans de lourds manteaux de fourrure, passa devant Vanda sans la voir.

Elle sortit de l'ombre du mur et suivit la foule le long des rues et des ruelles de la ville peureusement, sans se soucier d'être vue. Un hurlement de victoire la fit s'arrêter.

« Le voilà.

– Courage, camarades, il est seul, nous sommes cent. En avant... tuez... »

Vanda contourna la foule et se retrouva non loin de la louve, presque derrière elle. Elle l'appela :

« La louve, la louve, ici. »

Au son de cette voix aimée, la louve, prête à l'attaque, s'immobilisa et tourna la tête dans sa direction. Une pierre l'atteignit à l'oreille, une autre au poitrail, avant qu'elle n'ait le temps de bondir vers Vanda. Celle-ci l'étreignit et lui baisa le museau avec amour. Ses lèvres rencontrèrent le goût sucré du sang.

« Ma mère, tu es blessée, viens, sauvons-nous. »

C'était trop tard, la foule les entourait. Il y eut un moment de silence, quand on découvrit la présence de Vanda.

« La fille de la bienheureuse reine!

– L'enfant des loups! »

Leudovald s'avança, Vanda le reconnut.

« Dis à ces gens de s'en aller. Je me charge de la louve.

– Ce n'est pas possible, dit Leudovald. La dernière fois, tu avais dit qu'elle ne reviendrait plus. Elle et sa horde ont tué trop de gens.

– Je t'en prie, en souvenir de ta bienfaitrice, laisse-la partir.

– Ne l'écoute pas, Leudovald, c'est une sorcière pour être sortie du couvent et commander aux loups, elle mérite la mort, elle aussi, dit un homme plus fort et plus grand que les autres, vêtu seulement, malgré le froid, d'un rheno de peau de chèvre.

– Tais-toi, Wéroc, ton métier de tueur d'animaux t'obscurcit l'esprit, tu ne penses qu'à tuer.

– Tu as raison, homme de bien, je veux tuer ce loup, mais aussi ceux qui les protègent, ajouta-t-il menaçant, en marchand sur Leudovald, qui recula devant la brute.

– Assez de vos querelles. Laissez-nous partir. Je m'engage par serment à éloigner la louve à jamais.

– A jamais? C'est la mort », dit Wéroc en avançant, son grand couteau de boucher levé.

L'homme fut arrêté par la pointe de l'épée de Chariulf, tenue d'une main ferme.

« Arrête-toi ou je te tue! »

Le boucher répondit à cette menace par un gros rire.

« Ce n'est pas nonne pucelle qui empêchera Wéroc... »

Il ne put terminer sa phrase, l'épée s'enfonça dans son cou. D'un bond, il recula, porta sa main à sa gorge, qu'il retira pleine de sang. Il la regarda avec étonnement, puis l'agita devant ses compagnons en disant d'une voix de fausset :

« Regardez, regardez, elle m'a blessé, la sorcière m'a blessé. »

Urbain, jeune étudiant, venu là plus pour s'amuser que pour chasser le loup, lui dit avec moquerie :

« Tais-toi, ce n'est rien, juste une estafilade, rien de grave.

– Rien de grave, mais je saigne, dit-il d'une voix geignarde.

– Tu saignes, la belle affaire. Le sang, tu dois pourtant en avoir l'habitude.

– Oui, mais ce n'est pas le mien.
– Finissons-en, dit Vidaste, soldat du comte de Poitiers, qui avait vu sa femme et sa fille dévorées par les loups. Tuons-le.
– Il a raison, assez parlé. A mort... »

Une dizaine d'hommes s'avancèrent, déterminés à en finir. La louve bondit et égorgea un malheureux. Dans le même temps, elle fut atteinte par un violent coup de bâton, tandis qu'une pique s'enfonçait dans ses reins. D'un coup sec, Vanda coupa la main qui tenait encore l'arme. L'animal se battait avec la rage de celui qui va mourir et qui redoute de laisser derrière lui un enfant sans défense.

Elle n'était pas sans défense, l'enfant des loups. Plusieurs hommes avaient été blessés par l'épée de Chariulf et le couteau d'Albin. Un coup lui arracha l'épée qui rebondit loin derrière elle avec un bruit clair. La louve poussa un hurlement. Vanda comprit qu'elle appelait à l'aide. Mais nul secours ne vint. Une francisque fendit l'air et brisa l'épaule de la bête, tandis que Vidaste lui enfonçait son épée dans le flanc. La fourrure blanchie par l'âge se couvrit de sang. Vanda, de son couteau, blessa le soldat, mais celui-ci abattit le plat de son épée sur la main de la jeune fille qui, sous la douleur, laissa échapper son arme. Désarmée, elle se tourna vers la louve. Toute au combat, elle n'avait pas remarqué la faiblesse grandissante de l'animal, qui n'eut pas la force d'éviter le grand couteau de Wéroc, redevenu courageux devant la bête moribonde. Vanda se jeta sur elle avec un hurlement.

« Ma mère, oh! ma mère. »

Le corps secoué de sanglots, elle essayait de redresser la tête morte que le froid raidissait déjà.

« Tuons la fille, maintenant. »

Le bras de Wéroc fut arrêté par Urbain, le jeune clerc. Les deux hommes se mesurèrent du regard, la force contre l'intelligence. Ce fut l'intelligence qui l'emporta et le boucher abaissa son arme.

Urbain et Leudovald tentèrent de relever Vanda, mais l'enfant s'agrippait au cadavre et ne voulait pas le lâcher. A travers ses larmes, elle murmurait, comme une litanie :

« Laissez-moi... Laissez-moi...

– Jeune homme, je la connais, rien ne la fera céder. Laissons-la.

– Mais elle va mourir de froid.

– Je vais prévenir l'abbesse, elle l'enverra chercher.

– Pauvre fille, comme elle l'aimait son loup », pensa Urbain en la recouvrant de son propre manteau.

Combien de temps Vanda resta-t-elle écroulée sur le corps, elle n'aurait su le dire. Un souffle chaud lui fit relever la tête. Deux yeux brillants la regardaient.

« Ava... tu n'es pas mort... Pourquoi viens-tu si tard?... Notre mère est morte... »

Comme s'il comprenait, Ava poussa un hurlement auquel répondirent d'autres cris de douleur. Des loups pleuraient l'un des leurs. Ava, sa femelle et leurs fils, avaient échappé au massacre. Vanda oublia un peu son chagrin en les serrant contre elle.

« Comme ils sont maigres », pensa-t-elle.

Elle se releva, le devant de sa robe blanche recouvert de sang, et tenta de soulever le corps déjà raide de la louve, mais malgré sa maigreur, il était bien lourd.

Elle chargea sur son dos le cadavre de leur mère et la main sur son encolure, elle se dirigea vers la maison de saint Hilaire. Souvent elle était venue, en compagnie de Fortunat, se recueillir dans la maison de ce saint que l'ami de Radegonde vénérait presque autant que saint Martin, et qui était devenu un lieu de pèlerinage. C'était alors un quartier très vivant où se tenaient le marché de la viande et celui des huîtres. Tout contre la maison, était une échoppe de boucher, reconnaissable à la couleur rouge de ses murs. Par la porte entrouverte, une lumière s'échappait. Vanda poussa la porte. La pièce, éclairée par une torche, était recouverte d'un rouge brun du sol au plafond auquel se balançaient les corps d'animaux fraîchement abattus. Sur les murs, étaient accrochées des peaux de bêtes, dont plusieurs de loup.

« Ferme la porte », dit une grosse voix venant du fond.

Vanda entra en compagnie des quatre loups.

« Qui es-tu? Avance, je ne te vois pas. »

Vanda apparut dans la lumière du foyer, son épée à la main.

« Toi?... sorcière... Que veux-tu?

– Te tuer.

– Me... Me... balbutia le colosse en reculant.

– Mais avant tu vas faire un petit travail pour moi.

– Oui, oui, tout ce que tu voudras », dit-il d'un air fourbe en s'avançant vers elle.

Il fut arrêté par la pointe de l'épée.

« Ava, surveille-le. »

Ce fut à ce moment seulement que le boucher découvrit les quatre loups. Il recula à nouveau, les yeux exorbités, incapable d'émettre un son.

« Prends le corps de ma mère. Obéis. »

Wéroc s'avança, agité de tremblements convulsifs.

« Cesse de trembler comme une vieille femme. Prends le corps, mets-le sur ta table de travail et retire la peau. »

L'homme eut un regard de totale incompréhension.

« Mais j'ai d'autres peaux de loup.

– C'est celle-ci que je veux. Assez parlé, mets-toi au travail. Tu m'appelleras quand ce sera fini. Je te laisse Ava et sa famille pour te tenir compagnie. »

Vanda sortit; le froid lui parut plus intense après la chaleur de l'antre du boucher. Elle alla s'agenouiller devant la maison de saint Hilaire et là, dans le vent glacial, pria Dieu de lui donner le courage d'accomplir ce qu'elle devait accomplir. Un calme étrange descendit en elle, ses larmes se tarirent. Elle fut tirée de ses dévotions par la voix de Wéroc.

« Tu peux venir, j'ai fini », dit-il en s'essuyant les mains.

Une nausée envahit Vanda à l'odeur du sang et à la vue du cadavre dépouillé de ce qui avait été un animal tendrement aimé.

« C'est bien, donne-moi la peau.

– Il faudrait la laver », dit-il en la lui tendant.

Sans répondre, elle la mit sur ses épaules, noua les pattes de devant autour de son cou et rabattit sur sa tête celle de l'animal. Ainsi, elle était effrayante. Du sang coula le long de son visage et tacha ses cheveux dénoués. Elle tourna sur elle-même, comme le faisait Chrotielde pour faire admirer sa robe ornée de nouveaux galons.

« Tu as bien travaillé. Il est juste que tu reçoives le prix de ton travail. Allez, tuez-le. »

Les quatre loups bondirent en même temps. Ava et sa femelle saisirent l'homme à la gorge, broyant son cou énorme, les louveteaux, déjà grands, se précipitèrent entre les jambes de l'homme, fouillèrent de leurs museaux et de leurs griffes, arrachèrent le sexe et les testicules du malheureux. Un cri inhumain s'étrangla dans sa gorge brisée. Ava accentua sa prise et l'horrible cri cessa. Durant ce temps d'épouvante. Vanda n'avait pas bougé, comme indifférente, étrangère. Elle vit mourir Wéroc sans éprouver la moindre émotion.

Les loups affamés, excités par le sang, s'acharnèrent sur le cadavre, arrachant des lambeaux de chair. Bientôt le visage fut méconnaissable. Soudain, Ava bondit sur la table où était le corps dépouillé de la louve, la fourrure hérissée, l'œil fou, la gueule sanglante. Avant que Vanda ait pu faire un geste, il entreprit de le déchiqueter. La jeune fille tenta de le lui arracher, mais sa femelle et ses fils vinrent à son aide et l'aidèrent dans sa macabre besogne.

Avec horreur, le visage caché entre ses mains, Vanda recula bouleversée d'horreur.

Elle se boucha les oreilles pour ne pas entendre le craquement des os et le bruit des mâchoires. Enveloppée dans la peau sanguinolente, elle se laissa glisser le long d'un mur.

Sentant une présence familière, elle releva la tête. Près d'elle se tenait Ava avec un morceau de viande dans la gueule. Comme autrefois, il venait partager avec elle sa nourriture. Mais cette fois, ce n'était pas de gibier dont il s'agissait, mais de leur mère. Il insista, poussant la viande entre ses lèvres. Sans savoir ce qu'elle faisait, Vanda ouvrit la bouche et arracha un morceau. Elle mâcha lentement la viande dure à l'odeur fétide.

Elle pensa :

« Ma mère entre en moi. »

Cette pensée l'apaisa, la rendit heureuse, même. Elle porta à ses lèvres un autre morceau, sentant naître en elle une force nouvelle. Maintenant, elle était vraiment l'enfant des loups, loup elle-même puisqu'elle avait bu le sang de sa mère. Elle pensa à la communion, au corps du Christ mangé sous les apparences du pain et du vin. C'était la même chose. A jamais la louve resterait en elle.

Elle se releva. Il ne restait plus du corps de la bête que des débris épars. Vanda fit signe aux loups repus de la suivre.

Ils marchèrent en direction du couvent. Toute la fatigue de la nuit et des jours passés envahit la fille de Radegonde; c'est à bout de forces qu'elle arriva devant la lourde porte où elle s'écroula avant d'avoir pu frapper. Ava hurla longtemps avant que le judas ne s'entrouvre. Il se hissa sur les pattes de derrière.

« Ava. »

Tranquille venait de le reconnaître. Elle comprit à l'attitude de l'animal que quelque chose se passait dehors. Elle appela à l'aide et d'autres esclaves accoururent.

« C'est Ava, le loup de Vanda.

– Qu'arrive-t-il, pourquoi tout ce bruit? dit Begga, qui était venue visiter les malades à l'infirmerie proche de l'entrée du monastère.

– C'est Ava, le loup de Vanda, redit Tranquille.

– Vite, ouvrez », ordonna Begga.

Le lourd madrier bloquant la porte pivota. Begga se précipita, tandis que les loups s'enfuyaient. Elle s'accroupit devant la forme effondrée contre la porte. Ses doigts rencontrèrent d'abord la fourrure rêche puis les doux cheveux. Elle reconnut Vanda.

« A l'aide... Venez. »

Deux servantes et une esclave soulevèrent le corps inanimé et le portèrent sur les ordres de Begga à l'infirmerie. Quand il fut allongé sur une table de marbre, toutes reculèrent avec un cri d'horreur. Quoi, c'était là l'enfant chérie de la reine, celle dont Fortunat chantait les louanges, dont Chrotielde jalousait la beauté? Cet être mi-femme, mi-louve? A ce moment-là, l'abbesse entra, suivie de ses religieuses favorites.

« Voici donc celle que la charité de la reine avait nommée sa fille? C'est le diable qui est entré ici sous la tendre apparence d'un petit enfant. Il convient de dire les prières d'exorcisme. Que l'on prévienne l'évêque dès l'aube. Qu'on lui retire cette peau maudite et qu'on la brûle. »

Vanda ouvrit les yeux mais son regard vide n'exprima rien. Elle se redressa, effrayante, le visage et les mains barbouillés de sang, serrant contre elle la peau souillée. On eut beaucoup de mal à la lui retirer tant elle se cramponnait à elle. Soudain, elle s'évanouit. La peau glissa de la table.

« Que l'on détruise cette ordure. »

Une esclave la ramassa et alla la jeter sur un tas de fumier remettant au lever du jour le moment de la brûler.

Dès qu'elle fut éloignée, Urion sortit de l'ombre. Urion, toujours enveloppé dans la couverture de fourrure regarda ce qui venait d'être jeté et reconnut la peau de la louve. Sans même savoir ce qu'il faisait, il la saisit et courut la dissimuler dans une des étables, là où il avait une cachette. Transi de froid, il regagna la chambre des serviteurs, se coucha et s'endormit d'un sommeil peuplé de loups et de hurlements.

## CHAPITRE XIII

# LA PEAU DE LA LOUVE
# VOYAGE DE VANDA A TOURS

INQUIET des réactions de l'abbesse et de l'évêque, Fortunat envoya un courrier au roi Gontran et à la reine Brunehaut, leur demandant d'ordonner qu'on leur envoie la fille de Radegonde. Le printemps passa sans apporter leur réponse. Une nouvelle fois, Vanda fut aux portes de la mort et sa guérison fut considérée comme un miracle, mais un miracle du démon. En effet, elle retrouva santé et raison le jour où Urion posa sur son lit une somptueuse peau de loup à la fourrure blanche devenue douce et brillante. Les mains de la malade tâtèrent les longs poils, elle ouvrit les yeux et murmura :

« Ma mère. »

C'était bien la peau de la louve qu'elle tenait serrée contre elle, une peau qui avait retrouvé toute la douceur de la vie. Elle tendit les bras vers Urion, qui se jeta contre elle avec des larmes de bonheur.

« Merci, dit simplement Vanda, merci. »

Il avait fallu beaucoup d'habileté et de courage à Urion pour sortir du couvent, faire tanner la peau et l'apporter sur le lit de sa maîtresse quasi mourante.

Grâce aux interventions de Fortunat et de Begga, Leubovère accepta qu'on lui laissât la peau après l'avoir fait bénir.

Le messager revint, porteur de lettres de Brunehaut à l'abbesse et à l'évêque disant qu'en l'absence de son beau-frère le roi Gontran, parti guerroyer, elle serait heureuse de recevoir Vanda. Elle ajoutait que son fils, le roi Childebert, viendrait, après le sixième mois[1] de l'année, rendre visite à l'évêque de Poitiers en compagnie de ses percepteurs, dont Florentien, maire du palais de Brunehaut, Marovée ayant demandé à Childebert qu'un recensement soit fait afin d'éviter que les habitants ne paient trop d'impôts. Le roi avait promis à l'évêque que ce recensement serait effectué. A l'occasion de cette visite, il ne manquerait pas de s'enquérir de Vanda.

Ce fut à la fin du septième mois[2] que Childebert vint à Poitiers, entouré de ses comtes et de ses leudes. Il fut accueilli aux portes de la ville par l'évêque à la tête d'un groupe imposant de religieux et de diacres du comte Maccon et de ses domestiques. Précédée de chants, toute l'assemblée se dirigea, en procession, sous les applaudissements et les cris de la foule, vers la basilique Saint-Hilaire pour entendre la messe. Après la cérémonie, un grand festin les réunit à nouveau, auquel était convié Fortunat, qui avait connu le roi tout enfant, à la cour d'Austrasie. Childebert lui parla avec un respect et une amitié qui irritèrent fort Marovée.

Les jours qui suivirent furent consacrés au travail, entrecoupés de parties de chasse dans les forêts poitevines, prétexte pour le jeune roi, à rechercher cette fille nue qu'il n'avait pu oublier.

Un jour, Childebert fit demander à l'abbesse l'autorisation de se recueillir sur le tombeau de la bienheureuse Radegonde.

1. Août.
2. Septembre.

Il arriva à la fin de l'après-midi, à l'heure où le soleil teintait d'or et de mauve les hauts murs du monastère et où les dernières roses exhalaient leur senteur. Il demanda à rester seul auprès du tombeau de la sainte et resta longtemps en prière, ses longs cheveux blonds cachant son visage. Une odeur de chèvrefeuille pénétra dans le lugubre lieu. Le roi releva la tête. En face de lui, appuyée au tombeau, se tenait une lumineuse apparition qui le regardait attentivement. Il crut tout d'abord voir un ange puis... mais non, ce n'était pas possible... l'enfant nue de la forêt!... l'enfant des loups... Il se releva lentement, comme pour ne pas l'effrayer et s'avança, s'attendant à chaque instant à la voir disparaître. Il posa sa main à côté de la sienne sur le tombeau et la regarda tandis qu'elle lui souriait.

« Qui es-tu? Un fantôme ou une créature vivante?

– Que t'importe. »

C'était elle, il en était sûr. Il mit sa main sur la sienne, qu'elle ne retira pas.

« C'est toi qui étais dans la forêt l'année dernière? »

Elle ne répondit pas mais le regardait toujours en souriant.

« Tu m'as menacé d'une épée... tu étais nue... et tu étais avec une louve. »

Le sourire s'effaça des lèvres de Vanda. Elle retira sa main, tandis que ses yeux s'emplissaient de larmes.

« Tais-toi, elle est morte, ils l'ont tuée. »

Childebert sentit qu'aucun mot ne pouvait la consoler. Ce fut peut-être ce silence qui apaisa Vanda. A nouveau elle sourit.

« Je suis heureuse que tu sois venu te recueillir sur la tombe de la reine. Dieu te bénisse. »

Elle disparut avant qu'il ne comprenne par où elle était partie. Derrière le tombeau, était une porte basse qui résista à ses efforts. Il sortit en courant du sépulcre et se trouva face à l'abbesse et à un grand nombre de religieuses qui attendaient la fin de ses dévotions. Il promena sur chacune d'elles un regard inquisiteur, cherchant le beau visage de l'étrange fille à la louve. Elle n'était pas parmi elles.

Leubovère le salua avec le respect dû à un roi et Childebert sollicita sa bénédiction. Ils se dirigèrent vers les remparts dominant la ville. Le jeune homme cherchait le moyen de parler de la jeune fille, mais comment aborder ce sujet délicat face à une abbesse qu'il devinait sévère? Il se souvint que sa mère, la reine Brunehaut, lui avait conseillé de voir la fille adoptive de Radegonde.

« Ma mère se réjouit fort de connaître la princesse Vanda. Tout est prêt pour la recevoir.

– Ne pressons rien, mon fils. Vanda est encore une enfant, dont l'éducation a besoin d'être surveillée. Depuis la mort de notre bienheureuse reine, je me sens personnellement responsable de cette jeune âme. De plus, sa santé délicate nécessite de grands soins.

– Donne l'ordre, abbesse, qu'elle me soit amenée, afin que je puisse faire un portrait d'elle à ma mère et à mon oncle le roi Gontran, qui s'intéresse fort à son sort. »

Leubovère ne pouvait que s'incliner. Le monastère Sainte-Croix était encore sous la protection des rois; refuser cette entrevue pouvait avoir pour le couvent de funestes résultats.

Elle envoya chercher Vanda.

La fille de Radegonde arriva dans les rayons du soleil couchant, toute nimbée d'une lumière dorée qui faisait étinceler l'or des nattes tombant le long de la robe blanche.

Quelque chose se serra dans la poitrine du roi. Cet être fruste et brutal, élevé dans la mollesse par une mère débauchée, habitué dès son plus jeune âge à satisfaire tous ses caprices, fut envahi par une émotion inconnue et c'est le visage radieux qu'il alla au-devant de la jeune fille.

« Vanda, c'est toi Vanda!... » dit-il en lui prenant la main.

Sans cesser de le regarder de ses étranges yeux verts tour à tour sombres et clairs, elle lui sourit.

« Tu es bien jeune pour être roi.

– Je suis jeune par l'âge, mais je règne depuis plus de dix ans. A être roi, on vieillit vite quand on ne meurt pas assassiné.

– On dit que ton père, le roi Sigebert, a été assassiné par ta tante la reine Frédégonde. Est-ce exact?

– Oui, cette prostituée à tué mon père, mais aussi son propre mari, le roi Chilpéric, les enfants de celui-ci, puis leur mère, la reine Audovère et la douce sœur de ma mère, la reine Galswinthe. Cette femme est un démon issu de l'enfer. Sans la trop grande indulgence de mon oncle, le roi Gontran, elle aurait déjà été punie de ses crimes. »

L'abbesse s'approcha des deux jeunes gens et s'adressa à Vanda :

« Mon enfant, c'est l'heure de l'office du soir. N'oublie pas tes devoirs. »

Vanda s'inclina devant Leubovère et Childebert puis s'éloigna en courant.

« Je me réjouis de la voir à la cour de ma mère. Quand pourrai-je l'emmener?

– Nous verrons, je dois en parler à notre évêque.

– Sa place est auprès de nous; ma femme, la reine Faileube, l'accueillera comme une sœur.

– Si tu le veux bien, ô roi, nous reparlerons de cela plus tard. Tu dois partir, la nuit est tombée. Il n'est pas convenable que tu restes ici. »

Se souvenant des recommandations de sa mère,

le roi s'inclina et s'éloigna avec trois religieuses qui lui montraient le chemin. Devant la porte refermée du monastère, Childebert retrouva ses compagnons.

« Nous commencions à être inquiets de ne pas te voir revenir, lui dit Martial, un de ses leudes et son plus fidèle ami, en lui tendant la bride de son cheval.

– Tu te souviens du récit que je t'avais fait de cette jeune fille nue dans la forêt?

– Si je m'en souviens?... Comment oublier cette étrange histoire, si étrange que, durant longtemps, j'ai cru que tu avais rêvé. C'est le désir de tout homme de rencontrer ainsi une fillette, mais la tienne était quand même un peu bizarre. Nue, passe encore, mais en compagnie d'un loup...

– Je l'ai revue.

– Quoi? Qu'est-ce que tu dis? Tu l'as revue? Mais où? On ne s'est pas quittés depuis qu'on est dans le Poitou.

– Ici.

– Où? Ici? dit Martial en regardant autour de lui.

– Dans le monastère. »

L'ami du roi le regarda avec inquiétude; cette histoire le rendait fou : une fille nue dans un couvent avec un loup... Ça ne s'était jamais vu.

« Ne me regarde pas comme ça, j'ai toute ma raison. Je te dis qu'elle est ici, qu'elle se nomme Vanda et qu'elle est la fille de la reine Radegonde.

– Mais que faisait une fille de roi, nue, dans la forêt? »

Childebert haussa les épaules en signe d'incompréhension.

Tout en chevauchant, ils arrivèrent dans le camp royal, installé en dehors de la ville.

Victime de nombreuses tentatives d'assassinat, le roi ne se sentait en sécurité qu'avec ses officiers, dont certains avaient été élevés avec lui, et surtout hors des murs d'un palais même épiscopal, malgré l'invitation pressante de l'évêque à demeurer dans sa maison.

Childebert écarta les pans de sa tente, où régnait une douce chaleur. Dans un coin du vaste abri, chauffait l'eau pour ses ablutions. Près du feu, une ravissante fille, très brune, vêtue d'une robe aux couleurs vives, ses longs cheveux nattés de rubans multicolores, ses bras minces recouverts de bracelets, le cou orné de lourds colliers, se releva vivement à l'entrée du roi et se jeta à ses pieds qu'elle baisa avec transport.

« O mon roi, que le temps m'a semblé long sans toi!

– Lève-toi, Alchima. »

La fille n'obéit pas, glissa sa main sous la tunique bleue et le caressa. Childebert sourit avec lassitude et la repoussa violemment. Elle roula sur la paille qui recouvrait le sol de la tente. D'un bond souple, elle fut debout, l'œil étincelant de colère.

« Pourquoi me traites-tu ainsi? N'est-ce pas toi qui m'as enlevée à mon père, qui as fait de moi ta concubine?

– Alchima, tu m'ennuies, je veux être seul. Demande à Martial de venir me rejoindre. Fais-nous donner du vin et dis au cuisinier qu'il se surpasse ce soir. J'ai faim. »

Chrotielde entra dans une grande colère quand elle apprit la visite du roi au monastère : elle, sa proche parente, n'avait pas été prévenue.

« Cette abbesse se moque de nous. Qui croit-elle être pour manquer ainsi aux usages? Ne sait-elle pas que le roi est maître ici et que, par conséquent, les membres de sa famille y ont des droits? »

Elle attrapa avec brusquerie le bras de Vanda.

« Pourquoi as-tu été appelée? Que t'a-t-il dit? Comment est-il? Je ne l'ai pas vu chez mon oncle le roi Gontran. Est-ce vrai qu'il est beau? Allons, parle.

– Tout d'abord, lâche-moi, je n'aime pas que tu me secoues. »

Le visage renfrogné, Chrotielde obéit.

« Il a demandé à Leubovère quand je partirais à la cour de Bourgogne.

– Qu'a-t-elle répondu?

– Elle a dit que ma santé était délicate et qu'elle craignait pour le repos de mon âme.

– Tu verras qu'elle t'empêchera de partir.

– Peut-être... De toute façon, je partirai. J'étouffe ici, tout y est devenu petit.

– Je partirai avec toi.

– Moi aussi, dit Basine.

– Moi aussi, dirent Flavie, Pélagie, Placidinie, Geneviève, Suzanne, Theudogilde, Ultrogothe et Clotilde, toutes religieuses.

– Moi aussi », dirent une dizaine des novices présentes.

Un silence embarrassé suivit cette affirmation. Elles se regardèrent avec méfiance, craignant d'être dénoncées à l'abbesse et punies sévèrement.

Vanda prit la parole :

« Je n'ai pas dit que je voulais être accompagnée. Pourquoi vouloir venir avec moi? La plupart d'entre vous ne connaissent que les murs de ce couvent. Où iriez-vous en sortant?

– Nous te suivrons, dirent celles qui avaient retrouvé leur courage.

– Ce serait une trop lourde responsabilité pour moi. Ce que je veux faire, moi, je ne peux engager personne à le faire.

– Et pourquoi partirais-tu, toi, et pas nous? dit Chrotielde avec colère.

– Moi, je n'ai pas prononcé mes vœux », dit Vanda en la regardant avec un sourire moqueur.

Celles qui étaient religieuses baissèrent la tête.

« Nous n'avons pas été libres de choisir. Depuis notre enfance, nous sommes enfermées ici, contraintes à une règle dont nous ne voulons pas, à une vie qui ressemble à la mort. Je préfère risquer ma vie dehors plutôt que de la voir s'écouler uniforme jusqu'à la fin de mes jours.

– Dehors, tu as tout à craindre, l'abbesse, l'évêque, le roi...

– Le roi, j'en fais mon affaire, j'irai le voir, je lui dirai comment nous sommes traitées, nous, filles de roi.

– Ici, nous sommes toutes égales, tu le sais, c'est la reine elle-même qui l'a voulu ainsi.

– Arrête, tu n'es qu'une sotte, si tu veux rester, reste, mais moi je pars.

– Eh bien, nous partirons chacune de notre côté. »

Chrotielde, pâle de colère, la quitta entraînant avec elle ses habituelles compagnes. Basine resta, elle enlaça Vanda et se blottit contre elle.

« Je ne sais pas ce qu'il faut faire. Ma cousine me dit sans cesse qu'il faut partir, que notre place n'est pas ici. Je n'en sais rien. J'ai si peur de me retrouver face à l'infâme Frédégonde et qu'elle me fasse mourir comme ma mère et mes frères. »

Vanda caressa le joli visage de la fille de Chilpéric. Elle connaissait sa triste histoire et la plaignait de toute son âme. La place de Basine était au couvent, car jamais elle ne parviendrait à oublier cette horrible nuit où les serviteurs de Frédégonde l'avaient violée et conduite ainsi souillée devant son père, cette nuit où sa belle-mère l'accusa de débauche. Le roi, bien qu'aimant tendrement sa fille, n'avait pas cherché à savoir ce qu'il y avait de vrai dans le récit fortement détaillé de la reine. Il l'avait reniée et envoyée au monastère Sainte-Croix, où, comble d'humiliation, on lui avait coupé les cheveux au ras de la tête.

Le lendemain de la visite de Childebert, Marovée, l'évêque de Poitiers, se rendit au monastère Sainte-Croix et demanda à voir l'abbesse qui abandonna l'office pour aller le recevoir.

« Ma bonne Leubovère, asseyez-vous. Ce que j'ai à vous dire doit avoir toute votre attention. Tout d'abord, jurez sur la croix de ne révéler à personne l'objet de cet entretien et de ne jamais prononcer un mot sur ce sujet.

– Je le jure, Votre Grandeur.

– Bien. Ecoutez-moi attentivement. Vous avez reçu hier le jeune roi Childebert. Par une circonstance que je déplore, il a vu Vanda...

– Mais...

– Ne m'interrompez pas. Je sais, vous n'avez pas eu le choix. Mais enfin, ne pouviez-vous pas dire qu'elle n'était pas là?

– Mais cela eût été mentir!...

– Mentir, mentir, il y a quelquefois des mensonges nécessaires! Oublions cela. Vous n'ignorez pas l'intérêt que portent à la filleule de votre sainte fondatrice le roi Gontran et la reine Brunehaut. De plus, j'ai su par un espion à moi auprès de la reine qu'elle aurait appris quelque chose d'important concernant la naissance de Vanda. Cette petite représente donc une valeur pour nous.

– Je ne comprends pas. Que voulez-vous dire?

– Vous n'êtes pas sans savoir que le maire du palais de la reine Brunehaut, Florentien, et le comte de son palais sont à Poitiers pour examiner et réviser le rôle afin de savoir qui, exactement, doit s'acquitter de l'impôt. Ils rechignent à dégrever les pauvres et les infirmes. Le roi, à qui j'en ai parlé m'a dit qu'il avait toute confiance en ses serviteurs et refuse de discuter davantage sur ce point. Vous savez combien le sort des pauvres de mon diocèse m'est cher. Il faut que l'impôt soit diminué ou supprimé. J'ai su que le roi voulait emmener Vanda au plus vite. Il ne le faut pas.

– Mais s'il envoie la chercher? Les désirs de la reine Radegonde étaient formels. Je ne pourrai pas longtemps l'empêcher de partir.

– Je sais. Demain à l'aube, je vous enverrai une litière et une escorte. Vanda se tiendra prête à la porterie, elle sera accompagnée de deux servantes, et d'une religieuse en qui vous avez toute confiance.

– Flavie?

– Quoi! La nièce de Grégoire, l'évêque de Tours? Non, ce n'est pas possible, car c'est à Tours que j'envoie Vanda. Il faut quelqu'un de neutre et d'intelligent. Pourquoi pas Glodosinde? Oui, c'est ça, Glodosinde fera l'affaire. Prévenez-la à la dernière minute.

– Mais notre règle interdit que nous sortions de notre clôture.

– Je lève exceptionnellement cet interdit. Vanda sera conduite au monastère fondé par Ingitrude...

– N'est-elle pas parente du roi Gontran et mère de Bertrand, évêque de Bordeaux?

– C'est exact. Elle est en perpétuel désaccord avec le roi à cause de l'héritage de sa fille Berthegonde. Je lui ai promis mon appui, elle acceptera de nous aider. Un messager la préviendra de l'arrivée des voyageurs. Vous allez lui écrire en lui demandant de garder quelque temps Vanda auprès d'elle et de la maintenir dans l'isolement le plus complet pour le salut de son âme. Vous remettrez cette lettre à Glodosinde.

– Que dirai-je à Vanda?

– Rien, cela ne la regarde pas.

– Et au roi, s'il vient la chercher?

– Qu'elle est partie faire une retraite et que vous avez juré de ne pas révéler l'endroit où elle se trouve.

– S'il force les portes du monastère?

– Il ne le fera pas, ce serait s'exposer à l'excommunication. C'est un homme croyant et pieux malgré sa vie dissolue.

– Ne pouvez-vous agir autrement?

– Non et de plus, avant de la rendre aux rois et à la reine, je dois savoir qui est Vanda.

– J'ai peur des réactions de cette enfant. Si elle cherchait à s'enfuir?

– J'y ai pensé. Vous lui mettrez cinq gouttes de cette potion dans son lait du matin. Cela la fera dormir tout le long du voyage. Tenez. »

Marovée tendit à Leubovère un petit flacon d'or qu'elle prit avec hésitation.

« Pas plus de cinq gouttes, sinon vous la tueriez. Allons, ne faites pas cette mine, Leubovère. Tout se passera bien. Pensez que ce que nous faisons c'est pour les pauvres qui sont les favoris du Seigneur. Parlez-moi de vos affaires. Comment marche le couvent? Les novices sont-elles sages, assidues à l'étude et à la prière? Avez-vous rentré assez de provisions pour l'hiver, qui s'annonce rigoureux. Fortunat a-t-il composé de nouveaux chants? Votre santé est-elle toujours bonne? Mais si, mais si, vous êtes d'une nature à nous enterrer tous. Chrotielde se soumet-elle? Est-elle moins coquette, moins imbue de sa naissance? Basine s'est-elle bien adaptée à son nouvel état? Avez-vous pensé à faire rentrer les orangers de Radegonde?... »

Abrutie par ce flot de questions, Leubovère ne savait que répondre. Elle n'en eut pas l'occasion: l'évêque s'était levé.

« Ma bonne amie, j'ai passé avec vous des moments bien agréables. Malheureusement, je dois partir, les devoirs de ma charge m'appellent. Venez, ma fille, que je vous bénisse. Non, ne me raccompagnez pas, ce n'est pas nécessaire, je connais le chemin. N'oubliez pas cinq gouttes, pas plus, et que tout soit prêt à l'aube. »

L'abbesse le regarda partir dans une profonde perplexité. Son bon sens lui disait que c'était une erreur de faire ce que l'évêque lui demandait, et en même temps, elle ne pensait pas un seul instant qu'elle pût désobéir.

Ce fut de la part de Glodosinde que Leubovère rencontra une grande opposition au projet de Marovée. La brave femme s'insurgeait contre ce qu'elle appelait un enlèvement. Elle ne comprenait pas pourquoi l'on ne remettait pas Vanda au roi Childebert, puisqu'il avait toute la confiance du roi Gontran et qu'il était son héritier. De plus, c'était enfreindre les dernières volontés de la reine Radegonde, et cela, c'était péché. Ne pouvait-on attendre et prévenir au moins Romulf, le père adoptif de la petite? Ces paroles raisonnables troublèrent l'abbesse plus qu'elle ne le laissa voir, ce fut avec colère qu'elle intima l'ordre à la religieuse de se taire et d'obéir. Glodosinde, respectueuse de l'autorité, s'inclina, se promettant de veiller sur la fille de la reine qu'elle aimait tendrement.

Le lendemain, avant l'aube, Leubovère fit réveiller Vanda et lui expliqua qu'elle l'envoyait se reposer à Tours et qu'elle serait accompagnée de Glodosinde, de Ludovine et d'Urion. Elle tint à lui présenter elle-même le bol de lait chaud que Vanda avala à moitié endormie.

Une litière tirée par quatre bœufs blancs attendait devant la porte du couvent, entourée d'une dizaine de cavaliers armés. Glodosinde eut du mal à monter dans le haut véhicule, sa corpulence lui ôtant toute souplesse. Le chef du convoi voulut l'aider, mais après des essais infructueux fit signe à deux soldats qui soulevèrent la grosse femme et la poussèrent sans délicatesse à l'intérieur, où elle roula sur les coussins soulevant les rires de ses trois compagnes. Elle se redressa et essaya de retrouver sa dignité avec un air qui redoubla l'hilarité.

Ce fut dans la joie que Vanda quitta le monastère Sainte-Croix, sans se soucier de savoir où on la conduisait. D'ailleurs, elle avait bien trop sommeil. Bientôt, elle s'endormit.

Le voyage dura six jours. Six jours durant lesquels on dormit beaucoup dans la litière prêtée par l'évêque de Poitiers.

Ingitrude les attendait en compagnie de sa nièce, qu'elle avait fait nommer abbesse. Elle embrassa Vanda en l'appelant « ma parente », lut attentivement la lettre de Leubovère que lui remit Glodosinde et se mit à parler de ses querelles avec sa fille Berthegonde, qui s'était enfuie du domicile de son mari en faisant embarquer sur ses navires ses biens et ceux de son époux, et s'était réfugiée à Bordeaux auprès de son frère Bertrand, évêque de la ville. Chose abominable, à Orléans, en présence du roi Gontran, le mari accusa l'évêque d'adultère et d'inceste.

Ah! elle avait bien des ennuis, entre le roi son parent qui lui donnait tort, l'évêque de Tours qui était fort sévère, sa mauvaise fille qui ne pensait qu'à la dépouiller, et maintenant, l'évêque de Poitiers, qui lui promettait de servir ses intérêts, mais qui dans le même temps lui envoyait la fille adoptive de Radegonde, la pupille de Gontran, avec ordre de ne la laisser approcher de quiconque. La lettre de l'abbesse de Sainte-Croix ne lui apportait aucun éclaircissement. Que faire? Elle devait les ménager tous. Elle décida de se faire une alliée de Vanda. Cette petite pourrait toujours servir plus tard. Elle la conduisit elle-même dans un appartement confortable, aux mosaïques d'une adorable fraîcheur. Les chambres s'ouvraient sur une cour fleurie où chantait l'eau d'un bassin.

Glodosinde regardait autour d'elle avec étonnement. Tout ici respirait un luxe inconnu dans le monastère de Radegonde. Les religieuses riaient, bavardaient, leur robe blanche recouverte de galons serrée dans des ceintures richement ornées. Leurs chaussures étaient brodées ainsi que leurs gants. Dans leurs cheveux s'entremêlaient perles et rubans. Voilà un endroit où se plairait Chrotielde, pensa la brave nonne. Urion s'empressa d'aller visiter les jardins, et de faire connaissance avec les serviteurs préposés à la porterie et, étant gourmand, avec ceux des cuisines. Ludovine rangea les vêtements apportés dans les coffres, visita chaque chambre et aida les esclaves, envoyées par Ingitrude, à préparer les lits. Quant à Vanda, enveloppée dans la peau de sa louve dont elle n'avait pas voulu se séparer, elle s'assit dans la cour sur un banc de marbre et regarda, songeuse, le jet d'eau monter et descendre. De temps en temps, le vent du soir faisait voleter quelques gouttelettes sur son visage sans qu'elle parût s'en apercevoir.

La colère du roi Childebert fut grande quand le surlendemain du départ de Vanda, il demanda à la voir. Au parloir, l'abbesse lui répondit que ce n'était pas possible, qu'elle était en retraite et que la règle interdisait formellement qu'elle fût interrompue pour quelque raison que ce soit. Le roi se retira fort mécontent.

Une semaine ne s'était pas écoulée qu'il revint, demandant si la retraite était terminée. Il lui fut répondu qu'elle durerait quarante jours et quarante nuits.

« Je ne peux pas attendre plus longtemps, je dois partir en Bourgogne où le roi Gontran m'attend. Qu'on appelle Vanda, je l'emmène avec moi. »

A nouveau, il lui fut répondu que la règle l'interdisait.

« La règle ici, c'est moi », cria-t-il, le visage cramoisi.

L'abbesse, tremblante, mais ferme, lui répondit :

« Si tu forces notre clôture, ô roi, malheur à toi, tu seras maudit, retranché du sein de l'Eglise et privé de la communion. »

Le roi fut sensible à cette menace, il ne tenait pas à brûler en enfer. Contenant mal sa colère, il se retira et se rendit chez l'évêque.

Marovée lui fit les mêmes réponses que l'abbesse, mais laissa entendre que si le roi avait pitié des pauvres, des veuves et des orphelins poitevins, il pourrait, lui et lui seul, abréger la retraite de Vanda. Childebert ne fut pas dupe, il s'attendait à ce marchandage, sans pouvoir toutefois en démêler les raisons; après les rapports de ses agents, il avait décidé de réduire l'impôt de cette région. Ce fut avec un air de respect et de soumission qu'il remercia l'évêque et qu'il signa le nouveau rôle.

« Maintenant, où est-elle ? dit le roi en abattant sa main chargée de lourdes bagues sur la table.

– Je vais l'envoyer chercher, elle sera de retour d'ici une vingtaine de jours.

– C'est trop long, je dois partir demain. Ne puis-je aller la chercher moi-même ?

– Cela te retardera bien davantage, ô roi.

– Evêque, j'espère pour toi que tu ne cherches pas à me tromper, sinon, redoute ma vengeance. Je te donne quinze jours pour remettre la protégée du roi Gontran entre les mains des hommes que je t'enverrai. L'hiver arrive, je veux qu'elle soit à l'abri avant les grands froids. N'oublie pas, quinze jours. »

## CHAPITRE XIV

# L'ÉVÊQUE GRÉGOIRE RENCONTRE VANDA LES RELIGIEUSES DÉCIDENT DE S'ENFUIR

PAR quelle indiscrétion l'évêque Grégoire fut-il prévenu de l'arrivée de Vanda dans son monastère? Ingitrude ne put le savoir. Il la convoqua et lui exprima sa surprise de ne pas avoir été consulté sur cette visite comme le voulaient la courtoisie et l'obéissance. L'évêque de Tours parla sans colère à Ingitrude qui se tenait apeurée devant lui. Cet homme bon, juste et sévère avait le don de la mettre mal à l'aise et de lui donner l'impression qu'elle venait de commettre une faute. C'était une forte femme, qui avait été belle et ne l'avait jamais oublié. Elle se comportait avec tous, malgré son habit religieux, avec une coquetterie qui lui avait à mainte reprise valu les remontrances de l'aumônier de son couvent et celles de Grégoire. Ce fut avec des mines de pucelle confuse et des tortillements de manches qu'elle répondit à l'évêque :

« Seigneur, ne me gronde pas, je n'ai fait qu'obéir à la demande de Mgr l'évêque de Poitiers, qui m'a dit désirer, pour le repos de l'âme de Vanda, qu'elle fasse retraite quelques jours auprès de moi. Il ne m'a pas laissé le temps de te prévenir. De plus, c'est la pupille de mon parent le roi Gontran. Pouvais-je refuser de protéger une âme?

Grégoire sourit en pensant que l'âme de la fille de

Radegonde ne lui paraissait être en péril nulle part, tant cette enfant avait toujours fait preuve d'une maturité au-dessus de son âge.

« Je l'enverrai chercher demain après tierce[1].

– Mais l'évêque Marovée et Leubovère m'ont expressément recommandé qu'elle ne voie personne. »

Grégoire se leva avec agacement.

« Suis-je personne? Ici, à Tours, c'est à moi que vous devez obéissance et non à l'évêque de Poitiers. Qu'elle soit prête à l'heure indiquée. »

Ingitrude ne put que s'incliner et s'éloigna en saluant respectueusement. Le lendemain, la ville de Tours se réveilla sous un épais manteau de neige, ce qui pour la saison était exceptionnel. Tels des enfants, Vanda, Ludovine et Urion se poursuivaient dans le jardin à coups de boules de neige. C'est le nez et les joues rouges que Vanda répondit à l'appel de la fondatrice.

« Mon enfant, l'évêque Grégoire veut te voir. Je vais demander à mes filles de coudre sur ta robe quelques galons et de te prêter un voile brodé.

– Je vous remercie, mais ce n'est pas nécessaire. Je crois que Mgr Grégoire préférera me voir comme je suis vêtue habituellement. »

Surprise par ce refus inattendu de la part d'une jeune et jolie fille, Ingitrude répondit sèchement.

« Comme tu voudras... Mais... que fais-tu?... Pourquoi mets-tu cela?

– Cela, c'est ma mère nourricière, sans elle, sans son lait, je serais morte. On l'a tuée, je porte sa dépouille, elle me réchauffera.

– Tu ne peux pas aller ainsi chez l'évêque. Que penserait-il? ajouta-t-elle avec un air dégoûté.

– Je le connais, c'est un homme au cœur bon, il comprendra. »

1. Troisième heure du jour.

Devant l'obstination de Vanda, Ingitrude dut céder, mais cela lui rendit la jeune fille insupportable.

L'accueil de Grégoire fut celui d'un père. Par Radegonde et Fortunat, il avait été tenu au courant des moindres faits et gestes de Vanda, de ses progrès, de son caractère tour à tour sombre et gai, de son amour pour la poésie et les belles lettres, ce qui lui allait droit au cœur, lui qui se plaignait si amèrement de la décadence de la langue latine. C'était, avec son ami Fortunat, l'objet de longues discussions passionnées. Il constata avec une joie émue que la reine et le poète n'avaient pas exagéré les qualités de leur enfant chérie.

En face de ce prélat entouré de la pompe de son état avec ses secrétaires, ses copistes, ses traducteurs, ses enlumineurs, ses chanteurs, ses musiciens et ses serviteurs, Vanda ne fut pas un seul instant intimidée. Elle regarda avec admiration le travail d'un jeune enlumineur italien qui rehaussait d'or une image de la Vierge et donna son avis sur une solide et riche reliure chargée de protéger un manuscrit de l'Apocalypse de Jean, rapporté de Byzance à grands frais et destiné au roi Gontran. Vanda passa un doigt ému sur le fin parchemin et traduisit à haute voix un passage du texte grec : « Si quelqu'un n'était pas trouvé inscrit dans le livre de vie, on le jetait dans l'étang de feu[1]. »

« Voilà des paroles terribles, dit Grégoire en refermant le précieux livre. Viens, enfant, faisons quelques pas. »

Ils traversèrent l'immense salle dallée de marbres de différentes couleurs, au plafond richement mosaïqué soutenu par des massives colonnes de marbre vert, où travaillaient dans un brouhaha aimable musiciens et copistes, qui, de temps à autre

1. Apocalypse de Jean, XX, 15.

allaient se dégourdir les doigts au-dessus d'un des nombreux brasiers. Ils s'arrêtèrent dans un renfoncement qui pouvait être isolé par de lourds rideaux. L'évêque de Tours les tira et s'assit sur les coussins brodés d'une banquette.

« Ma fille, dit-il en lui prenant les mains et en la forçant à s'asseoir, assieds-toi près de moi et réponds à mes questions avec franchise. Eprouves-tu le désir d'être religieuse et de te consacrer à Dieu?

– Non, monseigneur. Je désire quitter le monastère.

– Où iras-tu?

– Le roi Gontran et la reine Brunehaut m'attendent, mais l'abbesse semble vouloir s'y opposer.

– Tu te trompes. Je ne crois pas qu'elle s'y oppose, mais elle est inquiète pour ton avenir et craint pour le salut de ton âme.

– Je n'ai pas peur de l'avenir et mon âme ne craint rien, Radegonde, ma mère, veille sur moi. Je ne veux plus rester à Sainte-Croix. Depuis la mort de la reine, il y règne une atmosphère détestable. Leubovère se montre souvent injustement sévère et irrite contre elle par sa dureté un grand nombre de novices et de religieuses.

– Je suis au courant, Chrotielde m'a écrit pour se plaindre. Ses plaintes sont celles d'une coquette. Elle doit totalement obéissance à son abbesse. Seul son évêque Marovée peut recevoir ses griefs.

– Pauvre Chrotielde, elle est si malheureuse au couvent qu'elle est capable de tout pour en sortir.

– Si elle commettait une pareille faute, elle serait excommuniée.

– Et moi, serais-je excommuniée, si je quittais le couvent?

– Evidemment non, tu n'es pas religieuse. Chrotielde a prononcé des vœux rigoureux, elle doit les respecter. Es-tu heureuse d'aller en Bourgogne?

– Je ne sais pas. Je voudrais être avec mon père Romulf, vivre libre dans la forêt et les champs sans souci des rois. Quand je dis ça à Chrotielde, elle se moque de moi et prétend que la cour d'une ferme n'est pas digne de la fille d'un roi.

– Elle a tort. Romulf est plus près de Dieu qu'un roi. J'ai appris, continua-t-il en caressant la fourrure de la louve, ce qui s'était passé l'hiver dernier à Poitiers. On a dit qu'à cause de toi plusieurs personnes auraient été blessées et qu'un homme serait mort? Qu'y a-t-il de vrai dans cela? Parle sans contrainte. »

Vanda serra contre elle la peau de la bête, tandis qu'une larme coulait sur sa joue, puis sur la main de Grégoire, qui regarda avec une tendresse grandissante cette enfant qu'il connaissait à peine mais qui faisait sur son cœur une impression si forte.

« C'était ma mère. Ils l'ont tuée, évêque, ils méritaient la mort.

– Il n'est pas bien de chercher à se venger. La vie d'un animal vaut-elle autant pour toi que celle d'un homme?

– Tout dépend de l'homme, tout dépend de l'animal. Dans ce cas, l'animal était bien supérieur à l'homme, il méritait de vivre, l'autre non. Mon père, les animaux ne sont-ils pas créatures de Dieu, comme nous? »

L'évêque resta un instant silencieux. Quand il parla ce fut d'une voix douce mais sévère.

« L'animal comme l'homme est créé par Dieu, à ce titre, nous devons le respecter et lui éviter des souffrances inutiles, mais l'homme a été créé pour dominer tous les animaux, il leur est donc supérieur et sa vie est plus importante.

– Et s'il se comporte comme une bête malfaisante, ne convient-il pas de l'abattre ainsi que l'on fait pour les chiens enragés?

– Non, un homme reste un homme quel que soit

son crime et doit être jugé équitablement. En tuant la louve, ils n'ont fait que se protéger et protéger leurs enfants...

– Non, ils l'ont assassinée, ils ont refusé de m'écouter, ils voulaient sa mort comme ils voulaient la mienne, ils m'appelaient sorcière, enfant des loups. Quand ils disent cela, ils me font plaisir. Oui, je suis une enfant des loups. J'ai bu le lait et le sang de ma mère.

– Ne parle pas ainsi, tu appartiens à la communauté humaine, ta place est parmi les hommes et non parmi les loups, tu dois les oublier sinon les hommes verront en toi quelqu'un de dangereux, de maudit et ils te feront payer très cher de n'être pas semblable à eux. Je t'en conjure, en souvenir de la reine Radegonde qui t'aima mieux qu'une fille, abandonne toute haine et toute idée de vengeance.

– Je ne parviens pas à oublier que je leur ai demandé merci et qu'ils m'ont repoussée. J'essaierai, pour l'amour de la reine, de leur pardonner, je t'en fais la promesse. »

Emu, Grégoire la bénit et la baisa au front.

« Reviens me voir, enfant, ta présence réjouit mon âme. »

Songeur, il la regarda partir de sa démarche dansante, ses longues nattes se perdant dans la fourrure de la louve dont une patte griffait le sol.

Au bout d'une semaine, des cavaliers envoyés par Marovée vinrent chercher Vanda, mais ils durent attendre plusieurs jours qu'une tempête de pluie, de neige et de grêlons d'une taille jamais vue et un vent soufflant en tourbillons arrachant les arbres et les toits aient cessé, pour pouvoir repartir.

Les adieux de Vanda, des religieuses et d'Ingitrude furent sans chaleur et sans amitié. On ne chercha pas à retenir les voyageuses malgré le temps incertain et les plaintes de Glodosinde, qui disait que c'était folie que de partir si vite et que l'on pouvait bien attendre un moment plus propice. Mais le chef de la troupe fut inflexible : l'on avait déjà perdu assez de temps. Il fallait partir. On partit donc.

Le voyage fut épouvantable et dura plus de deux semaines. L'état des routes ne permettait pas à la lourde litière d'avancer rapidement. Ils traversèrent de rares villages où erraient des êtres hébétés de froid et de faim, qui se jetaient sous les pas des chevaux en tendant les mains. Dans la forêt, ils furent attaqués par une dizaine de bandits affamés, qui perdirent trois des leurs et tuèrent un cheval. Vanda demanda la grâce des survivants et obtint qu'ils puissent emporter une partie de l'animal.

« Je n'oublierai pas », cria un jeune homme, titubant sous une charge trop lourde pour sa faiblesse, avant de disparaître derrière les arbres.

Enveloppée de fourrures, Vanda le regarda partir en haussant les épaules.

Ce soir-là, ils mangèrent de la viande.

Ce fut dans un piteux état que les voyageuses et leur escorte arrivèrent devant le haut portail du monastère Sainte-Croix. Leubovère ne laissa pas à Glodosinde le temps de reprendre ses esprits, elle la convoqua sur-le-champ pour avoir une explication sur le retard considérable qu'elles avaient pris et sur les événements de leur court séjour à Tours. Fatiguée, Glodosinde répondait par monosyllabes à l'abbesse et ne parvenait à garder les yeux ouverts qu'à grand-peine. Impatiente, celle-ci la renvoya, remettant au lendemain cet entretien.

Durant l'absence de Vanda, Chrotielde avait été punie de cachot pour avoir été une nouvelle fois insolente envers l'abbesse. A sa sortie, son degré d'exaspération était tel qu'elle décida de quitter le couvent dès que l'occasion se présenterait. Elle attendait le retour de Vanda avec impatience. Quelle ne fut pas sa colère quand on lui dit que la fille de Radegonde était au secret et ne devait voir personne! Ludovine en larmes ne put donner aucune explication, Glodosinde ne put ou ne voulut pas parler. Quant à Urion il serra les poings en murmurant :

« L'évêque. »

Chrotielde en conclut que Vanda était enfermée sur ordre de Marovée.

Elle savait que les envoyés du roi Childebert, venus la chercher, étaient repartis fort mécontents après avoir attendu plusieurs jours. On disait dans le couvent et dans la ville que le roi allait envoyer des soldats pour occuper Poitiers, prendre des habitants en otages par représailles contre l'évêque qui n'avait pas, disait-on, tenu sa parole. Chacun jugeait la chose grave et commentait diversement l'attitude du prélat.

Vanda ne comprenait pas pourquoi on lui avait retiré Ludovine et Urion, ni pourquoi elle était enfermée dans sa chambre. La vieille servante sourde et muette qui lui apportait ses repas ne pouvait répondre à ses questions.

Une nuit, on gratta à sa porte, c'était Chrotielde.

« Pourquoi es-tu enfermée?

– Je n'en sais rien. Aide-moi à sortir.

– Je le voudrais bien, mais Leubovère garde la clef de cette porte sur elle et ne la donne qu'à l'heure des repas à Hildegarde qui accompagne la servante.

– Fortunat n'est pas là?

– Non, Leubovère l'a envoyé en Bourgogne. As-tu un plan pour sortir d'ici?

– Un plan, pas vraiment, mais une idée. Tu me dis

qu'Hildegarde accompagne la servante et lui ouvre la porte. Après, que fait-elle?

– Elle la referme et attend que l'autre frappe dans ses mains pour demander à sortir.

– Personne n'accompagne Hildegarde?

– Personne.

– Bien, voilà ce que nous allons faire. »

Vanda exposa brièvement son idée, qui fut approuvée par Chrotielde.

« Ce sera dans quatre jours, afin que tu aies le temps de réunir des vivres et des vêtements. Préviens Urion et Ludovine, ils t'aideront.

– Où irons-nous?

– Nous irons demander asile à l'évêque de Tours. C'est un homme bon, il nous écoutera. »

Elle entendit derrière la porte une exclamation étouffée suivie d'une course rapide. Peu après la porte s'ouvrit. Leubovère entra dans la chambre de Vanda en compagnie de Glodosinde et de Begga. Elle alla vers elle et la prit dans ses bras.

« Mon enfant, nous venons voir si tu n'as besoin de rien et si ta santé est bonne, ajouta-t-elle en se tournant vers Begga.

– Je vais très bien. Pourquoi suis-je enfermée? Qu'ai-je fait? Je veux sortir.

– Sois patiente ma fille, tu es ici sur ordre de l'évêque.

– Mais pourquoi?

– Sa Grandeur ne m'a rien dit. Nous lui devons obéissance, moi la première », dit l'abbesse avec une mine hypocrite dont Vanda ne fut pas dupe.

Begga s'approcha de la jeune fille et l'embrassa affectueusement.

« Cette petite est très pâle, elle a besoin de prendre l'air. Je prescris une heure de promenade par jour.

– Ce n'est pas possible, l'évêque a bien insisté sur

le fait qu'elle ne devait voir personne. Et puis le temps est froid, elle est mieux dans sa chambre.

– Ce n'est pas mon avis...

– Begga, dois-je te rappeler à l'obéissance? »

La religieuse ne put que s'incliner tandis que Vanda, devenue blême, s'avançait vers l'abbesse, son joli visage déformé par la colère. Son expression était telle que Leubovère recula.

« Abbesse, je t'en conjure, laisse-moi sortir de cette chambre et quitter ce couvent avant que de grands malheurs ne surviennent.

– Ce n'est pas possible.

– Au nom de notre sainte reine, je t'en supplie. »

Cela fut dit avec une telle volonté de convaincre et une telle âpreté que les trois nonnes tressaillirent et Begga devait dire plus tard que tout se joua à ce moment-là.

L'adolescente et l'abbesse s'affrontèrent du regard. Leubovère céda la première et dit d'une voix mal contenue :

« Il ne sert à rien d'invoquer ici le nom de notre sainte fondatrice, qui commit l'erreur de faire de toi sa fille, elle est bien mal récompensée! Du haut du ciel, elle doit regarder tristement celle qu'elle a recueillie jadis avec tant de bonté... »

Elle ne put continuer car les doigts de Vanda venaient de la saisir à la gorge.

« Pas un mot de plus, jalouse créature, ou tu es morte. »

Glodosinde et Begga arrachèrent l'abbesse de ses mains et l'aidèrent à réparer le désordre de sa toilette. Ce fut d'une voix sifflante, tremblante de peur et de colère, que Leubovère cracha ces mots en direction de Vanda :

« Tremble, fille des loups, car tu seras sévèrement punie pour avoir osé porter la main sur celle que tu dois respecter à l'égal de Dieu. Tu seras enfermée dans le cachot de la recluse. »

Elle sortit sous les regards atterrés des deux religieuses, tandis qu'un sourire méprisant montait aux lèvres de la prisonnière, qui eut le temps de murmurer à Begga, en lui saisissant la main :

« Pour l'amour de Dieu, reviens me voir. »

Une pression des doigts lui répondit.

La nuit était tombée, quand on gratta à la porte de Vanda.

« Qui est là ?

– C'est moi, Begga. Que veux-tu ?

– Que tu demandes à Chrotielde de venir.

– Je ne peux pas, ce serait désobéir à l'abbesse.

– Je t'en prie, Begga, toi qui m'as soignée enfant, tu ne peux pas m'abandonner. C'est la première fois que je te demande quelque chose. Va chercher Chrotielde.

– Je sais ce que vous complotez, malheureuses, c'est une monstrueuse folie. Pourquoi ne pas attendre le retour des envoyés de Childebert ?

– D'ici là, je serai morte. Va chercher Chrotielde.

– Chrotielde est la plus folle d'entre vous. Pense à la peine qu'aurait eue la reine.

– La reine est morte. Elle, elle m'aurait comprise. N'a-t-elle pas fui un royal époux ? Je peux bien fuir une abbesse. Va Begga, va. »

Vanda n'eut pas de réponse. Begga sans lui répondre serait-elle partie la dénoncer ? Non, ce n'était pas possible, Begga l'aimait, et avait une trop grande idée de l'honneur.

« Tu es là ?...

– Je réfléchissais. J'ai prié et j'ai pris une décision. Si vous partez, je viens avec vous. J'avais promis à la reine de veiller sur toi et puis, vous aurez besoin d'un médecin.

– Begga, tu ferais ça? dit-elle avec un étonnement heureux. Non, ce n'est pas possible, tu es religieuse, tu risques l'excommunication. Je ne peux pas l'accepter... Je ne veux pas être la cause de ton malheur, ajouta-t-elle d'une voix remplie de tristesse.

– N'en parlons plus, je vais chercher Chrotielde. »

Vanda se laissa tomber à genoux contre le bois de la porte, écoutant les pas de son amie s'éloigner. Les larmes lui vinrent aux yeux tandis qu'elle pensait au sacrifice de Begga. Begga aimait la vie religieuse et le monastère Sainte-Croix, son travail lui procurait de grandes satisfactions, son amour de Dieu était fort et sincère, et cependant, par amour pour elle et en souvenir de la bienheureuse Radegonde, elle n'hésitait pas à tout abandonner, à devenir une créature devant qui se détourneraient les braves gens. Vanda remercia Dieu de lui avoir procuré un tel réconfort.

Des bruits de pas lui firent redresser la tête. Un grattement : c'était Chrotielde.

« Que se passe-t-il? J'ai cru mourir de peur quand Begga est venue me dire que tu voulais me voir et...

– Ecoute-moi, l'interrompit Vanda, il faut partir cette nuit.

– Cette nuit... mais rien n'est prêt.

– Débrouille-toi, préviens les autres, que chacune remplisse un grand sac de provisions, s'habille très chaudement, et mette par-dessus ses chaussures des galoches ou des sabots.

– Mais nous n'avons ni litière ni chevaux. Comment partirons-nous?

– A pied.

– A pied!

– Oui, à pied. Tu veux être libre? C'est le moment. Si nous attendons, nous nous retrouverons au cachot. Dis à Begga de m'envoyer Glodosinde avec la religieuse qui m'apporte le dîner, car il me faut les clefs de la petite porte près de la rivière. Nous n'avons pas le temps de passer par le souterrain. J'espère que nous ne serons pas nombreuses.

– Oh! non, vingt, peut-être.

– Vingt!... mais tu es folle, une troupe pareille se fera inévitablement repérer.

– Ce n'est pas possible de faire autrement, elles sont déterminées à partir et certaines me sont toutes dévouées, au point de vouloir faire de moi leur abbesse.

– Bah! nous verrons bien, nous n'avons plus le choix. Va prévenir Begga que j'attends Glodosinde. »

Peu après, la porte de la prison de Vanda s'ouvrit devant Glodosinde et la sourde-muette, puis se referma, tirée par Hildegarde. La grosse femme regarda tendrement celle qu'elle avait vue petite enfant.

« Alors, c'est pour ce soir? »

Vanda tressaillit : Glodosinde aussi était au courant? si cela continuait tout le couvent l'apprendrait, même Leubovère. Elle sourit avec malice et, câline, dit à Glodosinde :

« J'ai besoin de la clef de la petite porte qui donne sur le Clain. Donne-la-moi. »

Sans un mot, Glodosinde sortit d'une de ses poches un impressionnant trousseau de clefs, qu'elle fit tourner deux ou trois fois avant de trouver celle qu'elle cherchait. Elle la détacha et la tendit à Vanda, qui la prit avec un regard incrédule.

« Pourquoi?

– Parce que j'ai confiance. Je demande à Dieu, si tu commets des fautes, de les rejeter sur moi », dit-elle en se mouchant bruyamment.

Vanda se jeta dans ses bras et se blottit contre elle avec un grand sentiment de gratitude.

« Va, petite, que Dieu te protège. N'oublie pas la grosse Glodosinde dans tes prières. »

Elle frappa dans ses mains, la porte s'ouvrit et Vanda se sauva, bousculant Hildegarde que Glodosinde attira à l'intérieur de la chambre. Et, lui arrachant la clef, elle referma la porte sur elles deux.

Dans le couloir, Vanda trouva Ludovine et Urion, les bras chargés de vêtements, de divers paquets, habillés et prêts pour le départ; ils aidèrent leur maîtresse à se vêtir. Vanda pesta contre la robe qui l'encombrait et ses nattes qui la gênaient. Il lui semblait qu'un silence anormal régnait sur le monastère et que derrière chaque porte, derrière chaque colonne quelqu'un retenait son souffle. Laissant près de la porterie ses compagnons, elle alla prier sur le tombeau de sa mère adoptive. Quand elle sortit de la chapelle, son visage était empreint d'un grand calme. Devant l'entrée, l'attendaient outre Begga, Chrotielde, Basine, Ludovine et Urion, une quarantaine de femmes emmitouflées de laine et de fourrures.

D'une voix tranchante, elle s'adressa à Chrotielde :

« Je croyais qu'il n'y en avait que vingt?

– Je...

– Tais-toi, c'est trop tard. Mais soyez sans illusions, dit-elle en se tournant vers les femmes tremblantes, la route va être dure, très dure jusqu'à Tours. Je ne veux pas que vous me reprochiez de ne pas vous avoir prévenues. Si certaines veulent rester, il est encore temps. »

Personne ne bougea, on aurait dit une réunion de fantômes. Seule la buée sortant de leurs lèvres attestait que ces silhouettes blanches étaient vivantes.

« Allons! » dit simplement Vanda en ajustant la peau de la louve sur ses épaules.

CHAPITRE XV

## LA RÉVOLTE DES NONNES
## TENTATIVE D'ENLÈVEMENT
## LA COUR DU ROI GONTRAN

DEPUIS trois jours, la petite troupe piétinait dans la boue sur la route de Tours. Vanda avait dû renoncer à aller à la ferme de Romulf pour lui demander vivres et chevaux, prévoyant que ce serait d'abord là que l'abbesse enverrait ses gens. Sur le passage de ces femmes revêtues de l'habit religieux et enveloppées de fourrures, les rares paysans qui les apercevaient faisaient le signe de la croix et s'enfuyaient aussi vite que s'ils avaient vu le démon. D'un commun accord, elles renoncèrent à circuler le jour et marchèrent de nuit malgré leur peur de l'obscurité et des bêtes sauvages, se cachant aux heures claires de la journée dans des grottes, des huttes de bûcherons, ou à défaut, dans un taillis ou le creux d'un fossé. Très vite, elles ressemblèrent à des statues d'argile tant leurs vêtements et leurs visages étaient maculés de boue.

Grâce à Vanda, à son épée et à un peu d'or, elles acquirent un lourd chariot, deux bœufs et trois chevaux qu'enfourchèrent les filles royales. Les autres, à tour de rôle, purent se reposer dans le véhicule inconfortable et se dégourdir les doigts à la chaleur d'un petit foyer portatif. Dans une autre ferme, par la menace, elles obtinrent du pain, du lait, des œufs et des volailles. Ultrogothe, d'autorité, s'institua l'intendante du troupeau et répartit équitablement les parts bien que ce ne fût pas du goût de Chrotielde, qui prétendait avoir plus.

Très vite, cinq religieuses durent rester alitées au fond du chariot, grelottantes de fièvre. Begga se dépensa en soins, mais l'état des malheureuses empira très vite.

« Si nous n'arrivons pas rapidement à les mettre à l'abri, elles mourront », dit-elle.

Vanda haussa les épaules en signe d'impuissance; elles n'avaient pas encore parcouru la moitié du chemin.

Peu à peu le climat, jusqu'alors amical, changea, et la petite troupe se scinda en deux clans : celui de Chrotielde qui voulait marcher le jour sous prétexte qu'elles iraient plus vite et celui de Vanda, qui recommandait la prudence. Elles échangèrent des mots violents et faillirent en venir aux coups.

Un matin, quelques heures après s'être arrêtées pour reprendre des forces, elles s'aperçurent que Chrotielde et Basine avaient disparu avec une dizaine de nonnes en emportant les vivres et en emmenant les trois chevaux.

« Oh! le mauvais cœur », murmura Begga.

Dès la nuit tombée, elles reprirent leur route, le ventre vide, le corps glacé, accompagnées du gémissement des malades, du grincement des roues du chariot et de la peur des loups. Au petit jour, Vanda, cherchant un abri, trouva sur la mince couche de neige tombée durant la nuit les traces de sabots des chevaux et celles des pieds des fugitives mélangées à d'autres plus larges. Laissant là les autres, elle sortit son épée de son fourreau et dit à Urion de prendre sa fronde. Pendant un moment, ils marchèrent en silence, attentifs au moindre bruit. Soudain,

Vanda lui fit signe de s'arrêter. Un grand cri déchira l'air glacé de la forêt. Urion trembla.

« C'est Basine, dit Vanda en courant dans la direction du cri.

– Ah! si j'avais Ava », pensa-t-elle en découvrant la scène.

A quelques pas d'elle, Chrotielde et ses compagnes, serrées les unes contre les autres, regardaient avec horreur Pélagie se faire violer par un homme vêtu de peaux de bête, tandis que deux autres maintenaient la pauvre fille. A côté d'elle, à genoux dans la neige, l'air hagard, se balançait Basine. Les autres bandits, tout en surveillant les femmes enlacées contemplaient la scène avec de gros rires, sauf un qui, à l'écart, taillait un morceau de bois d'un air dégoûté.

Vanda et Urion sortirent leur fronde de leur ceinture, ajustèrent une lourde pierre bien ronde et firent tournoyer leur arme. Les deux hommes qui tenaient Pélagie tombèrent le visage ensanglanté, tandis que le troisième, tout à sa jouissance, ahanait sur le corps de la malheureuse. Son sang se répandit en même temps que sa semence, tandis qu'il retombait en arrière la gorge tranchée.

Les mains de Vanda n'avaient pas tremblé quand, saisissant la brute par sa chevelure grasse, elle lui avait porté le coup mortel avec le couteau jadis offert par Albin. Les compagnons du mort, revenus de leur surprise, s'avançaient, menaçants, armés d'épées et de bâtons. Urion eut le temps d'en abattre un avec la pierre de sa fronde, Vanda en blessa deux avec son épée, mais ils étaient trop nombreux, elles allaient succomber, quand une voix s'écria :

« Arrêtez, laissez-les. »

Les hommes suspendirent leurs gestes tandis que s'avançait vers eux celui qui taillait tout à l'heure du bois. Vanda le reconnut.

« Nous avons une dette envers cette fille. Rappelez-vous, il y a peu de temps, grâce à son intervention, nous avons eu la vie sauve et de quoi manger. »

Les armes s'abaissèrent.

« C'est vrai, on dirait que c'est elle. La voilà dans une situation aussi mauvaise que la nôtre, le jour où nous l'avons rencontrée.

– Jeune fille, j'ai promis de ne pas oublier ce que nous te devions. Mon nom est Ansoald. Toi et tes compagnes pouvez continuer votre route. »

Pâle de colère, Vanda s'avança vers le jeune homme en montrant, de la pointe de son épée, Pélagie toujours étendue sur le sol, dans la posture impudique où l'avait laissée la mort du bandit.

« Et de ça, sommes-nous quittes? »

Il leva les bras d'un air fataliste.

« Il est dangereux pour des pucelles de circuler seules dans les bois. Mes hommes sont comme des chiens affamés. Ils ne voient pas souvent de femelles. Mais, que se passe-t-il? »

Près du corps de l'homme tué par Vanda, un groupe composé de brigands et de religieuses s'affairait avec des cris. Ansoald les écarta sans douceur. Vanda qui l'avait rejoint murmura :

« Mon Dieu... »

Accroupie dans la neige, entre les jambes du mort, Basine, de ses petites mains et de ses dents, tentait de lui arracher le sexe. Sous l'œil horrifié des hommes et des femmes, elle y parvint et dans un éclat de rire dément, brandit le lamentable trophée. Deux gifles claquèrent, ramenant un peu de lucidité dans l'esprit de la fille de Chilpéric. Elle rejeta loin d'elle avec dégoût le triste débris et tomba en larmes dans les bras de Vanda, qui la remit à Chrotielde. Le silence qui suivit ne fut troublé que par les sanglots de Basine.

« Urion, prends un cheval et va dire aux autres de venir nous rejoindre. »

Ansoald saisit les rênes.

« Qui envoies-tu chercher?

– Le reste de mes compagnes. Celles-ci se sont enfuies en emportant les vivres et nos montures.

– Chez nous, cela mérite la mort, dit Ansoald en lâchant le cheval à qui il donna une tape.

– Ne trouves-tu pas qu'il y a assez de morts pour aujourd'hui?

– Tu as raison, mais la trahison mérite toujours un châtiment.

– Peut-être, mais cela ne te regarde pas. Combien de tes hommes sont morts?

– Deux, tu es un fameux combattant. Qui t'a appris à te servir si habilement de la fronde?

– Mon père et mon oncle.

– Que faites-vous, seules, sans escorte, loin de votre monastère, car d'après vos vêtements, je vois que vous êtes des nonnes?

– Nous allons demander justice à l'évêque de Tours.

– Vous n'y arriverez jamais, les forêts sont envahies de fuyards, de lépreux, d'affamés, sans compter les soldats de l'évêque de Poitiers et ceux du comte que nous avons rencontrés à plusieurs reprises et qui battent tout le jour chaque fourré.

– C'est pour cela que nous voyageons la nuit. Mais nous avons des malades et il nous faudrait marcher jour et nuit si nous voulons les sauver. »

Chrotielde s'avança vers eux d'une démarche ondulante, sourire aux lèvres. Vanda l'arrêta de la pointe de son épée, le sourire disparut.

« Jure sur cette épée qui a touché les reliques des saints que tu te repens de nous avoir abandonnées en nous volant.

– Mais je...

– Jure ou je te coupe le nez et les oreilles comme aux voleurs. »

Chrotielde rougit sous l'insulte.

« Oublies-tu qui je suis?

– Non, je ne l'oublie pas et c'est en ça que tu es doublement coupable. Jures-tu?

– Je le jure, mais...

– Tais-toi, occupe-toi de Basine et de Pélagie. Avez-vous quelque chose à manger? ajouta-t-elle en se tournant vers Ansoald.

– Oui, hier nous avons rencontré de riches marchands qui ont accepté, oh! pas de très bon cœur, de partager avec nous leurs provisions de route et leur bourse », dit-il en riant et en tapant sur sa poitrine.

Vanda mangea avidement une soupe chaude et épaisse au milieu des femmes et des hommes momentanément unis dans un repas commun.

Les cadavres avaient disparu, promptement enterrés, Pélagie, pâle, la robe tachée de sang, laissait couler sur son visage des larmes silencieuses, sous les regards apitoyés de ses compagnes. Vanda releva le pauvre visage meurtri et le baisa au front. Quant à Basine, prostrée contre un arbre, elle revivait les violences dont elle avait été autrefois victime. Les douces paroles de Vanda ne purent l'arracher à ses horribles souvenirs.

Le roulement d'un chariot rendit tout le monde attentif, tandis qu'Urion, ayant Begga en croupe, s'arrêtait devant Vanda et ses compagnes. La religieuse sauta du cheval et, sans un mot, se dirigea vers Pélagie, la prit contre elle et la berça comme un enfant, avant de lui prodiguer ses soins. Les brigands donnèrent aux arrivantes des écuelles de soupe dont la chaleur les réconforta; même les malades se sentirent mieux.

La nuit tomba rapidement. Pour les fugitives, il

était temps de reprendre la route. Ansoald s'approcha d'elles et dit en regardant Vanda :

« Mes compagnons et moi sommes d'accord pour vous faire escorte jusque sous les murs de Tours. Sans nous, vous n'y arriveriez pas.

– J'accepte ton offre et celle de tes amis, qu'ils soient remerciés. Dis-leur qu'ils ne font pas ça en vain et qu'ils seront récompensés. »

La troupe, composée maintenant d'une soixantaine de personnes et d'une dizaine de chevaux, reprit la route de Tours.

Des pluies diluviennes et glacées transformèrent les routes en des fleuves de boue et rendirent rapidement tout déplacement impossible. Les religieuses et les brigands durent chercher refuge dans les vastes grottes de calcaire du pays tourangeau. Le bois mouillé refusait de brûler, laissant les malheureux grelotter dans leurs vêtements humides. Les vivres s'épuisèrent rapidement et les chasseurs rentrèrent de plus en plus souvent bredouilles. Mais que faire de gibier puisque le feu refusait de prendre ? Cependant au bout du troisième jour de cette immobilité forcée, Ansoald parvint à enflammer quelques brindilles, puis quelques branches dégageant une fumée telle qu'ils durent sortir en hâte, toussant et pleurant, sous peine d'être asphyxiés. La Providence, sans doute touchée de leur détresse, fit bientôt apparaître des flammes claires et hautes qui chassèrent la fumée. Avec des cris de joie, les naufragés de la forêt rentrèrent dans la grotte et se pressèrent autour du feu, symbole de vie retrouvée. Le bonheur fut à son comble quand Urion et un des compagnons d'Ansoald revinrent de la chasse, portant sur leurs épaules l'un, un cerf, l'autre, une biche qu'ils jetèrent devant le feu. On leur fit fête, tandis qu'ils présentaient aux flammes, leurs doigts gourds. Des hommes dépecèrent les animaux, les coupèrent en morceaux qui furent immédiatement placés sur les braises. Tous firent cercle et contemplèrent en salivant les morceaux de viande qui, peu à peu, prenaient une belle teinte dorée. L'odeur de la chair grillée emplissait la grotte et tournait les têtes. Durant tout le temps de la cuisson, nul bruit ne se fit entendre que celui du feu et du grésillement de la graisse tombant dans les flammes.

Ultrogothe vérifia de la pointe d'une épée si le repas était prêt. Le premier morceau fut pour Vanda qui, après un bref regard aux autres convives, le déchira à belles dents sans se soucier des brûlures, tandis que la graisse coulait le long de son menton et de son cou.

« Ainsi, elle ressemble vraiment à une louve », pensa Begga.

Chrotielde arracha le morceau qu'Ultrogothe tendait à Ansoald et lui dit :

« Je dois être la première servie, je suis fille de roi, ne l'oublie pas.

– Nous aurions du mal à l'oublier », fit Ultrogothe avec un rire insolent.

Sans le secours d'un des hommes, elle serait tombée dans les flammes, poussée par Chrotielde.

« Ici, il n'y a plus ni roi, ni reine, ni nonnes, ni soldats, il n'y a que des gueux affamés et transis », dit Ansoald en arrachant brutalement à la fille de Caribert le morceau qui lui était destiné.

Elle bondit pour le lui reprendre, mais une jambe tendue la fit trébucher et s'étendre de tout son long le visage dans la boue, sous les éclats de rire de l'assemblée. Nul ne l'aida à se relever, elle se redressa, des larmes de rage et d'humiliation laissèrent des traces claires sur son visage sale. Begga eut pitié d'elle et lui tendit la moitié d'une patte. Refoulant ses sanglots, Chrotielde prit la viande, traversée par le désir de la jeter au loin, mais la faim fut plus forte que l'amour-propre.

La plupart des femmes ne supportèrent pas cette nourriture, trop forte après ces jours de jeûne et vomirent leur repas.

L'état des malades empirait. La plus jeune des novices, une adolescente de quinze ans, mourut au petit matin malgré le bouillon d'herbes de Begga et la chaleur du feu. Cette mort fut douloureusement ressentie, certaines y virent un signe du ciel. Begga lava le corps amaigri, l'entoura de mousses et l'enveloppa dans la longue cape de laine blanche. Elle brossa les beaux cheveux bruns et dit les prières des morts. Les hommes creusèrent une fosse au pied d'un chêne tandis que, sur un brancard fait de branchages, s'avançait le corps, porté par six novices aux cheveux défaits, suivies des religieuses chantant des psaumes. Durant la cérémonie la pluie cessa et le soleil fit une brève apparition.

Le lendemain de l'enterrement, Vanda dit à Begga :

« Je vais prendre les chevaux et partir pour Tours chercher du secours, sinon nos sœurs vont mourir.

– Tu as raison, deux autres sont gravement malades et je n'ai rien pour les soigner. »

Vanda ne voulut pas qu'Ansoald l'accompagnât jusqu'à Tours, disant que sa présence était plus utile auprès des femmes souffrantes que sur les routes. Elle accepta cependant que Sénoch et Julien, les plus proches compagnons du jeune chef, lui servent d'escorte. Elle emmenait avec elle son fidèle Urion, dont la taille et la corpulence surprenaient toujours ceux qui le voyaient pour la première fois, trompés par ses vêtements de fille. Nul, à part Begga, n'était au courant du véritable sexe de la fidèle servante de Vanda. Quant au malheureux, il semblait qu'il eût complètement oublié sa condition première et se comportât en tout comme une femme. Il en avait la voix à peine plus rude, les rondeurs et la chevelure. Sa force, son adresse et son courage étaient considérables. Même les loups ne lui faisaient plus peur. Dans une expédition comme celle-ci, il était de la première utilité. Chrotielde exigea de faire partie du voyage.

Il leur fallut deux jours pour arriver à Tours. Sans perdre un instant, Vanda se dirigea vers la maison de l'évêque. Celui-ci ne la fit pas attendre et la reçut immédiatement. C'était le premier jour du premier mois[1].

Dans la grande salle aux colonnes de marbre vert que connaissait déjà Vanda, les conversations s'arrêtèrent devant l'étrange groupe : deux femmes en costume de religieuse souillé et déchiré, par-dessus lequel Vanda avait fixé un baudrier retenant son épée, le couteau d'Albin et sa fronde, sa cape blanche à moitié dissimulée par la peau de la louve, et Chrotielde hautaine et fière, dont les galons décousus pendaient lamentablement, le front sale cerclé du bandeau d'or. Derrière elles, une servante à la haute stature dont la robe courte révélait de fortes chevilles, et deux hommes armés, vêtus de pièces de vêtements disparates, mi-barbares, mi-romains, le visage mangé de barbe et de crasse. Ils étonnaient moins cependant, que deux jolies filles sales et crottées, dans ce temps où les routes et les villes étaient envahies d'hommes en déroute, Goths, Gaulois, Burgondes, Francs ou Romains, à la recherche d'un roi, d'une évêque ou d'un comte qui voulût bien les employer.

Les serviteurs poussèrent les battants de la lourde porte. Le petit groupe pénétra dans une vaste pièce aux murs recouverts d'étagères supportant des livres et de nombreux rouleaux, entre lesquelles pendaient des tapisseries venues des

1. 1er mars 589.

pays d'Orient. Sur une estrade, également recouverte de tapis, se tenait, assis sur un haut fauteuil au bois très travaillé, incrusté de nacre et d'ivoire, l'évêque de Tours en grand habit, entouré de ses conseillers. Son air à la fois triste et sévère frappa Vanda qui continua à s'avancer, seule, jusqu'au pied de l'estrade. Là, elle se mit à genoux et regarda Grégoire. Il eut un sourire las en voyant la fille de Radegonde. Ses yeux se portèrent sur les compagnons de la jeune fille qui, devant son regard sévère, se laissèrent tomber à genoux. Chrotielde s'avança et, avec une mauvaise grâce évidente, s'agenouilla près de Vanda.

« Que venez-vous faire ici, jeunes filles? dit Grégoire, qu'un courrier de l'évêque de Poitiers avait averti depuis quelques jours déjà de la fuite des religieuses et des novices.

– Te demander justice, évêque, dit Chrotielde avec hauteur.

– Si tu le veux bien, seigneur, dit Vanda en lui coupant la parole, nous parlerons de tout cela plus tard. Je demande à ta bonté d'envoyer des gens avec des chariots, des vêtements chauds et des remèdes pour sauver nos sœurs malades dans la forêt. Urion, ma fidèle servante, leur montrera le chemin. »

Sans poser la moindre question, Grégoire donna des ordres à l'un de ses secrétaires, qui partit en courant, suivi d'Urion.

« Tes compagnes seront sauvées si Dieu le veut. Leur corps peut-être, mais leur âme! Pourquoi les as-tu entraînées, elles qui s'étaient consacrées au service du Seigneur? »

Vanda ne répondit pas, ce fut Chrotielde qui prit la parole :

« Je te supplie, saint évêque, daigne garder ces filles que l'abbesse de Poitiers tient dans un grand abaissement, jusqu'à ce que j'aille vers les rois nos parents leur exposer ce que nous avons souffert, et que je revienne ici. »

Grégoire répondit :

« Si l'abbesse a commis une faute et violé en quelque chose la règle canonique, il faut que vous alliez trouver l'évêque Marovée et que vous lui exposiez vos plaintes. Vous devez sans tarder réintégrer votre monastère pour que le désordre ne disperse pas ce que sainte Radegonde a rassemblé. »

Chrotielde répliqua :

« Pas du tout, nous irons nous plaindre aux rois d'être traitées comme des servantes et non pas comme des filles de rois.

– Parle, Vanda, dit l'évêque avec un soupir las. Pourquoi ne dis-tu rien ?

– Les raisons de mon départ du monastère de Poitiers ne sont pas les mêmes que celles de Chrotielde. Je sais trop ce que je dois au respect de la mémoire de ma mère et à son désir d'humilité pour vouloir être traitée en reine à l'intérieur d'un couvent; ce que je veux, c'est être libre de rejoindre le roi Gontran ou mon père Romulf. Cependant, je suis solidaire de Chrotielde et des autres. Leur sort sera le mien. »

L'évêque se leva avec une brusquerie qui ne lui était pas habituelle.

« Pourquoi résistez-vous à la raison ? Pour quel motif n'écoutez-vous pas mon avertissement ? Si vous vous obstinez dans votre rébellion, vous serez excommuniées. C'est ce qui est exprimé par nos prédécesseurs dans la lettre qu'ils ont écrite à la bienheureuse Radegonde lors de la fondation de la congrégation. Il m'a paru bon que vous en preniez connaissance. »

Il se rassit, tandis qu'un diacre tendait à Chrotielde un rouleau.

« Lis », dit simplement Grégoire.

D'une voix légèrement tremblante, Chrotielde lut cette lettre[1], dans laquelle les évêques rappelaient à la sainte fondatrice, à l'abbesse et aux abbesses à venir et aux religieuses, leurs devoirs envers Dieu et l'Eglise, la stricte observance de la règle de saint Césaire, le caractère inviolable de leurs vœux et l'horreur qu'il y aurait à les souiller.

Après cette lecture, la fille de Caribert garda un instant le silence, puis déclara avec hauteur :

« Rien ne nous empêchera de nous rendre chez les rois nos parents. Je t'en prie, évêque, donne-nous une escorte digne de notre rang. »

Grégoire la regarda avec tristesse.

« Votre projet est déraisonnable. Mais, je vois, hélas! que vous ne suivrez aucun conseil et que vous n'en ferez qu'à votre volonté. Cependant, attendez que cesse le temps hivernal qui sévit ce printemps et que le ciel devenu plus clément vous permette d'aller où bon vous semble. »

Surprise par ce qu'elle croyait être une victoire, Chrotielde se rangea à l'avis de l'évêque de Tours, tandis que Vanda restait silencieuse.

A la demande de Grégoire, Ingitrude et son abbesse acceptèrent de recevoir les deux jeunes filles et le reste des fugitives dès qu'elles parviendraient à Tours.

Elles arrivèrent dans un état lamentable, sales et puantes à faire peur, couvertes de vermine. Durant le voyage, une autre religieuse était morte. Ingitrude les fit conduire aux étuves où, avec des cris et des gémissements de plaisir, elles se laissèrent laver, coiffer, parfumer par les esclaves et les servantes. Leurs vêtements furent jetés au feu. En attendant leur nouvel habit, on leur donna des robes disparates. Selon son habitude, Chrotielde exigea des tenues conformes à sa naissance. Ingitrude, très

1. Voir pièce justificative n° 1, p. 315.

flattée d'avoir trois filles d'appartenance royale dans son monastère, donna des ordres dans ce sens. Dix esclaves travaillèrent jour et nuit sous les directives de la religieuse chargée de surveiller la confection des vêtements de la communauté. Au matin du cinquième jour, on apporta dans les chambres de Chrotielde, Basine et Vanda, des chemises de linon blanc, des tuniques à demi-manches larges ornées de broderies de différentes couleurs et des robes de dessus sans manches, vertes, rouges et bleues, ornées de galons dorés. Avec ces robes, un long voile blanc brodé d'abeilles d'or descendant jusqu'aux pieds et porté relevé sur le bras gauche. Pour les jours de cérémonie, Ingitrude leur offrit des robes de dessus aux manches très larges, ornées de bordures enrichies de pierres précieuses. Celle de Basine était d'un vert d'eau proche de la couleur de ses yeux, le manteau, d'un rouge sombre, richement orné, maintenu par une fibule d'or. La robe de Chrotielde, d'un rouge vif, aux bordures violettes rebrodées d'or. Le manteau à carreaux jaunes et noirs. A l'intérieur des carreaux noirs était cousue une pierre jaune. Quant à celle de Vanda, d'un vert très sombre, elle était bordée d'un galon blanc, sur lequel étaient fixées des pierres noires et vertes. Le manteau noir était entièrement brodé de fleurs blanches. La fibule qui le maintenait fermé était semblable à celle des deux autres princesses. Les chaussures et les gants étaient également d'une extrême richesse. Ce somptueux habillement, qui les changeait de la simple robe de laine blanche des nonnes de Sainte-Croix, fut complété par un large bandeau d'or, qui entourait leur front et par une croix d'or rappelant qu'elles étaient dans un monastère.

La joie des trois jeunes filles fut grande de se voir ainsi parées. Même Vanda prit plaisir à s'enrouler dans ces étoffes somptueuses. Les autres filles, religieuses ou novices, eurent des tenues plus simples, mais sans aucun rapport avec celles du monastère Sainte-Croix. Seule Begga exigea une robe semblable à celle qu'elle avait portée durant vingt ans.

Ansoald et ses compagnons furent aussi vêtus de neuf et s'installèrent dans la basilique.

L'évêque de Tours demanda à voir les femmes réunies. Pour se rendre au palais épiscopal, elles durent traverser une partie de la ville. Grégoire avait envoyé une escorte et plusieurs litières pour leur éviter tout contact avec la foule. Ce fut peine perdue. Prévenue on ne sut comment, une multitude se pressait, qui voulait voir les princesses fugitives et les nonnes renégates. Les insultes et les malédictions de la populace pleuvaient sur leur passage. Elles durent rapidement fermer les rideaux de cuir des litières pour éviter d'être salies ou blessées par les projectiles divers. Les femmes étaient plus hostiles que les hommes, qui se contentaient de ricaner en les dévisageant insolemment et en commentant d'une manière grossière leurs charmes, accompagnant souvent leurs propos de gestes obscènes. En tête des cinq véhicules du cortège, avançait celui où avaient pris place, Begga, Basine, Chrotielde et Vanda. Basine, blottie contre Begga, pleurait d'effroi. Chrotielde et Vanda, tête haute, subirent sans broncher les attaques de la populace. Vanda attrapa au vol un lourd vase de terre qu'elle renvoya à son assaillante qui s'écroula, assommée, le front ouvert, jupes relevées, sous les rires de ses concitoyens, tandis que les soldats repoussaient la foule.

Les filles de Radegonde virent avec joie les portes du palais épiscopal s'ouvrir devant elles.

Chrotielde descendit de sa litière, folle de rage.

Cette colère fit sourire Vanda, ce qui redoubla sa fureur.

Introduites en présence de l'évêque, des représentants du clergé et du comte de Tours, après s'être agenouillées en signe d'humilité, elles s'assirent sur des tabourets. Chrotielde marqua son agacement devant un siège si peu digne de son auguste derrière.

Avec sévérité et cependant bienveillance, Grégoire les interrogea. Il commença par Begga, qui se mit à genoux quand il s'adressa à elle.

« Begga, je ne comprends pas. Depuis vingt ans, je connais ton intelligence, ta piété, ta soumission aux ordres des abbesses, ta vigilance vis-à-vis de la règle instituée par sainte Radegonde, et je te vois ici, parmi ces filles sans foi, toi que je voyais succéder à Leubovère, toi en qui la sainte reine avait mis tout son amour et toute sa confiance. Que s'est-il passé? Pourquoi t'es-tu enfuie? »

Les larmes coulaient sur le visage fatigué de Begga; ce fut d'une voix étranglée par l'émotion qu'elle répondit :

« O saint évêque, ne me juge pas durement! Tu l'as dit, tu me connais, je n'ai pas changé. Ce n'est pas la joie dans le cœur, ni d'ailleurs par révolte, que j'ai quitté mon couvent, mais par douleur de savoir ces filles seules, plus égarées au milieu du monde qu'au milieu des bois, sans médecin pour soigner leur corps et leur âme. Si j'ai péché, c'est par pitié. »

Cela fut dit d'une voix si triste et si douce, qu'une grande partie de l'assistance versa des larmes. Grégoire, visiblement ému, resta un instant silencieux, le front caché entre ses mains. Quand il le releva, ses yeux humides étaient empreints de bonté.

« Tu as péché par charité, ma bonne Begga, mais tu as péché. Cependant, te connaissant, je prends sur moi de t'absoudre. Dès que le temps le permettra, je te ferai reconduire à Poitiers.

– Je te remercie, évêque, mais je ne repartirai qu'avec ces brebis égarées, sinon je préfère partager leur péché.

– Begga, en t'obstinant ainsi dans une pitié coupable, tu te condamnes à l'excommunication.

– Dieu me jugera, dit-elle en se relevant.

– N'as-tu rien à dire contre l'abbesse? dit un homme au visage sévère portant l'habit monacal.

– Non, mon père, je n'ai rien à dire. »

Elle se rassit sur son tabouret.

« Toi, dit l'évêque en désignant Chrotielde du doigt, tu as certainement quelque chose à dire. »

Chrotielde se leva vivement et vint s'agenouiller.

« Sois notre juge et notre protecteur, ô évêque vénéré. Leubovère n'est pas digne d'être notre abbesse, elle vit d'une manière impure. »

A ces paroles, un frémissement d'indignation parcourut l'assemblée. Sans paraître le remarquer, Chrotielde continua :

« Depuis que notre sainte fondatrice, la reine Radegonde nous a quittées, l'abbesse a pris avec la sainte règle de Césaire de grandes libertés, réduisant les offices, en prolongeant d'autres inutilement, elle joue des nuits entières aux dés et aux cartes, elle autorise les esclaves à se baigner dans notre piscine, elle fait de somptueux cadeaux à sa nièce et découpe les tapis d'autel pour lui en faire don. De plus, nous mourons de faim et de froid. Nous avons voulu demander aide à notre évêque Marovée, mais Leubovère et lui sont de connivence depuis qu'il a enfin accepté d'être le père de notre communauté, lui qui a si longuement et si injustement persécuté Radegonde et l'abbesse Agnès. Nous demandons qu'un tribunal juge les agissements de Leubovère, que nous jugeons, nous, indigne de nous gouverner. »

Quand elle se tut, un silence consterné s'abattit sur l'auguste assemblée.

« Ce sont là de dures et terribles accusations que tu profères Chrotielde. Réfléchis bien, rien n'est pire que d'accuser un innocent.

– Demande, seigneur très saint, ce qu'en pensent mes compagnes ?

– Basine, qu'as-tu à dire ?

– Je suis en tout de l'avis de ma cousine Chrotielde.

– Et toi Vanda ?

– Je t'ai déjà dit, ô saint évêque, que mes raisons n'étaient pas celles de Basine et de Chrotielde. Cependant, je suis en tout point solidaire. J'attends tout de ta bonté et de ta justice. Réunis les évêques, entends chacune d'entre nous et vois si nous sommes coupables ou non.

– Vous êtes coupables de rébellion envers votre abbesse, votre évêque et votre règle, n'est-ce pas suffisant pour être retranchées de la sainte communion ? » s'écria, en se levant avec colère, le moine au sévère visage. Les fugitives frissonnèrent sous son regard. Les yeux de Vanda se fermèrent à demi, lui donnant ce que Begga appelait tendrement, ses yeux de louve. En cet homme grand et maigre, elle venait de reconnaître l'ennemi. Elle n'eut pas à faire appel à son courage, tant l'odieuse présence la stimulait, pour répondre d'une voix claire teintée de mépris :

« Moine, si nous sommes coupables, nous en répondrons devant un tribunal composé d'hommes sages à qui nous exposerons les raisons de notre fuite.

– Quelles que soient les raisons, vous deviez porter à la connaissance de l'évêque de Poitiers vos griefs et s'il ne voulait pas vous entendre, vous deviez, en signe d'humilité, attendre son bon plaisir. Les filles consacrées à Dieu ne doivent être que des cadavres dans ses mains.

– Mais moi je suis vivante, moine, et tu ne me feras pas croire que Dieu nous veut tels des cadavres. Il attend de nous que nous soyons le témoignage vivant de son amour. Je ne suis pas consacrée à Dieu et ne le serai jamais, mais c'est ainsi que je conçois son service dans l'amour et la charité.

– Qui es-tu, jeune fille, pour parler avec cette hauteur?

– Je suis Vanda, la fille de la reine Radegonde.

– Ah! oui, l'enfant de la Pierre levée, l'enfant des loups. »

Cela fut dit avec un tel dégoût que Vanda chancela sous le ton insultant. Belle malgré sa pâleur et ses traits crispés, elle redressa sa jolie taille, en retenant son voile brodé d'une main nerveuse.

« Enfant des loups, je suis fière de l'être et ma mère louve valait mieux que toi. »

Puis, se tournant vers Grégoire, qui avait bien du mal à dissimuler un sourire ironique, et vers les clercs assemblés, elle ajouta :

« Augustes représentants de l'Eglise et du roi, nous sommes venues ici librement pour demander aide et justice, et non pour être traitées avec dédain.

– Le père ici présent agit selon sa règle, dit l'évêque de Tours, et non selon les mouvements de son cœur, qui est celui d'un homme juste et bon et craignant Dieu. As-tu autre chose à ajouter?

– Non. »

Une à une, les religieuses et les novices furent interrogées. Toutes, avec plus ou moins de conviction, confirmèrent les dires de Chrotielde.

« Puisque tel est votre désir, filles ingrates, nous convoquerons nos confrères les évêques, afin qu'en toute sérénité, ils jugent de vos griefs et de vos fautes. En attendant, puisque vous ne voulez pas réintégrer votre couvent, vivez avec Ingitrude dans le silence et la prière. »

Sur ces mots, l'évêque de Tours se leva, imité par les diacres, les religieux, les clercs et les représentants du roi. Avant de partir, le moine lança un long regard à Vanda.

*

Malgré les conseils paternels de Grégoire, Chrotielde et Vanda décidèrent d'aller en Bourgogne demander l'aide du roi Gontran. Elles durent attendre que le temps se mette enfin au beau et partirent au début de l'été.

Soucieux de leur sécurité, le comte de Tours leur donna une escorte d'une vingtaine d'hommes soigneusement armés, des chevaux et deux litières traînées par des bœufs blancs. Dans la première, prirent place Constantine, fille de Burgolin, Geneviève, d'une ancienne famille gallo-romaine, Theudogilde, belle et cruelle, et Chrotielde. Dans l'autre, près de Vanda, la douce et dévouée Begga, Placidinie, qui insista pour ne pas être laissée à Tours. Ludovine et Urion suivaient avec les servantes dans un chariot. Le voyage fut un véritable enchantement. La nature se montrait dans toute sa magnificence après un hiver qui avait semblé ne jamais devoir finir. Partout, ce n'étaient que chants d'oiseaux, parfums des plantes exaltés par la chaleur du soleil. A la beauté du jour succédait la douceur de la nuit, saluée par le chant du rossignol.

Très vite, Vanda troqua ses robes élégantes et incommodes, contre une tunique écarlate s'arrêtant aux genoux et des bottes de fin cuir violet ornées de franges jaunes. Sur la tunique, un rheno[1] de douces

1. Sorte de pourpoint sans manches s'arrêtant au-dessus ou au-dessous de la taille.

peaux de chat s'arrêtant à la taille, barré d'un baudrier auquel étaient attachés l'épée de Chariulf et le couteau d'Albin. Un manteau court retenu par une fibule d'airain complétait son habillement. Ses longs cheveux lui posèrent un problème; elle voulut les couper, mais dut y renoncer devant les cris de Begga, déjà choquée par sa nouvelle tenue. Aidée de Ludovine, elle les tressa en une multitude de nattes, qu'elle ramena sur le sommet de la tête en queue de cheval. Ainsi, libre de ses mouvements, Vanda chevaucha en compagnie des soldats.

A la fin du cinquième mois[1], elles arrivèrent en vue de Chalon, où se tenait la cour du roi Gontran. Le soleil était sur le point de disparaître dans un flamboiement d'incendie. D'un commun accord, elles décidèrent d'attendre le lendemain pour se présenter devant le roi. Elles campèrent près des bords de la Saône où, avec des rires, elles se lavèrent de la poussière de la route. Vanda, en nageant, s'écarta de ses compagnes. Elle se mit sur le dos et se laissa porter au fil du courant, calme en cet endroit, jouissant au contact de l'eau qui glissait sur son corps nu, émerveillée par la beauté du ciel où s'allumaient une à une de mystérieuses étoiles.

Elle ne perçut pas le bruit des rames frappant l'eau, ce fut l'ombre projetée par la barque qui l'alerta. Trois silhouettes d'hommes se penchaient vers elle, les bras tendus pour la saisir. D'un souple mouvement de reins, elle se retourna et plongea en direction du camp. Elle dut ressortir pour respirer, se retourna et vit que la barque était toute proche. Sans se soucier d'être vue, elle nagea avec énergie. Ce serait trop bête d'être attrapée par des bandits. Elle s'inquiétait de ne pas voir les lumières du

1. Juillet.

campement, sans doute avait-elle été entraînée par le courant plus loin qu'elle ne le pensait. Soudain, elle se sentit saisie par un pied, puis soulevée, sa tête s'enfonça, elle but une gorgée d'eau. A demi étranglée, elle tenta de reprendre son souffle pendant que ses assaillants la hissaient à bord.

Son corps retomba sans ménagement dans le fond rugueux de l'embarcation. Elle cria.

« Voilà notre louve prise au piège, l'évêque sera content.

– Tais-toi, pauvre bête, tu parles trop.

– Louve ou pas, j'ai bien envie de l'accoler.

– T'as bien raison, mon frère, ce n'est pas tous les jours que nous avons si jolie garce à nous mettre sous le ventre », dit l'un des hommes en glissant sa main entre les cuisses de Vanda qui, d'une ruade, l'envoya rouler à l'autre bout de la barque qui tangua dangereusement. Son camarade, en riant, se laissa tomber de tout son poids sur la jeune fille. Il n'eut pas le temps d'apprécier la douceur de sa peau, car celui qui semblait être le chef le prit par sa tunique, le souleva avec une force et une aisance surprenantes et lui dit d'une voix calme :

« Veux-tu que je te jette à l'eau?

– Pitié, le Saxon, je ne sais pas nager.

– Débrouille-toi », dit-il en jetant le malheureux dans l'eau qui se referma sur lui.

Une fois, deux fois, trois et quatre fois, sa tête réapparut à la surface de l'eau. Son expression d'épouvante était telle que Vanda intervint en sa faveur.

« Tu es bien bonne, fillette, il t'aurait violée et tu demandes sa grâce. Tu perds ton temps, cet homme est un voleur et un assassin; de plus, il n'en faisait qu'à sa tête, il a assez vécu. Notre part en sera plus importante. Qu'en penses-tu, Samo? »

Samo ne dit rien, fasciné par l'agonie de celui qui avait été son compagnon de combat, de meurtre, de plaisir, Chuldéric le Saxon avait raison, leur part serait plus importante.

Profitant de leur distraction, Vanda se redressa lentement et plongea loin de la barque. Elle eut le temps de percevoir un double cri de rage avant de s'enfoncer dans l'eau. Elle nagea en direction de la berge, remonta à la surface pour respirer, regarda derrière elle. Sans doute, rêvait-elle? Il lui semblait que l'embarcation s'éloignait. Elle comprit quand, prenant pied sur le sable d'une petite plage, elle se vit entourée de cavaliers qui la regardaient en silence. Malgré l'obscurité, elle sentait leurs regards brillants sur sa peau nue. Ce fut à ce moment-là que la lune apparut éclairant le corps blanc de Vanda d'une manière irréelle. Une rumeur courut parmi les hommes.

« C'est la fille du génie de la Saône, il faut la rejeter à l'eau.

– C'est certainement une magicienne, elle va nous ensorceler.

– Le cri, tout à l'heure, c'était pour nous attirer dans son antre, nous noyer et se repaître de notre chair.

– Camarades, ce n'est qu'une pauvre gardeuse d'oies tombée à l'eau. Regardez, elle a froid, elle grelotte; la fille du génie des eaux ne claquerait pas des dents. En bons chrétiens, mes amis, allons la réchauffer, dit un homme avec un gros rire.

– Cela suffit, dit une voix qui claqua dans la nuit.

– Le roi, le roi... »

Childebert descendit de cheval, s'avança vers la jeune fille et s'arrêta, comme cloué sur place.

« Toi... »

Son étonnement fit place au sourire, puis au rire.

« La première fois que je t'ai vue, tu étais dans cette tenue. Ce sont de curieuses façons pour une fille de roi. Que fais-tu, loin du monastère? Quand je t'ai envoyé chercher, Marovée m'a dit que tu désirais te consacrer à Dieu. Mes messagers l'ont cru tant cet évêque maudit avait l'air sincère dans ses menaces de les excommunier s'ils persistaient à vouloir t'arracher à Dieu.

– J'ai froid. »

Le roi ne parut pas remarquer les paroles de Vanda, il continua :

« J'ai appris ensuite, par l'évêque de Tours, que tu t'étais enfuie avec mes parentes Basine et Chrotielde et que vous veniez vous mettre sous la protection de mon oncle, le roi Gontran. Je suis rentré de Strasbourg aujourd'hui, je venais à votre rencontre.

– Maintenant que tu m'as trouvée, peux-tu, ô roi, me donner de quoi cacher ma nudité aux regards de tes hommes? »

L'arrivée de Vanda, enveloppée dans une couverture de laine, assise sur le coursier de Childebert, solidement maintenue contre lui, fut saluée avec des acclamations de joie. Begga, en larmes, la serra dans ses bras à l'étouffer.

« Je croyais que tu étais morte, emportée par le courant. »

Ludovine, à genoux, les bras levés, remerciait le ciel, le visage inondé de pleurs. Quant à Urion, il se laissa tomber aux pieds de Vanda, qu'il baisa en prononçant des mots dans leur langue commune. Elle lui répondit de la même façon en le relevant et en l'embrassant affectueusement. Seule dans un coin, Chrotielde regardait la scène avec agacement. Elle retrouva son sourire quand Childebert s'inclina devant elle en disant :

« Bonjour, ma parente, tu es encore plus belle que la dernière fois que je t'ai vue. »

Chrotielde en rougit de plaisir.

« Mais, continua le roi, je suis fâché par ta conduite. Pourquoi t'être enfuie ainsi de ton couvent, entraînant Basine et plusieurs pauvres filles? N'as-tu pas mesuré les conséquences de ton acte insensé?

– Mon cousin, je ne suis pas venue ici pour que l'on me réprimande, mais pour me mettre sous ta protection, et celles de ta mère la reine Brunehaut et de notre oncle le roi Gontran.

– Protection que nous sommes décidés à t'accorder malgré les objections des évêques qui menacent d'excommunication tous ceux qui vous donneraient asile.

– Qu'avons-nous à faire, nous, fils de rois, de l'avis de ces bavards, qui ne pensent qu'à prendre aux rois leurs pouvoirs?

– C'est possible, mais le pouvoir qu'ils détiennent leur vient de Dieu. Contre celui-là, nous ne pouvons pas lutter.

– Ce sont paroles de femelle apeurée que tu dis là, ô roi », dit une voix derrière lui.

Sous l'insulte, Childebert frémit, se retourna, son couteau levé, prêt à faire rentrer ces mots dans la gorge du téméraire.

Devant lui, se tenait Vanda revêtue d'une robe blanche bordée de galons or et argent, recouverte d'un manteau grenat, ses longs cheveux encore humides, brillants sous la lune.

Le bras armé s'abaissa. Longuement, le jeune homme contempla cette fille qu'il avait vue nue à deux reprises et qui hantait ses nuits.

« Pourquoi m'insultes-tu?

– Je ne voulais pas t'insulter, mais certains évêques, qu'ils tiennent ou non leur pouvoir de Dieu, en font un usage abominable. Je ne pense pas que cela soit insulter la volonté divine que de les combattre.

– Penses-tu à quelqu'un en particulier en disant cela?

– Non, je me demande seulement de quel évêque parlaient les brigands qui ont voulu m'enlever.

– On a voulu t'enlever, s'écria Chrotielde avec effroi.

– Oui, j'ai raconté au roi ce qui s'était passé. Mais, je t'en prie, n'en parle pas à Begga, cela l'effraierait inutilement. Je suis lasse, je vais me coucher, bonsoir. »

Vanda laissa là les deux cousins et alla se blottir dans sa litière entre Ludovine et Begga. Elle s'endormit aussitôt.

Toute la nuit, les hommes du roi et ceux du comte de Tours montèrent la garde et patrouillèrent autour du camp endormi.

A l'aube, le convoi reprit sa route et entra dans la ville de Chalon en liesse, sous les acclamations de la foule.

L'accueil du roi Gontran fut celui d'un père. Il combla Chrotielde et Vanda de présents, ordonna des fêtes en leur honneur, mais fut ferme sur un point : Chrotielde devait réintégrer un couvent de Tours et attendre la venue des évêques auxquels il avait donné l'ordre de venir discuter avec l'abbesse de cette malheureuse affaire. Quant à Vanda, étant libre de tout engagement religieux, elle resterait auprès du roi selon la volonté clairement exprimée de la reine Radegonde.

Toute à la découverte d'une nouvelle vie, Vanda ne s'apercevait pas de la mauvaise humeur croissante de Chrotielde. Tôt le matin, elle partait chasser en courte tunique suivie seulement d'Urion, avec le jeune roi Childebert et une petite escorte.

Childebert éprouvait pour elle une passion chaque jour plus grande et si visible que tout le monde dans son entourage en riait. Cependant, pour la première fois de sa vie, il n'osait culbuter une femme et assouvir son désir. Joueuse et coquette, Vanda s'en amusait comme de quelque chose sans grande importance. Ce n'était pas l'avis de la reine Faileube, femme de Childebert, qui venait d'accoucher d'un enfant mort-né et ne se remettait pas.

Peu de temps après, la cour se transporta à Autun, où les fêtes reprirent pour le plus grand plaisir de Chrotielde qui multipliait les conquêtes, de Theudogilde qui faisait des ravages parmi les jeunes seigneurs francs, et de Placidinie dont le tempérament généreux et sensuel s'épanouissait sous les hommages.

Les trois jeunes filles s'abandonnèrent au soir d'un banquet, où le vin et la bière avaient coulé en abondance, Placidinie dans la paille d'une grange, Theudogilde sous la tente d'une jeune guerrier, quant à Chrotielde, son ivresse était telle qu'elle ne se rappela jamais qui avait été son amant.

Begga voyait avec horreur et tristesse des nonnes se livrer à la débauche, en dépit de leurs vœux les plus sacrés. Elle tenta d'en parler au roi Gontran, mais il la renvoya en disant que c'était la nature qui voulait cela et que le Seigneur Dieu créateur de toute chose, de la beauté des filles comme de l'ardeur des garçons, ne pouvait être offusqué de ce qu'il avait établi.

Vanda donnait à Begga d'autres soucis. N'était-elle pas revenue un jour de la chasse, l'œil brillant, les joues en feu et les cheveux emmêlés, en disant :

« Je les ai retrouvés, ils sont là... si loin de leurs forêts natales, ils m'ont suivie. »

De qui voulait-elle parler?

« Ava, j'ai revu Ava et les enfants de ses enfants.

Si tu avais vu, Begga, comme ils étaient heureux de me voir. Ce n'étaient que roulades, embrassades et mordillements. Nous nous revoyons demain.

– Mon enfant, tu es folle. Je t'en conjure, ne retourne pas dans la forêt, oublie la meute.

– Jamais.

– Mais qu'espères-tu? Tu n'es pas un loup, ta place est parmi les hommes, dans cette cour, tu es princesse, tu dois te comporter comme telle.

– Je n'espère rien, je les aime et ils m'aiment. Je me sens plus heureuse, plus en sécurité auprès d'eux qu'ici. Quant à avoir un comportement de princesse, j'ai le mien, il vaut celui des autres filles de mon rang, qui ne pensent qu'à leurs amants, à leurs atours, à se venger du moindre manquement, à médire de tout le monde et à se gaver de gâteaux au miel.

– Je sais que tu es pure et bonne, mais j'ai peur pour toi. Certains ont intérêt à te calomnier pour te perdre dans l'esprit des rois. Je ne cesse de regretter l'absence de la reine Brunehaut, qui nous eût éclairées sur ta naissance. Tant que nous serons dans l'ignorance, ceux qui te veulent du mal, continueront à t'appeler « enfant des loups », « enfant de la Pierre levée ». N'oublie jamais, que beaucoup ont vu dans ton intervention pour chasser les loups, puis pour sauver la louve, une appartenance au démon, sentiment renforcé par la mort étrange du boucher Wéroc et par cette peau dont tu t'affubles sans raison.

– Sans raison... Oh! Begga, comment toi, peux-tu dire cela?

– C'est vrai, pardonne-moi, mais ainsi, tu ressembles à ces guerrières gauloises qui combattirent vaillamment les envahisseurs.

– S'il en est ainsi, je suis fière de ressembler à ces femmes courageuses.

– Une de mes aïeules fut de ces femmes.

– J'aimerais qu'un jour tu me parles d'elle. »

Un esclave se présenta, interrompant leur conversation.

« Le roi vous demande l'une et l'autre. »

Begga aida Vanda à mettre une tenue plus conforme à son sexe et qui avait l'avantage de dissimuler ses genoux et ses cuisses écorchés par les broussailles et par les jeux avec les loups. Pour cacher ses cheveux emmêlés, elle se couvrit d'un long voile. Quand elles arrivèrent devant le roi, Chrotielde, Constantine, Geneviève, Theudogilde et Placidinie étaient déjà présentes. Elles baisèrent la main du roi, qui les fit asseoir près de lui.

« L'automne approche et je ne veux pas vous savoir sur les routes à la mauvaise saison. Vous repartirez demain pour Tours où vous vous installerez au couvent d'Ingitrude ma parente, en attendant l'arrivée des évêques qui doivent débattre de votre cas et qui aura lieu le quinzième jour du huitième mois[1]. Vous avez donc peu de temps devant vous. J'ai donné l'ordre que l'on prépare le convoi, vous partirez demain, Sauf Vanda, qui n'étant pas religieuse, ne se trouve pas dans la situation d'être excommuniée. »

Toutes, à part Begga, furent consternées par cette nouvelle.

« Ne pouvons-nous partir plus tard et attendre ici le résultat de la réunion des évêques? demanda Chrotielde.

– Non, ma décision est prise. J'en ai averti par courrier le roi Childebert, l'évêque de Tours et celui de Poitiers.

Constantine se leva, s'agenouilla aux pieds du roi et dit d'une voix tremblante :

1. Octobre.

« O roi, permets-moi de me retirer dans un couvent de la bonne ville d'Autun. Mon cœur se brise devant l'énormité de mon péché. Ordonne que je sois conduite dans un monastère à la règle rigoureuse afin que, passant mes jours dans le jeûne et la pénitence, j'obtienne le pardon de l'abbesse, de l'évêque et de mon Dieu. »

Le roi, ému, donna son consentement.

Constantine le remercia avec des larmes et fit ses adieux à ses compagnes en les conjurant de suivre son exemple. A son tour, Vanda se leva, s'agenouilla devant Gontran et lui dit d'une voix ferme :

« Moi aussi, roi, j'ai une grâce à te demander.

– Parle ma fille, si je puis t'accorder ce que tu demandes, je le ferai avec joie.

– Je voudrais partir avec Chrotielde.

– Voilà une étrange idée, tu n'as rien à faire dans cette histoire.

– Sans moi, j'en suis sûre, elles ne se seraient pas enfuies. C'est à cause de moi que Begga a abandonné son couvent. Si elles sont jugées, je dois être jugée avec elles. N'ai-je pas raison, roi juste ? »

Gontran resta songeur, le menton dans sa main. Cette petite Vanda l'intéressait et le dérangeait en même temps. Elle ne ressemblait en rien aux femmes qu'il connaissait. Elle était plus libre de ses propos, de ses mouvements que les autres, plus fière aussi. De plus, l'attirance de son neveu Childebert pour elle, pouvait être la source de nouvelles difficultés entre eux et les reines.

« Je ne m'oppose pas à ton départ, tes raisons sont nobles. Dieu te garde. »

Le roi frappa dans ses mains, des serviteurs entrèrent portant de lourds coffrets. Il remit à chacune des colliers d'or, et à Chrotielde et à Vanda, des bandeaux ciselés et enrichis de pierres précieuses.

« Donnez celui-ci à ma nièce Basine en mémoire

de moi », dit-il en tendant un bandeau aux ravissantes ciselures à Begga.

Il lui fit donner également une bourse contenant cent pièces d'or, à remettre à Ingitrude pour la dédommager des frais occasionnés par les fugitives.

« Veille sur elles, sage Begga, et conduis à bon port ces filles égarées. »

Puis s'adressant aux religieuses agenouillées, il ajouta :

« Que le Ciel vous ait en sa sainte garde et vous inspire des sentiments meilleurs. »

A la sortie de l'audience, Chrotielde laissa éclater son irritation.

« Ne pouvions-nous attendre ici le jugement des évêques? Qu'ont-ils besoin de nous à Tours?

– Mais c'est de nous qu'il s'agit, Chrotielde, lui répondit Vanda. Cela ne t'intéresse pas de savoir ce qui va être dit à notre sujet? Qui répondra aux calomnies et aux mensonges, si nous ne sommes pas là?

– Tu as peut-être raison », répliqua-t-elle songeuse.

Elle se tut un moment, regardant Vanda à la dérobée, donnant l'impression de chercher quelque chose à dire. Enfin, elle se décida, jetant les mots comme s'ils lui brûlaient la langue :

« Je te remercie d'avoir dit au roi ce que tu as dit et de venir avec nous. »

Ses compagnes la regardèrent avec stupéfaction. C'était la première fois qu'elles entendaient l'orgueilleuse Chrotielde remercier quelqu'un. Begga, qui l'avait vue grandir, mesura tout ce que cela lui coûtait et se détourna pour dissimuler un sourire. Vanda haussa les épaules.

« Ce n'est pas la peine, à ma place, tu en aurais fait tout autant.

– Oh! sûrement pas », s'écria-t-elle.

Ce cri du cœur fit éclater de rire Vanda et les religieuses.

« Ah! ça, on veut bien te croire », dit Placidinie entre deux hoquets de joie.

Chrotielde fronça les sourcils de mécontentement, mais prit le parti de rire en embrassant Vanda.

« Allons, enfants, entrons dans nos chambres afin de nous préparer pour le départ », dit Begga.

Sa phrase à peine terminée, les jeunes filles partirent en courant à travers les couloirs mosaïqués du palais malgré les appels de la bonne religieuse.

Placidinie, Chrotielde et Theudogilde rejoignirent leurs amants, qui promirent de venir les retrouver à Tours. Quant à Vanda, elle ne réapparut qu'au moment du départ, les vêtements déchirés par endroits et sentant l'odeur fauve des tanières.

CHAPITRE XVI

## CHULDÉRIC LE SAXON
## EMBUSCADE DANS LA FORÊT
## VIOLS – MORT D'UNE NONNE

UNE chaleur d'enfer accablait le convoi qui s'étirait sur la route, enveloppé de fine poussière grise. Les soldats somnolaient sur leurs chevaux dont la bouche et les naseaux attestaient la souffrance. Dans les litières, aux rideaux relevés, les femmes vêtues seulement de leur robe de dessous qui leur collait au corps, se laissaient conduire sans plus de réaction que des sacs de farine. Vanda dormait, la tête posée sur les genoux de Begga.

Pas une feuille, pas un brin d'herbe ne bougeait, la campagne était d'une immobilité totale, écrasée sous un ciel blanc, dont la réverbération sur les pierres du chemin, sur les armes des cavaliers blessait les yeux de ceux qui avaient encore la force de les laisser ouverts. Cette fournaise vibrait du chant de milliers d'insectes.

L'espace entre les cavaliers et les litières s'allongeait. Les soldats de l'arrière ne remarquèrent pas que leurs chevaux, sans doute assommés par ce soleil diabolique ou sentant quelque point d'eau, quittaient la route pour prendre un sentier qui zigzaguait entre les arbres.

Un caillou s'étant glissé sous le sabot d'un des bœufs de la litière de Chrotielde, le conducteur dut s'arrêter pour le retirer, laissant ainsi celle de Vanda les dépasser, puis disparaître au détour du chemin.

L'homme jurait, n'arrivant pas à extraire le caillou avec la pointe de son couteau. La bête énervée s'agitait sous un essaim de mouches.

« Hé, camarade, cesse de remuer ainsi, je... »

Il ne put terminer sa phrase, il s'effondra sous les sabots des bœufs, le crâne ouvert par une francisque lancée d'une main habile.

Personne dans le chariot ne remarqua l'incident.

Des cris à la fois féroces et joyeux tirèrent Chrotielde et ses deux compagnes de leur sommeil. Elles mirent quelques instants à saisir ce qui se passait. Une troupe d'une dizaine d'hommes en armes montés sur des chevaux frais et nerveux les attaquaient. Elles appelèrent à l'aide, mais leurs cris se perdirent dans l'air incandescent.

« Saisissez-vous des filles, on fera le tri plus tard », cria un homme qui arracha la francisque du crâne du mort sans même descendre de cheval, éclaboussant le visage des voyageuses de gouttes vermeilles.

La douce et falote Geneviève fut saisie par une brute borgne à l'odeur repoussante, qui la plaça devant lui en travers de sa monture, robe relevée. Il maintint ainsi la pauvre fille, une main enfoncée entre les cuisses. Elle s'évanouit de honte et de douleur sous ces doigts qui la violaient. Theudogilde eut plus de chance : celui qui l'enleva était un beau guerrier blond dont les yeux s'allumèrent au contact du corps légèrement vêtu de la belle fille. Chrotielde sauta de la litière et tenta de s'enfuir, elle fut rattrapée par ses longues nattes flottantes et hissée par cette parure dont elle était si fière sur un cheval monté par un homme aux yeux presque transparents tant ils étaient clairs. Un coup sur la nuque l'assomma.

Les bandits s'enfoncèrent dans la forêt au grand galop. Celui qui les conduisait prit une direction parallèle à celle suivie par le convoi. Bientôt, ils arrivèrent près d'une chapelle en ruine devant laquelle ils s'arrêtèrent. Les cavaliers portant les jeunes filles les firent glisser. Elles roulèrent à terre en criant, sauf Geneviève, qui se redressa d'un air hébété, regardant sans comprendre le sang qui tachait sa robe.

« Guntharic, je t'ai déjà dit que je n'aimais pas que tu traites ainsi les pucelles. Ne peux-tu les violer comme tes camarades, à la pointe de ton sexe? »

Le borgne eut un rire ignoble.

« Je préfère les ouvrir ainsi, je sens mieux ce que je fais.

– A ton aise, mais je n'aime pas ça », dit Chuldéric le Saxon, en se détournant avec dégoût de son sinistre compagnon.

Très grand, très fort, ses cheveux noirs aux reflets roux attachés en queue de cheval sur le sommet de sa tête, sa longue moustache d'une couleur plus claire, ses yeux au regard à la fois intelligent et méchant, le torse nu, velu et luisant de sueur, barré par un riche baudrier, un manteau court attaché à son cou, ses jambes puissantes aux fortes cuisses, il s'avança vers Chrotielde et Theudogilde qui, d'un geste enfantin, se serrèrent l'une contre l'autre. Il s'arrêta devant elles, les dévisagea avec insolence puis avec colère.

« Où est la louve? » dit-il en se tournant vers les brigands.

Les hommes se regardèrent sans comprendre. Huniric, du pays des Vandales comme le borgne Guntharic, répondit :

« Ce doit être une des trois.

– Aucune n'est la bonne », dit Chuldéric au comble de la fureur, prêt à tirer son épée.

Il s'approcha de Chrotielde, la saisit par un bras, la souleva et la maintint contre lui, le visage près du sien.

« Combien étiez-vous dans la litière?

– Trois, bredouilla-t-elle.

– Et la fille de la reine Radegonde? Où est-elle?... Vas-tu répondre, maudite? ajouta-t-il en la secouant.

– Elle est dans l'autre litière. »

Chuldéric la dévisagea sans paraître comprendre.

« La litière où se tenait Vanda a dépassé la nôtre. »

Le Saxon lâcha violemment Chrotielde, qui dut se retenir à Theudogilde pour ne pas tomber. Il comprenait maintenant ce qui s'était passé, mais ne pouvait en rendre personne responsable. Elle ne perdait rien pour attendre cette sorcière!... En attendant, il allait se venger de sa déconvenue sur les autres.

« Toi, qui es-tu? dit-il en s'adressant à Theudogilde.

– Mon nom est Theudogilde, j'accompagne Chrotielde, parente du roi Gontran.

– Parente du roi Gontran, dit en se gaussant le Saxon. Voilà qui nous rapportera une jolie rançon. Qu'en pensez-vous, camarades? »

Devant ce ton moqueur qui l'injuriait, Chrotielde en oublia sa peur.

« Arrête, chien puant, de te moquer de moi. Je suis fille de roi, la rançon te sera payée, et d'autant mieux si tu nous laisses repartir. »

Un énorme éclat de rire balaya tous ses espoirs. Chuldéric et ses complices s'étouffaient d'hilarité devant tant de naïveté. Quand enfin le Saxon put parler, il souleva Chrotielde malgré ses cris, ses coups de pied et de poing.

« Assez ri, ma belle, fille de roi ou pas, tu me plais. A défaut de Vanda la sauvage et en attendant la rançon promise, nous allons nous amuser. Camarades, je vous laisse les deux autres. »

Il la porta derrière un des murs effondrés de la chapelle et la déposa sans trop de brutalité sur un lit de mousse, tout en lui maintenant fermement les poignets.

« Tu me fais mal. »

Il relâcha son étreinte et s'allongea près d'elle sans cesser de la regarder.

« Tu es très belle. As-tu déjà connu un homme? »

Le visage de Chrotielde s'embrasa d'un seul coup, apportant à Chuldéric la réponse qu'il attendait.

« N'aie pas honte, je préfère ça. Je n'aime pas dépuceler les filles, surtout si elles ne sont pas consentantes. Je laisse ça à Guntharic. »

La main du Saxon glissa sous la légère robe et caressa la fente humide. Chrotielde gémit et se cambra malgré elle.

« Je vois, belle gazelle, que tu ne détestes pas les caresses. »

Chrotielde resserra ses cuisses sur la main de l'homme et essaya de se dégager de son étreinte.

« Je t'ordonne de me laisser, paysan.

– Ne prends pas tes airs de princesse avec moi, je ne suis pas un paysan, mais un riche guerrier franc.

– Tu es un bandit et le roi te tuera.

– S'il doit me tuer, autant en profiter », dit le Saxon en écartant brutalement les cuisses de Chrotielde.

La fille du roi Caribert ne résista pas longtemps, et bientôt l'herbe et les arbres de la forêt furent témoins de ses gémissements heureux et de son plaisir.

De l'autre côté des murs effondrés de la chapelle, se déroulait une scène où les gémissements n'étaient pas de plaisir.

Theudogilde, le visage couvert de larmes, avait cessé de se débattre et subissait son cinquième ou sixième homme : elle ne savait plus. Quant à Geneviève, son joli corps pâle totalement dénudé portait les marques de la brutalité des bandits. Son extrême jeunesse, elle avait à peine quinze ans, sa fragile blondeur avaient excité le désir de tous les hommes de la troupe. Tous l'avaient violée, certains très vite, d'autres avec des raffinements de cruauté surprenants chez ces rustres. Pour terminer son supplice, Huniric la sodomisa, ce qui étonna ses compagnons qui ignoraient cette pratique.

Quand la pauvre fille se releva, le ventre et les jambes couverts de sang, un étrange sourire errait sur ses lèvres. Elle passa devant Theudogilde sans paraître la voir et disparut derrière le mur de la chapelle au moment même où Chrotielde et Chuldéric apparaissaient la main dans la main, repus, fatigués et heureux tels deux amants comblés.

« Camarades, ne perdons pas de temps, nous devons rattraper le convoi, nous nous sommes trompés de filles. Ramenons-les et prenons celle qui nous intéresse.

– Pourquoi nous embarrasser d'elles? dit Guntharic.

– Par sécurité. Si nous les tuons, le roi Gontran nous fera rechercher par ses soldats et, tôt ou tard, nous serons retrouvés. De plus, cette fille m'a promis de payer sa rançon et celle de ses amies. Où est la troisième? Je n'en vois que deux.

– Elle sera partie cacher sa honte dans quelque coin, dit Huniric avec un sourire d'ignoble satisfaction.

– Cherchons-la et partons. »

On coutourna la chapelle, on regarda derrière chaque arbre, on appela :

« Geneviève... Geneviève...

– Où peut-elle bien être ? dit Chrotielde à Theudogilde. Où était-elle quand tu l'as vue la dernière fois ?

– Elle est passée devant moi comme un fantôme, elle a tourné au coin de la chapelle, depuis je ne l'ai plus vue. O ! Chrotielde, j'ai peur ! Si tu avais vu comme ces monstres l'ont traitée, elle qui était encore pucelle.

– Cela ne sert à rien de pleurnicher, viens. »

Elles disparurent derrière le mur et remarquèrent une porte basse entrouverte, elles la poussèrent et entrèrent dans une salle voûtée, au sol de terre battue recouvert d'une épaisse couche de poussière qui attestait son abandon. Dans un coin, des madriers effondrés s'entassaient. Une lumière de fin d'après-midi, passant au travers des voûtes en partie détruites, faisait danser de fines particules de poussière dorée... L'endroit était frais et dégageait une puissante odeur de moisi.

« Geneviève ! » appela Chrotielde.

Rien, pas un soupir. Theudogilde remarqua, sans y prêter vraiment attention, une grande ombre qui se balançait sur le mur. Soudain, ses yeux s'exorbitèrent, elle saisit la main de Chrotielde et, avec une lenteur infinie, comme si son corps, devenu de plomb, n'arrivait plus à se mouvoir, elle se retourna. Surprise, sa compagne suivit des yeux son mouvement et la direction de son regard halluciné. Un même hurlement sortit de la gorge des deux filles. Devant elles, se balançait doucement le corps meurtri et souillé de leur amie, qui était parvenue à s'étrangler à l'aide d'une de ses longues nattes.

A leurs cris, les bandits, l'épée à la main, entrèrent dans la chapelle en ruine. Ce qu'ils virent les immobilisa d'horreur. Les moins endurcis tombèrent à genoux en demandant pitié. Les autres baissèrent leur arme et contemplèrent en silence ce qui était encore, il y a si peu de temps, une jolie fille.

S'arrachant enfin à la macabre contemplation, Chrotielde, le visage déformé par les larmes, se retourna et s'avança le poing levé sur Chuldéric, dont elle martela la poitrine de toutes ses forces.

« Assassin... Assassin...

– Je n'ai pas voulu cette mort, dit-il d'une voix sincère en lui maintenant les poignets. Qu'on décroche le corps! »

Huniric et Guntharic s'avancèrent.

« Non, pas eux », hurla Theudogilde en leur barrant le passage.

Sous le regard accusateur et méprisant de la fille, les deux Vandales s'arrêtèrent.

« Pas eux, continua Theudogilde, ils ont suffisamment torturé son corps. »

Chuldéric s'avança, monta sur les débris qui avaient servi d'escalier à Geneviève pour mourir, prit le cadavre contre lui et de son poignard, coupa la natte qui l'étranglait. Il le porta hors des ruines et l'étendit au soleil du crépuscule, sur le lit de mousse qui portait encore la forme de son corps et de celui de Chrotielde.

« Maintenant, nous devons partir.

– Pas avant d'avoir enseveli notre malheureuse amie, dit Theudogilde.

– Ce n'est pas possible, nous ne pouvons pas attendre, la nuit va... »

Il ne put terminer sa phrase, une pierre aiguë balafra son front. Un coup d'œil lui montra le danger de la situation : ils étaient pratiquement encerclés. Il tira son épée en criant :

« On nous attaque... aux chevaux... »

Trois de ses compagnons ne les atteignirent jamais et deux autres tombèrent prisonniers entre les mains des soldats du roi Gontran. Le reste de la troupe réussit à s'enfuir, non sans que Chuldéric ait pu crier en direction de Chrotielde :

« Je te retrouverai. »

Quelques soldats les poursuivirent, mais abandonnèrent rapidement, car la nuit tombante favorisait la fuite des bandits.

Begga lava le pauvre corps de Geneviève, le revêtit de la simple robe monacale. Toute la nuit, elle le veilla en compagnie de Vanda. Le lendemain, à l'aube, elles l'enterrèrent près du mur de la chapelle.

Le voyage continua dans un climat d'angoisse et de chagrin. Quand les remparts de la ville de Tours apparurent, toutes et tous éprouvèrent un grand soulagement.

## CHAPITRE XVII

# RETOUR A POITIERS
# CHROTIELDE DÉCOUVRE
# LA VÉRITÉ SUR URION

CHROTIELDE se mit en colère et Begga éprouva une grande tristesse, quand elles constatèrent qu'une dizaine de religieuses, circonvenues par diverses personnes, s'étaient mariées durant leur absence. Pélagie, violée par les bandits d'Ansoald, était enceinte et parlait de mourir.

Les voyageuses arrivèrent le douzième jour du huitième mois[1], trois jours avant la date choisie par le roi Gontran pour la réunion des évêques. Au milieu du neuvième mois, ils n'étaient toujours pas arrivés.

Cette longue attente aigrissait les caractères. Le monastère d'Ingitrude retentissait des disputes et des cris des fugitives. Elles s'étaient divisées en trois clans : les partisanes de Chrotielde, celles de Basine et enfin celles de Vanda. Entre les amies des deux cousines, ce n'étaient que querelles de préséance, jalousies pour la largeur d'un ruban ou pour une place à la chapelle. Elles se mettaient cependant d'accord quand il s'agissait de critiquer les fidèles de Vanda : « les louves » les appelaient-elles par dérision. Dans cette atmosphère de méchanceté

1. Octobre.

mesquine, Vanda s'ennuyait, ayant épuisé les joies de la modeste bibliothèque du couvent. Depuis leur retour, interdiction leur avait été faite, tant de la part de l'évêque que de celle du comte de Tours, de sortir de l'enceinte du monastère et de traverser la ville, de peur qu'elles ne provoquent un scandale. Lassée par cette attente, Vanda fit part à Basine et Chrotielde de son intention de quitter Tours et d'aller ailleurs attendre la venue des évêques.

« Où irions-nous ? dit Basine. Partout nous serons chassées.

– Nous ne serons chassées de nulle part. Nous nous réfugierons à l'intérieur de la basilique Saint-Hilaire de Poitiers qui est riche, entourée de potagers, de vergers, de vignes, qui possède des troupeaux, un moulin, un parc à huîtres et dont les hauts murs nous protégeront.

– Partons, c'est une excellente idée, dit Chrotielde, mais pourquoi retourner à Poitiers où sont nos ennemis ? Pourquoi ne pas nous installer dans la basilique Saint-Martin, ici à Tours ? Cela nous éviterait de nous trouver sur les routes à l'approche de l'hiver. J'ai gardé un mauvais souvenir de notre premier voyage.

– Cette fois-ci, ce sera différent. Laisse-moi t'expliquer pourquoi Saint-Hilaire plutôt que Saint-Martin. A Poitiers, nous sommes en pays de connaissance, près de mon père Romulf qui nous aidera, près de nos ennemis aussi dont nous connaîtrons mieux les intentions. La basilique, moins fréquentée que celle de Tours, nous offrira plus de place et nous permettra de rester entre nous. Et puis, n'oublie pas que si l'évêque Grégoire nous veut du bien, il n'en est pas de même du comte, de ce moine fanatique dont je ne connais pas le nom et des évêques qui vont bien finir par arriver. Je pense qu'il est plus prudent de ne pas être ici à ce moment-là. Quant au voyage, j'ai tout prévu.

– Comment? Mais tu n'as pas pu sortir?

– Non, mais Urion et Ludovine pouvaient sortir quand ils le voulaient, eux.

– Où as-tu trouvé l'argent?

– J'ai vendu à un marchand juif, la couronne que m'avait offerte le roi Gontran. Avec cet argent, j'ai acheté des litières, des chevaux et un chariot rempli de provisions.

– Et l'escorte, as-tu pensé à l'escorte? Après ce qui est arrivé à la pauvre Geneviève, je n'aurai plus le courage de traverser la forêt sans une protection de tous les instants.

– J'ai pensé à cela aussi. Tu te souviens d'Ansoald?

– Quoi! Ce bandit insolent?

– Insolent? peut-être, mais il nous a aidées. A ma demande, Urion l'a retrouvé. Il n'avait pas quitté la région de Tours, attendant un signe de nous. Il a rassemblé des compagnons dont il se dit sûr. Je crois qu'on peut lui faire confiance.

– J'espère que tu ne te trompes pas. As-tu parlé à Begga de ce projet?

– Non, j'attendais ton accord et celui de Basine et que tout soit prêt. »

Les deux cousines se consultèrent du regard.

« Je suis d'accord, dit Chrotielde.

– Moi aussi, dit Basine.

– Le temps est encore beau pour la saison. Nous partirons avant l'aube, le premier jour du dixième mois[1]. Préviens celles qui veulent nous suivre de se tenir prêtes.

– Deux jours pour nous préparer, c'est peu.

– C'est bien suffisant si l'on veut que cela réussisse. Maintenant, je vais avertir Begga. »

1. Décembre.

Begga supplia, raisonna, pleura, rien ne fit changer Vanda d'avis. L'angoisse au cœur et la mort dans l'âme, la sage moniale se résigna.

Tout avait été admirablement organisé. Devant la petite porte du sud, se tenaient Ansoald et ses soldats, au nombre de vingt, tous habillés de neuf, leurs armes brillant dans la nuit belle et un peu froide, montés sur de solides chevaux. Derrière eux, six litières et un lourd chariot couvert gardé par deux solides Gaulois. Les nonnes prirent place dans le plus grand silence tandis qu'on amenait à Vanda un superbe cheval noir. Avec légèreté, elle l'enfourcha. Sensible à la beauté de l'animal, elle remercia du regard Ansoald de la justesse de son choix. De plaisir, le visage du jeune bandit s'empourpra. Pour ce voyage, elle avait revêtu sa tenue de chasseur : une double tunique de laine réchauffée par un rheno de peau de loutre, les jambes entourées de peaux de chat, de solides gants fourrés, le tout recouvert par un ample manteau de laine sombre sur lequel elle avait jeté la peau de la louve. Elle prit la tête du convoi à côté d'Ansoald.

Quand le soleil se leva, la troupe venait d'entrer dans la forêt.

*

Durant les deux premiers jours, les fugitives et leurs compagnons furent sur leurs gardes, forçant l'allure, ne s'arrêtant que pour permettre aux chevaux et aux bêtes de somme de se reposer. Par chance, le temps continuait à être clément. Les nuits étaient fraîches, mais dans la journée, le soleil brillait.

Vanda quittait fréquemment le convoi pour s'enfoncer au trot dans la forêt, à la grande inquiétude de Begga, d'Urion et d'Ansoald. Begga et Urion devinèrent immédiatement ce qu'elle cherchait, mais n'en trouvaient pas moins cela d'une folle imprudence. Depuis les deux tentatives d'enlèvement manqué, Urion craignant davantage les hommes que les loups, suivait sa jeune maîtresse comme une ombre.

Le cinquième jour, Vanda repartit sur ses pas, croyant sentir la présence de ses amis. Elle ne se trompait pas, mais ils n'étaient pas seuls. Un homme, blessé en plusieurs endroits, l'épée à la main, se défendait contre la meute.

A côté de lui, son cheval achevait de mourir sous les crocs des loups devant lui, deux bêtes se vidaient de leur sang.

« Ava, les loups, à moi! »

A cette voix connue, la meute s'immobilisa. Ava poussa un profond et long gémissement, se retourna et fila vers Vanda qui était descendue de cheval, la renversa, roula à terre et la tint entre ses pattes en poussant de petits jappements. Vanda se dégagea en riant, le visage mouillé par la langue du fauve et fut immédiatement environnée par le reste de la meute qui la flaira en tournant autour d'elle.

« Et moi, alors, je suis oublié? »

A cette voix inconnue, donc ennemie, les poils se hérissèrent, les babines se retroussèrent et les dents se découvrirent.

« Assez, les loups! cria Vanda. Ava, dis-leur de m'obéir. »

Ava entraîna ses compagnons et l'on put croire qu'il leur tenait un discours tant ils semblaient attentifs.

« Merci, c'est la deuxième fois que tu me sauves la vie. »

Vanda regarda l'homme qui lui parlait.

« Chariulf.

– Je vois avec plaisir que tu ne m'as pas oublié et que tu portes mon épée!

– Que fais-tu ici?
– Je te suivais.
– Tu me suivais, pourquoi? dit Vanda en portant la main à la poignée de l'épée.
– N'aie crainte, moi, je ne te veux pas de mal. D'autres, oui. C'est pour ça que je te cherchais et que je voulais t'offrir mes services.
– Je te remercie, je n'ai pas besoin de toi, j'ai mes soldats et mes amis, cela me suffit.
– Par saint-Martin, j'aimerais être ton ami. »
Vanda le regarda sans répondre, tandis qu'Ava revenait vers elle, suivi de la meute. Un à un, les loups se couchèrent aux pieds de Vanda.
« Dois-je faire comme eux? » dit Chariulf en s'agenouillant parmi les loups.
Les yeux de Vanda se fermèrent à demi tandis qu'un sourire moqueur éclairait son visage aux pommettes hautes.
« Viens, dit-elle en lui tendant la main, et jure sur cette épée de ne jamais me trahir.
– Je le jure.
– Ava, les loups, regardez-le, humez-le, c'est un ami, je vous demande de ne pas l'oublier. »
La meute entière vint flairer celui que quelques instants auparavant elle s'apprêtait à dévorer. Certains cependant, par des grognements peu aimables, manifestèrent leur désappointement de devoir laisser partir un aussi bon gibier. Le galop d'un cheval immobilisa hommes et bêtes. Un second galop se fit entendre. Bientôt apparurent Urion, puis Ansoald. Suivie des loups, Vanda s'avança au-devant d'eux. Les chevaux des arrivants se cabrèrent à la vue des bêtes sauvages.
« Du calme! les loups, ce sont des amis », dit-elle en attirant contre elle les animaux les plus proches.
Ils grognèrent, manifestant leur réprobation

devant tant de familiarité, mais ne se dérobèrent pas à la caresse de la jeune fille.

« Son nom est Chariulf, dit-elle en le désignant à Ansoald et à Urion. Lui, c'est Ansoald, le chef des soldats qui nous font escorte. Elle, c'est Urion, ma servante et mon amie.

– Elle se tient à cheval comme un homme.

– Chariulf se joint à nous, acceptez-le et jurez-lui amitié. »

Sans manifester un grand enthousiasme, ils s'embrassèrent tous les trois.

Avant de quitter la meute, Vanda demanda à Ava de les suivre de loin.

Urion donna son cheval à Chariulf et monta en croupe derrière Vanda. Ils rejoignirent le convoi où l'on commençait à s'inquiéter de leur longue absence.

Peu avant d'arriver à Poitiers, ils rencontrèrent une inquiétante troupe armée de couteaux, de lances, de massues et de bâtons, qui ne les attaqua pas, mais offrit ses services. Le chef, contrefait et malingre, dit s'appeler Polyeucte. Chrotielde accepta leur proposition sans en référer à Vanda et à Ansoald, qui entra dans une grande colère, mais ne put revenir sur cette acceptation sous peine de voir ces nouveaux compagnons se sentir injuriés et déclencher une bagarre inutile et sanglante.

« Ce sont là des voleurs, des homicides, des adultères, capables de tous les crimes.

– Tu n'es pas un saint non plus », ironisa Chrotielde.

Ce fut une troupe de près de cent personnes qui pénétra à l'intérieur de la basilique Saint-Hilaire, sous les regards étonnés des pèlerins et ceux apeurés des habitants de Poitiers quand ils reconnurent Vanda parmi cette foule patibulaire.

« Dieu nous protège, l'enfant des loups est revenue. »

Dans l'heure qui suivit, l'évêque Marovée et l'abbesse Leubovère furent prévenus de cette arrivée. L'évêque, dans un esprit de conciliation, envoya un messager aux fugitives, leur demandant de rentrer dans leur couvent. Les trois princesses lui firent répondre :

« Nous sommes reines et nous ne retournerons pas dans notre monastère tant que Leubovère en sera l'abbesse. »

Elles firent fermer les portes de la basilique et s'organisèrent pour la lutte. Il y avait là la recluse qui, quelques années auparavant, s'était jetée du haut d'un mur et s'était réfugiée à Saint-Hilaire, où elle vomissait contre l'abbesse beaucoup d'accusations. Le temps n'avait pas amélioré son apparence. Elle était toujours effrayante, d'une maigreur de squelette, la peau terne et jaunâtre, les ongles des mains et des pieds longs comme des griffes, le visage décharné à la bouche sans dents, aux lèvres comme aspirées. Les orbites bordées de purulences malodorantes dans le fond desquelles brillait une lueur méchante. Le corps et la tête enveloppés de linges abondamment tachés, les cheveux d'un blanc sale emmêlés d'ordures. Elle se dressait, immonde, face aux nonnes en révolte.

Cette apparition d'outre-tombe les fit frémir. Devant les accusations horribles proférées par Vénérande contre Leubovère, Chrotielde comprit tout le parti qu'elle pourrait en tirer. Elle lui parla avec bonté, puis la fit enfermer dans une cellule confortable.

Les jours qui suivirent, Vanda et les religieuses procédèrent à leur installation. Chrotielde s'adjugea la plus belle chambre de la basilique et prit auprès d'elle pour lui tenir compagnie et assurer son service particulier : Theudogilde, Placidinie, Ultrogothe, Alcime, Ingonde et la pauvre Pélagie.

Basine s'entoura de Suzanne, Flavie, Clotilde et Brégide. Vanda préféra être seule, ne tolérant auprès d'elle qu'Urion et Ludovine.

Les autres religieuses se regroupèrent autour de Begga. Ansoald et Julien installèrent leur troupe dans les communs près de la chapelle. Polyeucte et ses compagnons campèrent près des portes. A tour de rôle, les hommes montèrent la garde.

Dans la journée, les pèlerins, les fidèles, les marchands et les curieux pouvaient pénétrer dans le sanctuaire par une petite porte laissée ouverte.

Un soir, à la tombée de la nuit, se présentèrent une dizaine de guerriers à la mine inquiétante, que les gardes refusèrent de laisser entrer.

« Nous venons demander asile, dit celui qui semblait commander.

– Il n'y a pas d'asile pour vous, dit Ansoald en s'approchant.

– Saxon, laisse-moi le tuer.

– Non, Guntharic, il a raison, il ne nous connaît pas. Conduis-moi près de la belle Chrotielde, mes compagnons resteront ici. »

Ansoald se résigna et le conduisit à la fille de Caribert. Chrotielde était seule et s'ennuyait. Allongée sur des coussins, emmitouflée dans une robe doublée de fourrure, elle grignotait des friandises orientales achetées à un marchand syrien, un voile brodé de violet et d'argent cachant ses cheveux. Son visage, maussade, éclairé par la lueur dansante des torchères, s'anima en voyant Ansoald.

« Qu'annonce ta visite, bel ami ? Ce n'est pas souvent que tu viens rendre hommage à ta princesse. On dirait que je te fais peur. »

Sans répondre, Ansoald haussa les épaules et

s'essuya le front. Il régnait dans la chambre une chaleur d'été, entretenue par trois brasiers.

« Viens t'asseoir près de moi. »

Elle lui tendit la main d'un geste gracieux qui fit glisser la large manche de sa robe et apparaître un joli bras d'une blancheur de lune.

« Ne suis-je pas belle que tu te refuses à me regarder?

– Oui, tu es très belle, dit Ansoald d'une voix étranglée et bougonne. Un guerrier te demande, continua-t-il en affermissant sa voix. Il dit te connaître et venir t'offrir ses services.

– Qu'il entre. »

Avant qu'Ansoald ait pu se retourner, la portière qui fermait l'entrée de la chambre s'écarta et Chuldéric le Saxon entra.

D'un bond, Chrotielde se leva, le visage rouge et convulsé de colère.

« Toi...

– Je viens mettre mon épée à tes pieds, dit-il en s'inclinant d'une manière ironique.

– Comment oses-tu te présenter devant moi?

– Je te l'ai dit, je viens t'offrir mes services.

– Je ne veux rien d'un chien comme toi.

– Tu as tort, toi et les autres princesses allez avoir besoin d'hommes courageux pour vous défendre. »

En colère à son tour, Ansoald s'avança sur Chuldéric la main sur la poignée de son épée.

« Ne suis-je pas là, moi et mes compagnons pour les défendre et les protéger? Douterais-tu de notre courage?

– Calme-toi, camarade, si grand que soit ton courage, il ne servira à rien contre le nombre.

– Pourquoi dis-tu ça? Tu sais quelque chose que nous ignorons?

– Peut-être, mais je ne veux parler qu'en présence

des trois princesses. Va chercher Basine et Vanda.

– Qui me prouve ton honnêteté et ta sincérité ?

– Je te félicite de ta prudence... Quel est ton nom ?

– Ansoald.

– Le mien est Chuldéric. En gage de ma parole, je te donne mes armes. »

Joignant le geste à la parole, Chuldéric se dépouilla de son épée, de sa francisque et de son long couteau, qu'il tendit au jeune capitaine.

« Appelle tes femmes, Chrotielde, je ne veux pas te laisser seule avec lui.

– Va, je ne crains rien et j'ai de quoi me défendre », ajouta-t-elle en tirant un mince poignard de son corsage.

Ansoald sortit en emportant les armes du Saxon.

Chuldéric voulut prendre Chrotielde dans ses bras, mais la fine pointe s'enfonça dans son avant-bras.

« N'approche pas. Que veux-tu ?

– Toi. Depuis ce jour dans la forêt, je n'ai pu t'oublier. Chrotielde retint un sourire satisfait.

– Moi non plus, je n'ai pu t'oublier... ni l'outrage que tu m'as fait subir.

– Un outrage que tu as semblé aimer. Rappelle-toi ? Moi, je n'ai pu oublier ta peau, ton odeur, tes seins...

– Tai-toi », dit Chrotielde en détournant la tête.

Chuldéric s'avança, l'attira à lui sans qu'elle opposât de résistance. Quand il l'embrassa, son corps se colla contre celui de l'homme et se frotta à lui avec fureur. Le bruit de plusieurs voix interrompit leur étreinte.

Vanda entra, suivie de Basine, de Chariulf, d'Ansoald, de Julien, de Polyeucte et d'Urion.

Les deux jeunes filles étaient ravissantes dans

leur robe de dessus, l'une rouge bordée de galons jaunes, l'autre verte bordée de violet, sous lesquelles apparaissait la blancheur immaculée de leur robe de dessous. Vanda ne portait pas de voile, l'une et l'autre avaient le front ceint du bandeau royal.

« Que l'on se saisisse de cet homme », dit Vanda en désignant le Saxon.

Ansoald, Chariulf et Julien tirèrent leurs épées.

« Pourquoi agis-tu ainsi? dit Chrotielde avec colère.

– Je suis surprise que cela t'étonne et que tu supportes la présence de ce bandit. C'est à cause de lui que Geneviève est morte.

– J'en ai demandé pardon à Dieu.

– Que Dieu te pardonne s'il le veut, continua Vanda, mais moi, pourquoi te pardonnerais-je le viol, le meurtre? C'est cet homme qui a voulu m'enlever, d'abord sur la Saône et ensuite dans la forêt. Qu'as-tu à dire de cela? »

Chariulf enfonça la pointe de son épée dans le cou du Saxon.

« Est-ce vrai, maudit, ce qu'elle dit là?

– C'est vrai. »

Du sang coula le long du cou du prisonnier.

« Pourquoi me traites-tu ainsi? Je suis venu ici de ma propre volonté. Ecoute plutôt ce que j'ai à dire.

– Non, dit Ansoald en s'avançant, pas avant que tu nous aies dit pourquoi tu voulais enlever la princesse Vanda.

– Soit... Pour le compte de l'évêque Marovée.

– L'évêque...

– Quoi?...

– J'en étais sûre...

– Tu mens, dit Ansoald, pourquoi un évêque ferait-il enlever Vanda? C'est un homme de Dieu.

– Je n'ai pas ta confiance aveugle envers les gens d'Eglise, dit Chariulf en ricanant. Je les crois capables de tout si leurs intérêts sont en jeu. Tu es jeune, ami, tu apprendras, hélas! qu'il y a aussi des brigands sous l'habit ecclésiastique.

– Pourquoi l'évêque Marovée voulait-il me faire enlever?

– Il ne me l'a pas dit et m'a donné suffisamment de pièces d'or pour que je ne lui pose pas de questions.

– Je ne te crois pas. Tu as sûrement une idée.

– Oh! des idées, j'en ai plein. La première, c'est que tu es riche et que l'évêque convoite ta fortune – pour les pauvres bien sûr. Peut-être représentes-tu une rançon importante ou bien, déranges-tu ses plans...

– As-tu renoncé à ce projet, que te voici en ces lieux?

– Oui... momentanément.

– Momentanément?... Tu es bien téméraire de l'avouer ici.

– Il ne tient qu'à toi, Vanda, que j'y renonce définitivement... Accepte mon aide dans la lutte qui va vous opposer aux évêques et bientôt au comte.

– Au comte? Pourquoi parles-tu du comte? Que sais-tu?

– Rien de précis, mais il ne pourra pas tolérer longtemps le désordre causé par votre présence.

– Mais, c'est un lieu d'asile, dit Basine d'une petite voix.

– Un lieu d'asile se viole comme une fille... »

Une gifle magistrale lui coupa la parole.

« Ne parle pas ainsi devant nous. »

Pâle, les yeux étincelants de fureur, Chuldéric le Saxon saisit la main de Vanda et la serra à la briser.

« Ne fais plus jamais ça, jolie louve, sinon je pourrais oublier le respect que je te dois et te tuer.

– Tu serais mort avant, dirent ensemble Julien et Ansoald le manaçant de leurs épées.

– Laissez-le, je veux qu'il nous dise pourquoi il veut se joindre à nous.

– Votre révolte me plaît, dit-il en lâchant le bras de Vanda, qui le frotta pour en chasser la douleur.

– Tu te moques de nous, bandit. Qu'as-tu à gagner en venant avec nous? D'être excommunié, banni ou tué. A moins que tu ne sois un espion envoyé par nos ennemis.

– Libre à toi de croire ce que tu veux.

– Acceptons son offre, Vanda, je sens qu'on peut lui faire confiance, dit Chrotielde.

– Nous ne sommes pas assez riches pour le payer, lui et ses hommes.

– Je ne demande pas d'argent, seulement le vivre et le couvert. Nous nous dédommagerons sur l'évêque, l'abbesse et les riches habitants de Poitiers.

– Qu'en penses-tu, Chariulf?

– Je n'ai pas confiance en lui, dit-il en s'éloignant du Saxon et en baissant la voix, mais je pense qu'il vaut mieux l'avoir avec nous, car nous pourrons le surveiller tandis qu'au-dehors nous serons à la merci de ses attaques. Ne crois-tu pas que j'aie raison, Ansoald? Et toi, Julien?

– Oui », dirent-ils ensemble.

Vanda s'approcha de Chuldéric.

« Je veux bien oublier le mal que tu as voulu me faire. Nous t'acceptons parmi nous ainsi que tes compagnons, mais jure sur la sainte Croix de ne pas nous trahir.

– Je vous remercie de votre confiance. Je jure de vous être fidèle.

– Dieu te damne si tu manques à ton serment. »

Tous sortirent, mais Chrotielde retint le Saxon. Dès que la portière fut retombée, elle se précipita dans ses bras. Bientôt, ils roulèrent sur les coussins et, pour eux, le temps s'arrêta.

La nuit était tombée depuis longtemps quand Chrotielde rouvrit les yeux. Son regard chercha immédiatement Chuldéric. Ronronnante, elle se blottit contre lui.

« Pourquoi es-tu venu?

– Pour vous aider, ma colombe.

– Cesse de mentir. Pourquoi es-tu réellement venu?

– Pour te revoir, petit cœur gauche. »

Agacée mais non convaincue, Chrotielde ferma les yeux et se rendormit.

Précédé d'une troupe de chantres et de clercs, Gondégésile de Bordeaux, auquel s'étaient adjoints les évêques Nicaise d'Angoulême et Saffarius de Périgueux ainsi que Marovée de Poitiers lui-même, se rendit en sa qualité de métropolitain de cette dernière ville à la basilique Saint-Hilaire pour inculper les rebelles.

Chariulf, Chuldéric, Ansoald, Julien, Polyeucte et les trois princesses, les accueillirent avec le respect qui leur était dû, bien décidés à ne tenir aucun compte des appels de Gondégésile. Devant leur obstination, d'accord avec les autres évêques, il prononça l'excommunication.

Ces paroles terribles résonnèrent dans le silence glacé de l'église. Puis, brutalement, éclatèrent des cris sauvages. Les hommes de Chuldéric, bientôt ceux d'Ansoald, et de Polyeucte se ruèrent sur les évêques et les rouèrent de coups de bâton. Les diacres et les clercs tentèrent de les protéger, mais, sous le nombre, durent se battre pour leur propre compte. L'église retentissait de cris, de coups, du ferraillement des armes. Bientôt le sang coula. Les princesses n'avaient pas fait un geste pour empêcher le massacre. Réfugiées devant l'autel, elles assistaient avec une apparente indifférence à la correction infligée par leurs affiliés. Chuldéric, retroussant la robe d'un évêque le fessa du plat de son épée. Les prélats, presque tous âgés, se relevèrent avec peine. Les diacres et les clercs sortirent de la basilique couverts de sang criant que le diable les poursuivait. Chacun s'en retourna par le premier chemin qu'il put trouver. Didier, diacre de Siacre, évêque d'Autun, sans même s'enquérir du gué de la rivière, y pénétra avec son cheval qui, heureusement, nagea jusqu'à la rive opposée où il aborda sans grand dommage.

Les jours qui suivirent furent calmes. Les habitants de Poitiers, effrayés par l'ampleur du scandale et les récits des rescapés, n'osaient plus se présenter dans la basilique, devenue lieu maudit. Les rebelles en profitèrent pour s'organiser.

Chrotielde fit choix d'intendants, occupa avec les hommes de Chariulf et de Polyeucte les domaines du monastère que Leubovère et ses religieuses avaient fuis et attacha à son service tous ceux qu'elle avait pu ramasser dans l'enceinte de Sainte-Croix après les avoir accablés de plaies et de coups. Et elle déclara d'un ton menaçant que si l'abbesse réussissait à pénétrer dans le monastère, elle la jetterait par terre du haut du mur.

Begga passait ses jours à pleurer et ses nuits à prier. Ne plus être rattachée à l'Eglise, être privée des sacrements était pour elle au-dessus de ses forces. Elle tomba malade. Vanda, qui n'avait pas oublié sa connaissance des plantes, sortit un matin avant le lever du jour, accompagnée d'Urion, de Chariulf et d'Ansoald.

Les sous-bois détrempés ne lui laissèrent aucun espoir de trouver une plante acceptable. Elle décida de pousser jusque chez son père Romulf, malgré les craintes de ses compagnons. Quand ils arrivèrent, ils ne trouvèrent qu'Ursus et d'autres esclaves ou serviteurs.

« Le maître, dit Ursus, est parti à la rencontre d'Albin qui revient d'Espagne.

– Quand doivent-ils être de retour?

– Les premiers jours du douzième mois[1].

– J'ai besoin de remèdes. Sais-tu où Albin range ses herbes et ses livres?

– Tu trouveras ce que tu cherches dans le petit coffre, près de la porte de la salle de repos.

– Je te remercie, Ursus. Comment va mon père?

– Il est malheureux, il dit que tu as mal agi en quittant le monastère et en t'enfuyant à Tours, que c'est auprès de lui que tu aurais dû te réfugier.

– J'y ai pensé, mais j'ai eu peur d'attirer sur lui la colère de l'évêque et de l'abbesse. Dès son retour, dis-lui de venir me voir à la basilique de Saint-Hilaire. »

Vanda trouva le remède qu'elle cherchait et s'en retourna tristement vers Poitiers. Chariulf et Ansoald essayèrent de la distraire, mais agacée par leurs plaisanteries, elle piqua un galop vers la forêt. Bientôt, la course dans l'air froid, le calme des bois calmèrent son ennui. Elle arrêta son cheval et regarda autour d'elle en humant l'air. Des loups étaient dans les parages. Etait-ce la meute d'Ava? Elle appela. Un éclair de poils gris zigzagua entre les arbres. Vanda mit pied à terre, apaisa de la voix son cheval qui se cabrait et l'attacha au tronc d'un arbre. Elle tendit les bras. Ava s'y précipita, la bousculant sur la terre dure. L'espace d'un instant,

1. Février.

il suspendit ses effusions, tendit l'oreille, les narines frémissantes : ce n'étaient pas des ennemis. Rassuré, il reprit ses cabrioles. Chariulf, Ansoald et Urion regardaient ce spectacle étonnant d'une fille et d'un loup jouant ensemble.

« Je ne m'habitue pas à ça, dit Ansoald, il y a du diable là-dessous.

– Tu parles comme l'abbesse, dit avec colère Urion, oubliant qu'une servante n'a pas à donner son avis.

– Diable ou pas, ça fait froid dans le dos, dit Chariulf, je préfère combattre dix guerriers courageux que dix loups faméliques.

– Je me demande si je ne préférerais pas les loups », cria Ansoald en tirant son épée.

Aussitôt, Chariulf l'imita tandis qu'une troupe d'hommes en armes fonçait sur eux. Au cri d'Ansoald, Vanda et Ava arrêtèrent de jouer et Urion tira sa fronde d'une poche.

« Que fait-on? dit Chariulf. Nous ne sommes pas assez nombreux et Vanda risque d'être blessée. Fuyons, nous ne sommes pas très loin de la ville.

– Fuir? dit Vanda en enfourchant son cheval. Serais-tu lâche?

– Oui, quand j'ai peur pour toi, dit Chariulf avec humeur.

– Ne crains rien pour moi, tu vas voir. Ava... les loups... à moi... »

Les soldats retinrent leurs chevaux en voyant bondir sur eux une trentaine de loups. Cela leur fut fatal.

Avec sa fronde, Urion abattit deux soldats qui furent immédiatement déchirés par les bêtes. Enragés par l'odeur du sang, les féroces animaux sautaient au col des chevaux, les rendant fous de peur et de douleur. Chariulf se battait avec méthode et désarçonna plusieurs cavaliers qui périrent sous les crocs terribles. Ansoald se battait avec la fougue et le courage de la jeunesse. Quant à Vanda, elle ressemblait à la déesse de la guerre. Grâce à l'aide de la meute, la victoire resta aux mains de Vanda et de ses compagnons. Trois des attaquants, quoique fort meurtris, réussirent à s'enfuir, laissant une dizaine de morts ou de blessés et un joli butin d'armes et de chevaux.

« Vanda... »

Une voix affaiblie l'appelait.

« Urion... »

Ecrasé par le poids d'un cheval mort, Urion n'arrivait pas à se relever. Chariulf et Ansoald le dégagèrent. Grièvement atteint au flanc, le malheureux perdait son sang en abondance.

« Urion, Urion, mon amie... »

Les yeux remplis de larmes, Vanda cherchait autour d'elle de quoi boucher cette plaie. Elle trouva une mousse qui pouvait convenir et, déchirant sa tunique avec son couteau, elle en fit des bandelettes pour maintenir cet emplâtre de fortune.

Les loups avaient aussi leurs blessés. Vanda les pansa de la même manière et, embrassant Ava sur son museau couvert de sang, repartit vers la basilique. Chariulf et Ansoald tentèrent de faire parler les ennemis moribonds. Ils ne savaient rien, ou refusèrent de parler. Un seul leur donna une indication avant de mourir :

« L'évêque...

– Ce que disait le Saxon serait donc vrai? dit Ansoald soucieux.

– Je t'en conjure, n'en parlons pas à Vanda, elle serait capable d'aller le trouver.

– Tu as raison, Chariulf, taisons-nous, mais essayons de savoir pourquoi Marovée s'acharne tellement sur la fille de la reine Radegonde. »

Urion fut hissé sur son cheval. Les quatre amis, les vêtements déchirés, salis de sang et de boue, pénétrèrent dans la ville de Poitiers sous les regards apeurés des habitants, qui remarquèrent que l'un d'eux avait l'air grièvement blessé et que les trois autres portaient une grande quantité d'armes. Devant le baptistère Saint-Jean, Urion, très faible, manqua de tomber de cheval. Sa chute fut retenue par un jeune homme brun et mince au visage fin et nerveux.

« Vous devriez conduire votre compagne au plus vite chez un médecin, elle perd son sang en abondance, dit-il en sautant en croupe afin de maintenir le corps évanoui.

– Je te remercie de ta bonté, jeune homme, dit Vanda, ce n'est pas souvent que les gens de cette ville me montrent de la sollicitude.

– Ils ont peut-être quelques raisons. »

Surprise par cette réponse qu'elle jugeait insolente, Vanda regarda plus attentivement le garçon.

« J'ai l'impression de t'avoir déjà vu, qui es-tu?

– Oh! rien, un passant.

– Attends, je m'en souviens... c'était la nuit où ils ont tué ma mère et où tu fus le seul à montrer un peu de pitié. »

A ce souvenir, elle serra contre elle la peau de la louve. Ce geste n'échappa pas au jeune homme. Une brusque expression de contrariété passa sur son visage aux traits réguliers.

« Quel est ton nom?

– Urbain. J'étudie les belles-lettres et les poètes du passé.

– Voilà qui ferait plaisir à l'évêque Grégoire et à Fortunat. »

Par la petite porte laissée ouverte, ils pénétrèrent à l'intérieur de la basilique. Chrotielde et Chuldéric vinrent au-devant d'eux.

« Quel est ce sang? Pourquoi Urion est-elle blessée? dit Chrotielde en aidant Vanda à descendre de cheval.

– Nous avons été attaqués par de nombreux cavaliers. Sans le courage de Chariulf, d'Ansoald et de la pauvre Urion, nous aurions été massacrés.

– Tu oublies les loups, sans leur aide nous étions perdus, dit Ansoald sans remarquer le regard mécontent de Vanda.

– L'aide des loups, quels loups? dit Chuldéric en les regardant avec étonnement.

– Tu ne sais pas que la fille de Radegonde apprivoise les loups comme d'autres les oiseaux, dit Chrotielde avec ironie, en se pressant contre son amant.

– Cela suffit, que l'on conduise Urion dans mes appartements. Urbain, viens avec moi. »

Perplexe, le Saxon les regarda partir et, d'un air songeur, dit :

« Ce serait donc vrai ce qu'on raconte, qu'elle est sorcière et enfant des loups?

– Sorcière, je ne sais pas, dit Chrotielde, mais enfant des loups, oui.

– Mais, ne dit-on pas qu'elle est princesse?

– Oui, puisque la reine Radegonde l'a adoptée.

– Je ne veux pas parler d'adoption, mais de naissance.

– C'est ce que croit Fortunat d'après les bijoux et les documents trouvés auprès d'elle quand elle était enfant. »

Chariulf et Ansoald s'approchèrent du couple.

« On voudrait te parler, Chuldéric... »

« Chrotielde, Chrotielde, viens vite... »

Theudogilde, son long voile et ses nattes volant derrière elle, sa robe bordée de fourrure relevée pour mieux courir, interpellait Chrotielde devant laquelle elle s'arrêta, essoufflée, la bouche ouverte sur un éclat de rire.

« Oh! c'est trop drôle! Viens vite. »

Gagnée par le fou rire de son amie, elle la suivit en courant vers les bâtiments de la basilique.

« Où vont ces deux têtes folles? dit Chariulf.

– Laisse, des jeux de femelles en chaleur. Que vouliez-vous me dire? demanda Chuldéric.

– Les hommes qui nous ont attaqués étaient envoyés par l'évêque. Trois ont pu prendre la fuite.

– Vous êtes sûrs? dit le Saxon. Voilà qui annonce de nouvelles bagarres.

– Que devons-nous faire? dit Ansoald avec inquiétude.

– Pour le moment, rien, si ce n'est renforcer les gardes aux portes et attendre qu'ils agissent. Cela ne devrait pas tarder. L'abbesse s'est réfugiée avec les religieuses chez l'évêque, cette situation ne peut pas s'éterniser. Soyons vigilants. »

Pendant ce temps, Chrotielde et Theudogilde pénétraient dans les appartements de Vanda. La jeune nonne fit signe à la princesse d'être silencieuse et de la suivre. Elles marchèrent sur la pointe des pieds jusqu'à une porte dissimulée par un lourd rideau. Elles entrèrent et se retrouvèrent derrière une autre tenture, qu'elles écartèrent légèrement.

Sur une haute table de marbre, était étendu Urion dont le corps nu était en partie caché par Begga, qui avait tenu à soigner elle-même celui qu'autrefois elle avait contribué à sauver. Mais elle était arrivée trop tard pour empêcher que Vanda n'eût la révélation du sexe véritable de celui qu'elle aimait comme une sœur plus âgée. Bouleversée par cette horrible mutilation. Vanda exigea de Begga la vérité. Très simplement, la religieuse la lui dit et ajouta que l'abbesse, parfaitement au courant, avait permis qu'il restât au monastère, vêtu de l'habit féminin, en qualité de servante. Les deux curieuses ne perdaient pas une parole de Begga. Un moment, elle s'éloigna de la table où était étendu sans connaissance le malheureux. Chrotielde retint une exclamation : Urion était un homme, pas vraiment, mais un homme quand même, caché sous des vêtements féminins! dans un couvent de femmes! avec l'accord de l'abbesse! Chrotielde fit signe à Theudogilde de partir.

Ne voyant que le côté amusant de la chose, Theudogilde dit :

« J'ai bien fait de venir te chercher.

– C'est très intéressant », dit Chrotielde, songeuse.

Le roi Childebert, qui avait la ville de Poitiers sous son autorité, informé de ce qui s'était passé à la basilique Saint-Hilaire et au monastère Sainte-Croix, envoya des instructions au comte Maccon, lui ordonnant de réprimer cette révolte en épargnant les filles royales. Quant à Gondégésile, il écrivit en son nom et au nom des évêques présents une lettre à l'adresse des prélats qui étaient alors rassemblés chez le roi Gontran, dans laquelle il leur faisait part des mauvais traitements infligés par les rebelles aux serviteurs de Dieu. En réponse, il reçut de ces derniers des paroles d'apaisement et le conseil d'intercéder une nouvelle fois auprès du Seigneur afin qu'il amène ces femmes à se repentir[1].

Au reçu de la copie de cette lettre, l'évêque Marovée convoqua l'abbesse Leubovère et lui demanda d'en prendre connaissance.

« Tout d'abord, ma fille, prions, comme nous le

1. Voir pièce justificative n° 2, p. 318.

demandent ces saints évêques, pour nos brebis égarées. »

Ils s'agenouillèrent et prièrent environ un quart d'heure.

« Relève-toi, Leubovère, assieds-toi et causons. Il n'est pas convenable que toi et tes filles restiez en dehors de la clôture. Vous allez réintégrer votre couvent, Vanda et les siens ne s'intéressent qu'aux provisions qu'ils ont pillées. Ce retour dans les lieux d'où ces mauvaises créatures se sont enfuies vous donnera une position plus forte lors du jugement.

– Je suivrai vos conseils, Votre Grandeur. Mon plus cher désir est de voir ce scandale cesser. Des esclaves m'ont rapporté qu'elles vivent dans le péché et commettent l'adultère, l'une d'elles serait enceinte. Comment en sont-elles arrivées là? La plupart étaient bonnes et pieuses.

– C'est le diable qui s'est introduit parmi elles, qui a perverti leur esprit et leur cœur. Il faut un châtiment exemplaire qui, porté à la connaissance de tous emplisse la population d'une sainte terreur. Leubovère, en tant qu'abbesse, tu es investie de l'autorité souhaitée par la bienheureuse Radegonde qui, dans sa lettre à mon prédécesseur, réclamait pour le monastère, son abbesse et ses filles, la protection de l'église de Dieu et des rois dans le cas où il serait porté atteinte aux personnes ou aux biens. Envoie une copie de cette lettre aux évêques et aux rois.

– Baudovinie m'a fait plusieurs copies de ce qu'elle appelle le testament de sainte Radegonde, les voici[1]. »

Au reçu de cette lettre, le roi Childebert qui était assailli de réclamations incessantes de la part des fugitives comme des religieuses du monastère, chargea le prêtre Theuthaire de trancher les différends

1. Voir pièce justificative n° 3, p. 320.

qui les séparaient. Confiant dans le pouvoir dont il était investi et dans son habileté reconnue à dénouer les affaires délicates, Theuthaire convoqua les jeunes filles pour les entendre, mais elles déclarèrent :

« Nous ne venons pas parce que nous avons été suspendues de la communion. Si nous méritons d'être réconciliées, alors nous nous empresserons de venir à l'audience. »

Theuthaire fit part de cette réponse à Marovée, qui chargea l'abbé de la basilique du bienheureux Hilaire, Porcher, de se rendre auprès de Gondégésile et des autres évêques de sa province pour qu'il daigne accorder la communion aux jeunes filles. Les évêques refusèrent. Fort de l'appui du roi Childebert, Theuthaire se rendit lui-même auprès des pontifes et il en obtint la même réponse.

## CHAPITRE XVIII

# AN 590

# ENLÈVEMENT DE LEUBOVÈRE
# RETOUR D'ALBIN
# MORT HORRIBLE DU BANDIT POLYEUCTE
# JUGEMENT

L'ENFANT de Pélagie, un garçon, naquit dans les premiers jours du onzième mois[1]. Un grand froid s'était abattu sur le Poitou, le bois se faisait rare dans la basilique. Certaines religieuses préférèrent retourner dans leur famille ou demander asile dans d'autres monastères. Celles qui restaient étaient bien décidées à ne plus se laisser enfermer dans un couvent et à vivre librement. Leurs désirs si longtemps réprimés par la règle de saint Césaire, éclataient maintenant avec une violence que la sage Begga, affaiblie par la maladie, jugeait avec sévérité. Elle voyait avec épouvante arriver le jour du jugement et craignait pour ces têtes folles des châtiments, certes à la hauteur de leur abominable faute, mais qui risquaient de les plonger à jamais dans la révolte et le péché. Les soins de Vanda avaient atténué ses souffrances, mais non supprimé la cause du mal. Elle se savait perdue, ses connaissances médicales ne la trompaient pas. Malgré sa piété si profonde, elle redoutait la mort qui approchait.

1. Janvier.

Dans ses cauchemars, elle voyait s'avancer sa bien-aimée Radegonde, qui lui disait :

« Qu'as-tu fait de mes enfants? Je te les avais confiées et tu n'as pas été capable de les retenir sur la pente du mal. »

Elle voyait le Christ en croix, pleurant des larmes de sang, qui disait :

« Begga... Begga... où sont mes épouses?... »

La pauvre Begga se réveillait en pleurs et hurlant de terreur.

Entre Chrotielde et Basine, les disputes étaient de plus en plus fréquentes. Chacune prétendait commander au petit troupeau, avoir auprès d'elle le plus grand nombre de serviteurs et d'esclaves. Vanda, lassée de leurs criaillements s'enfermait dans ses appartements avec Urbain pour lire des poètes grecs ou écrire des vers à la gloire de la fondatrice du monastère Sainte-Croix, des vers qu'elle aurait voulu montrer à Fortunat, si celui-ci n'avait été retenu auprès de la reine Brunehaut par ses recherches sur les origines de l'enfant trouvée. Quand le temps le permettait et qu'elle en avait assez de rester enfermée, elle partait chasser avec Chariulf ou Ansoald ou simplement galoper dans la campagne. Personne autour d'elle n'approuvait ces sorties. Elle ne passerait pas toujours impunément au travers des pièges tendus par ses ennemis.

Tandis qu'elle chevauchait dans la forêt apparemment insouciante, Chariulf, Ansoald et leurs compagnons se tenaient aux aguets, sursautant au moindre bruit. Un jour qu'ils suivaient Vanda au galop sur la route de Limoges, ils faillirent tuer Albin qui arrêtait son cheval devant celui de leur protégée. Ils foncèrent sur lui épées au poing et ne les abaissèrent qu'en voyant Vanda se jeter dans les bras du jeune homme et, en larmes, le couvrir de baisers. Chariulf et Ansoald le trouvèrent immédiatement peu sympathique. Ils ne changèrent pas d'avis quand Vanda le leur présenta. Ostensiblement, ils dépassèrent les deux amis et continuèrent leur route sans se retourner.

« Albin, mon frère, quel bonheur de te revoir! Comme tu es beau, et fort. Tu ressembles à un prince. »

Le jeune médecin riait des propos de celle qu'il avait vue grandir.

« Et mon père, Romulf, où est-il?

– Il nous rejoindra demain. Aujourd'hui, trop de choses le retenaient à la ferme. Parle-moi de toi. Tu as beaucoup changé. Tu es de plus en plus belle, mais je n'aime pas ton regard, il est inquiet et dur.

– Je suis inquiète, tu as vu juste. Je redoute les excès de Chrotielde et je redoute pour moi les jours à venir. Dure? J'aimerais bien, j'essaie. Les hommes sont si méchants.

– Ils ne sont pas forcément méchants, ils ont peur.

– Moi aussi, j'ai peur. »

Le roi Childebert écrivit à Vanda une longue lettre dans laquelle il lui ordonnait de rejoindre la cour de sa mère, la reine Brunehaut et de se désolidariser des religieuses renégates. Il ajoutait qu'il ne pouvait vivre sans elle et que seules la guerre contre les Lombards, puis la venue des ambassadeurs du roi Aptachaire, avaient empêché qu'il ne vienne lui-même la chercher.

Vanda lui répondit qu'à l'issue du procès, elle verrait ce qu'elle avait à faire. Le même courrier remit également une lettre à Chrotielde et à Basine, dans laquelle le roi leur intimait de faire leur soumission à l'abbesse qui, disait-il, était prête à leur pardonner.

A cette lecture, Chrotielde entra dans une grande

colère. Elle convoqua Chuldéric le Saxon et Polyeucte, et leur fit part de son désir de s'emparer du couvent de Radegonde. Pour les convaincre, elle leur décrivit un fabuleux trésor, que l'abbesse, disait-elle, tenait caché. Elle leur ordonna que ni Vanda, ni Chariulf, ni Ansoald ne soient tenus au courant de cette expédition.

« Choisissez des hommes sûrs parmi les vôtres. »

Une nuit, ils firent irruption dans le monastère en passant par le souterrain qui le reliait à la basilique avec l'intention d'enlever l'abbesse. Leubovère avait fait murer le passage, mais cela, Chrotielde l'avait prévu. A coups de pics, le mur fut attaqué et très vite détruit. Chuldéric et Polyeucte suivis d'une quinzaine d'hommes errèrent çà et là à la recherche du trésor et de l'abbesse. Pas un bruit, tout semblait abandonné. A la lueur d'un cierge, ils pénétrèrent dans l'oratoire. Là, ils virent, entourant une des leurs allongée sur le sol devant la châsse de la Sainte-Croix, les religieuses qui ne purent retenir des cris de frayeur.

« Qu'on ne fasse pas de mal à ce piaillant troupeau, dit Chuldéric, que l'on prenne seulement l'abbesse. »

Les hommes s'avancèrent. L'un d'eux désobéissant tira son épée pour trancher la tête de la malheureuse femme. Un couteau lancé avec force lui transperça la base du cou. Perdant son sang en abondance, il s'affaissa. Profitant du désordre causé par cette mort, où certains voyaient une intervention de la divine Providence, la prieure Justine après avoir éteint les cierges, couvrit l'abbesse avec le voile de l'autel qui était devant la croix du Seigneur. Les hommes revinrent sans avoir trouvé le meurtrier de leur camarade. Fous de déception et de rage, ils se saisirent des religieuses, blessèrent leurs mains, déchirèrent leurs vêtements et, dans l'obscurité, appréhendèrent la prieure qu'ils prirent pour l'abbesse. Ils lui arrachèrent son voile, dénouèrent sa chevelure et la transportèrent à la basilique Saint-Hilaire pour la mettre sous bonne garde. Mais le ciel s'étant un peu éclairci, ils constatèrent leur erreur et, tirant derrière eux Justine échevelée, la ramenèrent au monastère et, se saisissant de Leubovère qu'une crise de goutte clouait à son fauteuil, la conduisirent dans la basilique au logis de Basine et mirent devant la porte des gardiens avec l'ordre de ne laisser personne approcher de la captive. Ils revinrent sur leurs pas pour rechercher le trésor. Comme ils n'avaient pas de lumière, ils tirèrent du cellier un tonneau qui avait contenu de la poix, y mirent le feu et ayant obtenu un grand fanal au moyen de cet incendie, ne trouvant pas de trésor, ils dévalisèrent ou détruisirent tout le mobilier.

Ainsi, ce que redoutait Vanda venait d'arriver. Après cet enlèvement, nul roi, nul évêque ne pouvait leur venir en aide. Ce nouveau crime appelait une sanction immédiate.

Quelques jours auparavant, intriguée par les airs comploteurs de Chrotielde, elle l'avait surveillée. Cependant, elle n'avait su qu'à la dernière extrémité l'attaque du monastère et n'avait pas le temps de prévenir ses amis. Elle avait suivi la troupe. Voyant le bandit sur le point de trancher la tête de Leubovère, elle avait lancé son couteau. Désarmée, elle s'était retirée et était revenue sur ses pas en courant.

L'obscurité ralentissait sa course. Soudain, elle sentit sa cheville saisie par des doigts brutaux, elle tomba sur le sable du souterrain, qui amortit sa chute, et étouffa un cri. Elle se retourna et un être à l'haleine fétide se jeta sur elle de tout son poids. Les mains humides et froides se glissèrent sous sa tunique et s'agrippèrent à la peau douce et tiède des cuisses, Vanda gémit de dégoût et, de toutes ses forces, tenta de se dégager.

« Ne bouge pas, jeune pucelle, je suis infirme, mais très fort. Il ne fallait pas m'humilier, me regarder comme un chien, me parler comme à un esclave, toi et tes putains de princesses. Maintenant tu vas être à moi, je vais pourfendre ton joli ventre de louve.

– Polyeucte...

– Oui, sorcière, c'est moi, moi qui vais le premier te baiser...

– Non, pas toi...

– Mais si, ce sera moi, tu vas voir... regarde... tu sens. »

Un hurlement désespéré troua la nuit.

Au retour de cette expédition, Chrotielde et ses complices pillèrent les ultimes provisions du monastère et improvisèrent une orgie sur les marches mêmes du tombeau de Radegonde. Les regards des sinistres compagnons de Chuldéric s'allumaient devant les épaules et les seins découverts de Chrotielde. Le Saxon l'entraîna derrière le tombeau et envoya chercher les habituelles compagnes de débauche de la princesse. Elles arrivèrent très excitées à l'idée de la fête, mais cependant craintives. Elles n'aimaient pas les hommes du Saxon, grossiers et brutaux, mais le vin et les épices leur firent perdre toute retenue.

Ingonde, pulpeuse novice blonde, à la peau si sensible que la moindre pression s'y marquait, répondit la première au désir grossier de Guntharic tandis que Theudogilde succombait aux charmes conjugués d'Huniric et d'Edobec. Quant à Placidinie, elle découvrit, derrière le tombeau, Chrotielde et Chuldéric faisant l'amour. Une lourde coupe de vin à la main, buvant de grandes gorgées, elle les regardait, sentant s'allumer dans son ventre un désir qui tendait ses seins, les rendant presque douloureux. Elle gémit en même temps que les amants. Longtemps elle resta à les contempler endormis. Comme dans un rêve, elle rampa vers eux et s'approcha de Chuldéric. Le Saxon, dans sa nudité qui luisait, était impressionnant. Son torse luisant à la faible et tremblotante lueur d'une torche fixée dans une encoignure du sépulcre, était recouvert de longs poils noirs qui descendaient en s'éclaircissant vers le nombril et le ventre pour s'épaissir à nouveau autour des aines et des cuisses. Son sexe tendre et fragile reposait innocent sur cette sombre fourrure. Les doigts de Placidinie étaient irrésistiblement attirés par cette fragilité et, dans une souple caresse, ils s'emparèrent de l'objet de leur convoitise, qui répondit à cette étreinte en se gonflant de plaisir. Chuldéric ouvrit les yeux et après un bref regard à Chrotielde endormie, attira contre lui le corps avide de la belle nonne. Il pénétra en elle comme le navire fendant la mer. Les gémissements mal étouffés de Placidinie eurent raison du sommeil de Chrotielde. Encore endormie, elle resta un moment à les regarder sans comprendre ce qu'elle voyait. Leur double cri de jouissance la projeta hurlante sur le couple. Elle attrapa la fille par ses longs cheveux et l'envoya rouler contre le mur. Saisissant l'épée du Saxon, elle la brandit au-dessus de son amant. Placidinie se jeta aussitôt sur elle. Les deux femmes roulèrent, bras et jambes mêlés, rugissantes telles des chiennes en chaleur. Les éclats de la bagarre attirèrent le reste des bandits qui étaient encore capables de se tenir debout. Frappant dans leurs mains et sur leurs cuisses, ils encouragèrent les combattantes à moitié dévêtues, dont les nattes défaites se mélangeaient à la terre, à la paille et au vin répandu. Le sang coulait en abondance du nez de Placidinie et un de ses yeux était à demi fermé; Chrotielde, blessée à l'oreille et à l'arcade sourcilière, était recouverte de sang, telle une écorchée vive. Les hommes essayèrent d'arrêter le combat. Dans la mêlée, deux en vinrent aux mains, s'embrochèrent mutuellement sur leurs épées et tombèrent expirant sur le tombeau de la bienheureuse reine. On réussit enfin à séparer les deux femmes. Pour être tout à fait tranquille, Chuldéric les assomma d'un coup de poing et les fit transporter par le souterrain jusqu'à la basilique. Le reste de la troupe les suivit en titubant. En chemin, ils firent une macabre découverte. Leur barrant le passage, pendu à un des crochets de la voûte, se balançait le corps mutilé de Polyeucte. Par son ventre ouvert se répandaient ses entrailles déchiquetées d'où montait une odeur infecte, le sexe arraché avait été placé, ô dérision, dans la bouche du cadavre. Tout le corps portait la trace de profondes griffures et, par endroits, des morceaux de chair manquaient.

« Dieu, qui a pu faire cela?...

– Seul le diable...

– C'est le signe de la colère divine. »

Laissant tomber leurs torches et leur butin, les hommes et les femmes s'enfuirent en hurlant d'épouvante vers la protection de ce lieu de paix et d'asile : la basilique Saint-Hilaire. Chuldéric resta seul avec Guntharic et Huniric et les deux femmes toujours évanouies. Sans ménagement, les Vandales les déposèrent sur le sable du souterrain, et pâles, les mâchoires serrées, s'approchèrent.

« On dirait que des animaux sauvages se sont acharnés sur le vilain Polyeucte, dit Huniric en inspectant les multiples blessures.

– Cela ressemble à des morsures de loup, dit Guntharic en sondant une des plaies.

– Des loups? » dit le Saxon songeur.

Ils sortirent du souterrain comme le jour se levait. Chrotielde et Placidinie n'avaient pas repris connaissance.

« Des loups », redit Chuldéric en regardant dans la direction des appartements de Vanda.

Cela se passait sept jours avant Pâques.

La détention de l'abbesse, les meurtres commis près du tombeau de Radegonde et devant la châsse même de la Sainte-Croix, irritèrent au plus haut point l'évêque Marovée qui envoya quelqu'un auprès des révoltées pour leur dire :

« Libérez l'abbesse, qu'elle ne soit pas retenue dans cette prison pendant ces jours de fête, sinon je ne célébrerai pas la Pâque du Seigneur et aucun catéchumène ne recevra le baptême dans cette ville. Si vous refusez, je rassemblerai les habitants et je la libérerai. »

Chrotielde prévint les gardiens de Leubovère et leur dit :

« Si quelqu'un essaie de la délivrer, assommez-la aussitôt. » Le palatin Flavien, qui était auprès d'elle depuis quelque temps et qu'elle avait choisi comme intendant, intervint et réussit à la faire changer d'avis. L'abbesse fut libérée et reconduite dans son couvent.

Aux approches de Pâques, les troupes de Polyeucte qui malgré la mort de leur chef, restaient unies, celles d'Ansoald et de Chuldéric se répandirent dans les rues de Poitiers, bousculant, injuriant et blessant les habitants.

L'arrogance de Chrotielde était à son comble, d'autant que depuis le jour de l'orgie, nul n'avait revu Vanda, ce qui lui laissait la possibilité de commanger et d'agir à sa guise. Cela n'était pas du goût de Basine, qui commençait à avoir des regrets et des remords.

« J'ai commis une erreur en suivant Chrotielde, qui me traite avec dédain et m'a rendue gravement coupable à l'égard de Leubovère, gémissait-elle. Excédée par ses mines et par ses soupirs, Chrotielde lui dit :

– Eh bien, retourne dans ton couvent, soumets-toi devant l'abbesse. »

Basine se fit conduire jusqu'au monastère Sainte-Croix et demanda à être reçue par celle qu'elle avait si cruellement combattue. Leubovère, soutenue par Justine à qui elle devait la vie, s'avança au-devant de la princesse repentante qui, à genoux, s'humilia et demanda son pardon. L'abbesse la serra contre elle et lui pardonna. Malheureusement, une bagarre éclata entre les serviteurs de l'abbesse et ceux qui avaient accompagné Basine. Voyant cela, la fille de Chilpéric se retira.

Chaque jour, se multipliaient des bagarres entre les bandes désormais rivales, poursuivies par les soldats de l'évêque et du comte. Blessés et morts ne se comptaient plus. En apprenant cela le roi Childebert envoya une ambassade au roi Gontran pour que les évêques des deux royaumes se réunissent et répriment par une action canonique les actes qui se commettaient. Le roi ordonna à Grégoire, évêque de Tours, à Eberégisèle de Cologne et à Marovée de Poitiers de se rendre sur place. De son côté, le roi Gontran convoqua Gondégésile de Bordeaux avec les évêques de sa province. Les prélats ainsi convoqués firent opposition en disant :

« Nous ne nous rendrons dans ce lieu que si la révolte qui a été provoquée par les princesses est réprimée par l'autorité du juge. »

Maccon, alors comte de Poitiers, ordonna de réprimer par la force cette sédition.

Depuis l'orgie dans le sépulcre de Radegonde,

Chrotielde avait un comportement qui inquiétait les siens. Tour à tour, enjouée ou sombre, tendre ou cruelle. Apprenant que Chuldéric était son amant depuis de longs mois, elle avait fait jeter Placidinie dans un cachot. Sa fureur jalouse fut à son comble, quand, triomphante, la prisonnière lui annonça qu'elle attendait un enfant du Saxon. Plus courageux dans la bataille que devant des femelles en furie, Chuldéric fuyait la princesse et participait en compagnie de Chariulf, Ansoald, Albin et Urbain à la recherche de Vanda, que nul n'avait revue depuis la mort atroce de Polyeucte. Urion ayant également disparu, Albin se montrait moins inquiet que les autres. Par Chrotielde, le jeune médecin apprit dans les moindres détails la découverte du sexe véritable de la fidèle servante de Vanda. Incrédule, il s'était fait confirmer les faits par Begga. Maintenant qu'il savait qu'Urion était un homme, connaissant sa force aux armes, son habileté à la fronde et son dévouement à sa maîtresse, il se sentait plus rassuré. Mais Vanda était-elle avec Urion? Il avait examiné attentivement le cadavre de Polyeucte. L'origine des morsures le laissait perplexe : trop petites et pas assez profondes pour avoir été faites par un loup.

La douleur de Romulf était immense. Il se reprochait en pleurant de n'avoir pas su protéger l'enfant que Radegonde lui avait confiée mourante.

Son frère le morigénait sans douceur, le traitant de femelle vieillissante.

« Les larmes ne servent à rien. Je crois savoir où s'est enfuie Vanda. Je suis sûr qu'elle est vivante. Partons à sa recherche.

– Ava!... Elle a rejoint la meute. Tu as raison, Albin, elle est vivante. Partons, mais seuls. »

Durant plusieurs jours, les deux frères sillonnèrent les bois des environs, se nourrissant de gibier et de racines, buvant l'eau des sources. Ils rencontrèrent sous un toit de branchages un saint ermite d'une maigreur et d'une saleté repoussantes. Le corps ceint d'un cilice attaché avec des chaînes, il ne mangeait rien d'autre que du pain sec et moisi trempé dans de l'eau. Il fut le premier à leur donner des nouvelles de la jeune fille.

« J'ai peur pour cette enfant, elle est partagée entre les hommes et les loups et je crains qu'elle ne s'éloigne de Dieu. Je vois autour d'elle se lever les passions, couler l'or et le sang, des couronnes royales rouler dans la boue, et cependant au ciel brille une lumière lointaine qui a l'éclat du diamant. Que Notre-Seigneur Jésus-Christ la protège! Elle n'est pas née pour être prisonnière des forces du mal, mais pour rayonner dans la douceur de l'amour de Dieu.

– Très saint homme, je suis son père et une reine fut sa mère. Peux-tu nous dire où elle se trouve?

– Elle est avec ses compagnons d'enfance. Ils la protègent, son esprit est égaré. Parmi eux, elle ne risque rien. Mais il n'est pas bon qu'une créature humaine vive loin de ceux de sa race. Allez vers le couchant, vous la trouverez. Emportez avec vous ma bénédiction. »

Le même jour, à l'heure où le soleil décline, dans une clairière envahie de lumière rose, près d'un monument gaulois surmonté d'une croix, la meute, entourant Vanda, semblait l'écouter attentivement. Romulf et Albin, le cœur bondissant de joie, tentèrent de s'approcher sans bruit. Malheureusement, une branche craqua sous leurs pieds. D'un seul et même mouvement, la fille et les loups se levèrent et bondirent en direction du bruit. Les deux frères s'avancèrent au-devant d'eux. Vanda suspendit sa course et d'un cri bref ordonna à ses compagnons de s'arrêter. Seule, elle s'avança, puis s'arrêta comme si elle hésitait à les reconnaître. Romulf et Albin, le cœur barbouillé de peine, regardaient cette créature debout devant eux. Sa longue chevelure dorée ressemblait à une crinière mal tenue, emmêlée de brindilles, d'herbes et de mousse, ses traits disparaissaient sous la crasse, ses yeux fendus, à demi fermés étaient ceux d'un animal, un peu de bave coulait le long de son menton, sa tunique sale et déchirée laissait apercevoir son corps amaigri; attachée à sa taille, la peau de la louve traînait par terre.

« Vanda, Vanda, n'aie pas peur, ce sont des amis. »

Les deux frères se retournèrent et virent Urion portant une branche de cerisier chargée de fruits, qu'il déposa devant Vanda.

« J'avais tellement peur que notre retraite soit découverte par d'autres que vous. »

Ava avait reconnu Romulf et Albin, les avait flairés et était retourné à ses occupations. La meute l'avait suivi.

Albin s'approcha de Vanda, qui recula d'un bond, le visage convulsé de peur et de colère.

« Vanda, c'est moi Albin. »

Elle fronça les sourcils et ses traits exprimèrent l'étonnement.

« Urion, explique-moi, on dirait qu'elle ne me reconnaît pas.

– En dehors de moi et des loups, elle ne reconnaît personne.

– Je suis médecin, aide-moi à l'examiner et explique-nous ce qui s'est passé. »

Urion attira Vanda, la força à s'asseoir en lui parlant dans leur langue commune. Il prit l'une des mains de la jeune fille et la mit dans celle d'Albin. D'abord, elle refusa le contact avec un regard apeuré qui le bouleversa. Peu à peu elle se détendit et accepta la caresse.

Romulf, le colosse, dans un coin, pleurait.

« Qu'a-t-on fait à mon enfant? »

D'une voix sourde, Urion commença son récit :

« Plus les jours passaient, plus les choses allaient mal à l'intérieur de la basilique. Les vivres se faisaient rares, les disputes entre Chrotielde et Basine quotidiennes, Begga se mourait de désespoir et Vanda, malgré l'ordre du roi Childebert, refusait de quitter les religieuses et les novices qui restaient. Elle essayait de maintenir un semblant d'organisation, mais cela était rendu impossible à cause de tous ces bandits recrutés par Chrotielde. Une nuit, Vanda inquiète, ne pouvant pas dormir, est sortie de ses appartements, couverte de la peau de la louve. Sans être vu, je l'ai suivie. Nous avons emprunté le souterrain qui relie le monastère à la basilique et là, nous avons vu les assassins se jeter sur l'abbesse. Vanda fut plus rapide que moi, elle lança son couteau et tua une de ces brutes. N'ayant plus d'armes, elle s'enfuit. Voulant égarer leurs recherches, je me sauvai dans la direction opposée à celle prise par Vanda en faisant le plus de bruit possible. Tous les bandits se précipitèrent à mes trousses. Je les égarai facilement et revins vers le souterrain. J'avais déjà parcouru la moitié du chemin, quand un cri comme je n'en avais encore jamais entendu m'immobilisa, glacé de terreur. Bientôt un second, plus atroce encore, suivi de gémissements odieux, vibra longuement sous les voûtes. Je courus en direction des deux cris. Et là, à la lueur mourante d'une torche tombée... Oh! non, je ne peux pas continuer...

– Je t'en prie, continue, pour sauver Vanda, nous devons savoir, dit Albin.

– Il y avait Vanda, la tunique arrachée, nue, le visage et le corps tachés de sang, les yeux fous, brandissant dans sa main... oh! l'horrible chose... un morceau de chair. Au sol, se convulsant dans d'abominables souffrances, Polyeucte, l'infirme, ses deux mains crispées entre ses jambes, essayait de contenir des flots de sang. Vanda s'approcha du blessé et agita sous ses yeux ce qu'elle tenait. Le malheureux se redressa et tendit une main pour saisir ce qui lui appartenait. Vanda joua avec lui longtemps, avançant, retirant cette partie de lui-même, convoitée par le bandit. Epuisé, il retomba en l'insultant. Riant, elle lui donna un violent coup de pied dans la plaie. Son hurlement dut s'entendre dans le cachot le plus profond. Eperdu de douleur, il s'évanouit. »

Urion se tut un instant, le visage couvert de larmes, tandis qu'à genoux sanglotait Romulf. Albin, pâle comme un linceul, berçait contre lui l'enfant des loups qui s'était endormie, un angélique sourire aux lèvres.

« Ce qui se passa ensuite fut l'œuvre du démon... Vanda ramassa la peau de louve tombée au milieu du souterrain, elle attacha les pattes de devant autour de son cou, rabattit la tête sur la sienne et le corps agité de soubresauts se pencha sur sa victime inanimée. Quand elle redressa son visage, elle tenait entre ses dents un lambeau de chair sanguinolent, ses ongles labourèrent la poitrine et le visage du malheureux. Ces nouvelles douleurs le ranimèrent et lui donnèrent la force de réagir. Ses mains se refermèrent sur le cou fragile de Vanda. Je bondis et assommai Polyeucte. Ma maîtresse se releva en frappant dans ses mains, riant, sautant autour du bandit. Elle m'entraîna dans sa danse et, comme elle, je devins fou. L'odeur du sang, des excréments, de la sueur, de la moisissure du souterrain et de la résine de la torche, les ombres diaboliques sur les parois, les ricanements des esprits du mal, tout cela eut raison de moi et j'imitai en tout Vanda. Nous déchirâmes avec nos dents et nos ongles le corps encore vivant. J'étais fasciné par l'horrible plaie. Je ressentais au même emplacement, une sourde douleur. Dans mon esprit, des images sanglantes se succédaient. Il me semblait que, comme à cet homme, il me manquait quelque chose. Je connaissais le corps nu de Vanda, j'avais bien vu qu'il était différent du mien, mais je pensais alors que toutes les servantes étaient ainsi. Mais là, devant cet être mutilé, je compris qu'il m'était arrivé la même chose. Alors un brouillard rouge envahit mon esprit et je ne revins à la raison que sous la Pierre levée où Romulf trouva Vanda.

« Nous dormions blottis l'un contre l'autre au milieu de la meute d'Ava. Comment étions-nous parvenus jusque-là? Je n'en sais rien. Nous avons suivi les loups dans leurs déplacements. Vanda semblait heureuse, mais ne parlait plus, du moins un langage humain. »

Agité de sanglots, Urion arrêta son récit. Les sourcils froncés, Albin réfléchissait. Il sortit de sa poche un petit flacon contenant un liquide ambré dont il fit glisser quelques gouttes entre les lèvres de Vanda.

« Maintenant, elle va dormir profondément. Romulf, nous allons la conduire à la basilique où nous la soignerons.

– Pourquoi la basilique? Elle serait mieux chez nous.

– Non, à tout moment, les soldats de l'évêque et du comte peuvent surgir et l'enlever. Nous ne sommes pas assez nombreux pour assurer sa défense. Elle ne sera en sécurité que derrière les saints murs.

– Sans doute as-tu raison, mon frère, dit Romulf d'un air de profonde tristesse.

– Urion, peux-tu faire comprendre à Ava que nous emmenons sa sœur et qu'il nous suive, lui et sa meute, pour protéger notre retour. »

Urion s'avança vers les loups qui formaient un

demi-cercle et regardaient ces hommes. A l'approche d'Urion, ils se levèrent. Sans doute avaient-ils compris ce qu'on attendait d'eux car ils les suivirent.

Albin installa Vanda devant lui et l'enveloppa d'un long manteau brun, Romulf prit Urion en croupe et, au pas, ils quittèrent la forêt.

Les loups les accompagnèrent jusqu'aux portes de la basilique, qui s'ouvrirent quand on eut reconnu ceux qui demandaient asile. L'évêque et le comte furent immédiatement prévenus du retour de Vanda et des conditions de ce retour.

« Les loups, toujours les loups, murmura Marovée, et l'on veut que cette fille à apparence humaine imaginée par le démon ne soit pas de cette race! »

Ludovine et les servantes baignèrent longuement Vanda et lui lavèrent les cheveux qu'elles durent couper, tant ils étaient emmêlés. Le corps massé avec des huiles parfumées, revêtu d'une robe de laine blanche, un voile de même couleur recouvrant ses cheveux courts et bouclés, le front cerclé d'or, elle ressemblait à un ange innocent tombé du ciel.

Peu à peu, les soins tendres et attentifs de Begga et d'Albin portèrent leurs fruits : elle recouvra la raison, mais avec elle, ses peurs et ses larmes. Elle ne se souvenait plus de la nuit du souterrain. Pour elle, le temps s'était arrêté au moment où tombait le bandit sur le tombeau de Radegonde. De la suite, il ne lui restait qu'une succession d'images confuses. Begga ne survécut pas à tant d'alarmes et de douleurs. Elle mourut en demandant pardon à Dieu et à son abbesse et en confiant Vanda à la divine providence.

Cette mort rapprocha les trois princesses : toutes

trois avaient tendrement aimé cette femme, qui avait soigné et protégé leur enfance. Elles la pleurèrent, blotties l'une contre l'autre, et veillèrent le corps durant trois jours.

Ce fut le moment que choisit Maccon, comte de Poitiers, pour envahir la basilique. La bataille fut épouvantable. Les bandits furent transpercés de traits, blessés avec des leviers et abattus à coups d'épée. Voyant cela, Chrotielde prit dans l'église où elle s'était réfugiée avec ses compagnes, une lourde croix et sortit au-devant des assaillants en disant :

« Refusez-vous, je vous prie, à me faire violence, car je suis reine, fille d'un roi et cousine d'un autre roi; refusez-vous à le faire pour qu'un temps ne vienne pas où j'en tirerai vengeance. »

La foule qui avait suivi les soldats, sourde à cet orgueilleux appel, se rua à l'intérieur de l'église en insultant les rebelles. Chariulf, Urbain, Ansoald, Julien, Chuldéric, Albin, Huniric, Romulf, Guntharic, Urion et Vanda combattirent avec courage mais succombèrent sous le nombre. Tous furent blessés, Julien fut tué. Du côté de la populace et des soldats, le carnage fut effrayant. Des morts et des blessés par dizaines. L'église ressemblait à un gigantesque abattoir que contemplaient, horrifiées, les nonnes entourant Chrotielde qui tenait toujours la croix contre elle.

Les soldats vainqueurs enchaînèrent leurs prisonniers, les attachèrent à des poteaux devant le lieu saint, les battirent cruellement, coupant aux uns la chevelure, aux autres les mains, à quelques-uns les oreilles et le nez. Ainsi réprimée la révolte s'apaisa.

Vanda, Chrotielde, Basine, les religieuses, les novices et leurs servantes furent enfermées dans des cellules étroitement surveillées en attendant le jour du jugement.

Emprisonnés dans les cachots malsains du comte de Poitiers, Romulf, Albin, Chariulf, Ansoald et Urbain, réussirent à s'évader. Quelques jours plus tard, ce fut le tour de Chuldéric dont on avait coupé la moustache et les nattes et qui jurait de se venger d'un tel affront. Déjà borgne, le vilain Guntharic avait laissé son nez dans la bagarre, et il cachait cette horrible plaie sous un masque de chiffons sales qui le rendait encore plus inquiétant. Quant à Huniric, il avait payé de ses deux oreilles son aide à la révolte des nonnes.

Les deux troupes se retrouvèrent dans les bois, seuls propices à leur assurer une retraite sûre. Très vite, la discorde s'installa entre elles. La troupe de Romulf ne pensait qu'à délivrer Vanda et éventuellement les autres filles, celle de Chuldéric ne pensait qu'à se venger. Ils tombèrent cependant d'accord pour ne rien entreprendre avant le jugement.

Dans sa prison, Placidinie donna naissance à un petit garçon qui se trouvait ressembler beaucoup à son père, ce qui mit Chrotielde dans une telle colère qu'on put craindre pour la vie de la mère et de l'enfant.

Enfin, le jour du jugement arriva. Il faisait un temps d'une douceur remarquable; le ciel du Poitou était d'un bleu sans nuage. En procession, les religieuses, les novices et Vanda se rendirent à l'église de la basilique Saint-Hilaire, où siégeait le tribunal. Elles étaient vêtues de la robe de leur ordre, toutes avaient un long voile, sauf Vanda. Les trois princesses avaient ceint leur front du bandeau royal. Les soldats du comte de Poitiers faisaient rempart entre la foule et ces femmes pour les protéger contre d'éventuelles attaques. Ce ne fut pas nécessaire, elles passèrent dans un silence impressionnant qui, pour certaines, était la pire des insultes. Elles pénétrèrent dans l'église qui leur sembla glacée après le soleil de cette matinée d'été.

Le tribunal siégeait en haut des marches de l'autel recouvertes de tapis. Assis sur des fauteuils de bois sombre et sculpté se tenaient les représentants des rois et les évêques dans leurs vêtements sacerdotaux. Derrière eux, les clercs et les diacres, devant, assis sur des tabourets, une écritoire sur leurs genoux, se tenaient les scribes. Face à cette assemblée, deux rangées de bancs pour les nonnes. Derrière elles, des soldats, dos tourné au tribunal, face à la foule qui entrait en silence. A droite de l'autel, se tenaient Leubovère et ses religieuses.

Vanda fut appelée la première. Ce moine qui lui avait déjà fait une si pénible impression l'interrogea :

« Vanda, fille de Radegonde la bienheureuse et de Romulf le Gaulois, pourquoi ne portes-tu pas le voile des filles de Dieu ?

– Je n'ai pas le droit de le porter, je ne suis pas nonne.

– N'as-tu pas été élevée dans ce but ?

– Non, ma bien-aimée mère pensait que je ne ferais pas une bonne religieuse. »

Un rire fusa dans la foule.

« Silence », aboya un capitaine.

L'évêque Marovée prit la parole :

« Je propose à l'honorable assemblée d'examiner à part le cas de cette fille. Ses crimes sont grands, mais cependant moindres que ceux des autres femmes ici présentes, car il est vrai qu'elle ne prononça jamais ses vœux.

– Cependant, dit l'évêque Gondégésile de Bordeaux, président du tribunal, elle est la complice de ceux qui nous battirent ici même.

– Pour cela elle sera jugée, mais non pour avoir souillé ses engagements.

– Si elles sont coupables, dit Vanda en montrant ses compagnes agenouillées, je le suis autant qu'elles...

– Retire-toi, fille de Radegonde, n'aie crainte, tu seras jugée selon l'étendue de tes fautes. »

Vanda rejoignit sa place. On appela Chrotielde. Elle proféra contre l'abbesse des injures qui furent jugées odieuses par le tribunal, inutiles par Vanda. On insista pour savoir quelle accusation précise elle portait envers Leubovère. Elle parut hésiter un instant et se tourna vers la foule. Quand son regard revint vers le tribunal, un air de triomphe méchant était répandu sur son joli visage :

« J'accuse l'abbesse de cacher dans le monastère un homme habillé en femme[1]. D'ailleurs le voici », ajouta-t-elle en se retournant et en désignant Urion, qui essaya de s'enfuir.

Mais la foule hostile l'en empêcha et le livra aux soldats.

« Qu'on l'amène ici », cria l'évêque de Bordeaux.

Vanda s'approcha de Chrotielde.

« Tu n'avais pas le droit, jamais je ne te pardonnerai ça. »

Urion, en costume féminin, se tenait gauchement face aux juges.

« Dis-nous, est-ce vrai ce que déclare cette femme ?

– Je n'ai appris que depuis peu la vérité. C'est parce que je n'étais pas vraiment un homme que l'abbesse Agnès avait permis que je porte l'habit féminin et que je demeure auprès de Vanda, ma

1. Grégoire de Tours, livre X, chapitre 15.

maîtresse. L'abbesse Leubovère n'a jamais rien su. »

Chrotielde voyant l'embarras du tribunal prit la parole :

« Cet homme ne sait pas ce qu'il dit. Comment une abbesse toute-puissante dans son couvent pouvait-elle ignorer cela? Quelle sainteté peut résider chez une femme consacrée à Dieu qui transforme des hommes en eunuques, et leur enjoint d'habiter avec elle selon la coutume impériale? »

L'abbesse interrogée répondit qu'elle ne savait rien à ce sujet, si ce n'est qu'Urion avait été trouvé au même endroit que Vanda et venait du même pays qu'elle.

En entendant le nom du serviteur eunuque, Réovald, médecin-chef, qui était dans la foule, se souvint de la dramatique opération pratiquée avec l'aide de Begga, et demanda à comparaître devant le tribunal et dit :

« Agé d'environ six ans, un enfant blessé par les loups fut amené au monastère de Radegonde par une Gauloise qui l'avait recueilli. Devant son impuissance à le guérir, Begga, avec l'autorisation de l'abbesse Agnès, me fit appeler ainsi que Marileif, alors médecin du roi Chilpéric. Devant l'étendue du mal, je dus l'opérer ainsi que je l'avais vu faire par des médecins d'Orient. Sa mère adoptive étant morte, la sainte reine Radegonde et l'abbesse Agnès l'autorisèrent à demeurer près de Vanda après l'avoir revêtu de l'habit féminin. L'abbesse Leubovère n'était pas au courant de la chose. »

Le tribunal remercia Réovald de son témoignage. Le président déclara la séance suspendue. Les évêques se levaient pour aller prendre quelque repos, quand un murmure, puis des cris venant de la foule attirèrent leur attention.

« Laissez-moi passer, chiens, je veux voir cette maudite. »

L'assistance s'écarta et l'on vit une créature décharnée, en haillons, les cheveux rares et gris dressés sur la tête la plus hideuse que l'on puisse imaginer, appuyée sur un bâton. Elle s'avançait en gesticulant, brandissant son gourdin en direction des évêques stupéfaits. A chacun de ses pas, elle répandait une odeur tellement épouvantable que les soldats pourtant peu délicats, s'écartaient sur son passage. Elle arriva ainsi au pied de l'autel et, redressant son dos voûté, s'adressa au tribunal en désignant Leubovère d'un doigt maigre et crochu.

« J'accuse cette femme d'avoir forniqué avec le démon. »

Un cri d'horreur s'échappa de toutes les bouches tandis que l'abbesse tombait à genoux en tendant les bras vers le ciel.

« Dieu tout-puissant, protège-moi contre les paroles de cette démente.

– Je t'accuse d'avoir tué des petits enfants, d'avoir vendu des vases sacrés aux juifs. »

En disant cela, elle entreprit une sorte de danse effrayante et obscène.

« Au nom de Dieu, femme, arrête, et dis-nous qui tu es.

– C'est elle qui m'a fait enfermer, qui m'a privée de nourriture. Oh! la maudite! maudites soient aussi Radegonde la reine et Agnès l'abbesse! L'abbesse... ah! l'abbesse... Ahhhhh... »

Elle se laissa tomber sur le sol, bave aux lèvres avec des convulsions qui lui agitaient le corps en tous sens.

Debout, le président du tribunal s'adressa à l'abbesse, dont le visage couvert de larmes montrait la plus grande douleur.

« Connais-tu cette malheureuse? »

D'une voix à peine audible, entrecoupée de sanglots, Leubovère répondit :

« C'est Vénérande la recluse... Un jour que la

bienheureuse Radegonde et l'abbesse Agnès lui rendaient visite, elle s'est échappée de sa cellule en proférant des insultes et des blasphèmes... malgré les bonnes paroles de la reine, elle s'est sauvée et s'est jetée du haut des remparts... nous nous sommes précipitées, mais elle avait disparu... depuis nous ne l'avons jamais revue...

– Je connais cette pauvre créature, sa folie est connue depuis longtemps. Il ne faut pas attacher d'importance à ce qu'elle dit, déclara l'évêque Marovée.

– Je confirme en tout point ce que vient de dire mon confrère, dit l'évêque Grégoire.

– Le tribunal ne tiendra donc pas compte de paroles prononcées sous l'influence de la folie et, qui sait, à Dieu ne plaise, du démon. Soldats, emmenez cette femme. »

Mais, quand les soldats s'approchèrent pour la saisir, elle poussa un grand cri, son corps s'arqua avec violence et retomba comme brisé. Le médecin Réoval s'avança et se pencha sur elle.

« Elle est morte, dit-il en se relevant.

– Qu'on l'emporte et prions Dieu pour que, dans son infinie miséricorde, il pardonne à Vénérande qui fut pendant longtemps sa fidèle servante, avant que la folie n'obscurcisse son esprit », dit l'évêque Gondégésile.

Les religieuses durent soutenir Leubovère pour la conduire à la salle à manger, où une collation était servie avant la reprise de l'audience. L'abbesse ne put absorber qu'un peu d'eau.

Dans une salle soigneusement gardée, on conduisit les accusées. La plupart furent incapables d'avaler quoi que ce soit, sauf Vanda et Chrotielde, qui dévorèrent les mets présentés.

« Maudits soient ces évêques qui ont rejeté le témoignage de Vénérande, gronda Chrotielde.

– Tu ne pensais tout de même pas qu'ils allaient prendre au sérieux les propos de cette folle? dit Vanda en haussant les épaules.

– Pourquoi pas? Dieu parle quelquefois par la voix des fous.

– Tu dis n'importe quoi, tu ferais mieux de trouver autre chose pour faire condamner l'abbesse.

– Je ne sais plus quoi inventer, rien ne marche, dit piteusement Chrotielde.

– Rien ne marche parce que tout est faux et que le tribunal n'est pas dupe de ta mauvaise foi.

– Que me conseilles-tu?

– De te tenir tranquille et de chercher à t'évader.

– M'évader, mais comment? Mes amis sont morts, enfuis ou prisonniers. D'ailleurs, le tribunal n'osera pas me condamner, ne suis-je pas fille et parente de roi?

– A ta place, je ne compterais pas trop sur l'indulgence des évêques. Quant à moi, je ne veux pas attendre...

– Toi? Que risques-tu? Tu n'es pas religieuse, ils l'ont reconnu.

– Je risque tout. A part Grégoire, ils me croient tous sorcière. Quant à Marovée, c'est plus compliqué : il aimerait bien que je sois une sorcière.

– Et si c'était vrai? Si tu étais une sorcière? Toi, qui te fais obéir des loups...

– Les loups!... Ne sois pas ridicule, si j'étais une sorcière, je ne serais pas ici. »

Elles durent interrompre leur conversation, car on venait les chercher pour la reprise de l'audience.

« Avez-vous d'autres accusations à porter contre

votre abbesse? dit avec une triste ironie, le président.

– Elle jouait aux dés...

– Elle nous laissait dans le plus total dénuement...

– Elle célébrait des fiançailles dans le monastère...

– Elle avait fait un vêtement pour sa nièce avec une nappe d'autel...

– Elle autorisait des hommes à se baigner dans notre piscine...

– Elle ne nous nourrissait pas... »

Les accusées parlaient toutes en même temps, seules les trois princesses se taisaient. Pâle de colère contenue, Gondégésile se leva.

« Taisez-vous malheureuses, n'ajoutez pas à l'horreur de votre conduite, celle du mensonge.

– Elles ne mentent pas, seigneur évêque, interroge l'abbesse », dit Chrotielde avec un haussement d'épaules.

Le vieil homme se rassit lourdement et, d'un air las, se tourna vers Leubovère, soutenue par deux religieuses.

« Qu'as-tu à répondre à cela? »

Chancelante, l'abbesse s'avança et s'agenouilla en pleurant devant le tribunal.

« Mes Seigneurs, bénissez-moi. C'est vrai, je jouais quelquefois aux dés, mais je ne pensais pas que cela fût mal, notre règle ne l'interdit pas... on y jouait du temps de la reine Radegonde, notre bienheureuse fondatrice... il est faux que ces filles aient manqué de vêtements ou de nourriture... elles devaient se vêtir simplement et se nourrir sobrement ainsi qu'il est dit dans la règle... jamais il n'y a eu de fiançailles dans le monastère... ma nièce, fiancée, y a séjourné avant son mariage... La soie utilisée pour la robe de ma nièce m'a été donnée par une religieuse qui l'avait reçue de ses parents... quant à la salle de bain, elle a été construite pendant le carême. L'âcreté et l'odeur de la chaux étaient telles, que j'ai demandé aux ouvriers et aux serviteurs de l'utiliser jusqu'à ce que l'inconvénient ait disparu...

– Par la suite, ils ont continué à s'y baigner, dit Chrotielde en l'interrompant.

– Si cela était, pourquoi ne m'avoir rien dit?

– Leubovère, as-tu quelque chose à ajouter? dit le président.

– Si j'ai commis de lourdes fautes, je demande un juste châtiment, sinon que l'on prie pour moi qui n'ai pas su protéger ces filles du péché.

– Pensez-vous que l'abbesse se soit rendue coupable d'adultère, de sortilège ou d'homicide? » demanda le moine aux nonnes rebelles.

Elles répondirent qu'elles n'en savaient rien et qu'elles n'avaient rien d'autre à ajouter.

Le tribunal se retira pour délibérer. Le verdict fut remis au lendemain.

Le lendemain, les accusées montraient une mine défaite. Leubovère et les évêques n'étaient pas dans un état plus brillant. Seule Vanda paraissait reposée.

Le tribunal rendit son verdict[1]. Il confirmait l'excommunication et ordonnait que les révoltées ne reviennent plus jamais sur les lieux de leurs crimes, qu'elles soient rendues à leurs parents, si ceux-ci voulaient bien les reprendre, enfermées dans un lointain couvent ou laissées libres d'aller où elles voulaient.

Un silence très lourd suivit la lecture du jugement. Les condamnées laissèrent couler leurs larmes, et dans la foule, des femmes pleuraient. Pour ces âmes croyantes et superstitieuses, rien n'était

1. Voir pièce justificative n° 4, p. 325.

plus terrible que d'être privées de la communion, d'être exclues de la sainte Eglise. L'évêque Grégoire prit la parole :

« Dieu vous inspire, mes filles, un sincère repentir! Je ne doute pas que notre sainte mère l'Eglise vous réintègre dans son sein. »

## CHAPITRE XIX

## BASINE RETOURNE AU MONASTÈRE
## VANDA, PRISONNIÈRE DE MAROVÉE, APPREND LA VÉRITE SUR SA NAISSANCE
## MORT DE ROMULF – DÉPART D'ALBIN

LES excommuniées furent conduites en dehors de la ville dans une demeure appartenant à l'évêque, où de solides et sévères matrones furent chargées de les surveiller. Aidées d'esclaves et de domestiques, elles leur coupèrent les cheveux et durent se mettre à plusieurs pour couper ceux de Chrotielde, qui se débattait en jurant de se venger. Elle pleura la perte de sa chevelure brune durant trois jours. Le quatrième, elle passa à l'action. Elle adressa au roi Childebert une pétition, dénonçant certaines personnes qui, non seulement auraient commis l'adultère avec l'abbesse, mais encore auraient apporté quotidiennement des messages à son ennemie la reine Frédégonde. A cette nouvelle, le roi envoya des soldats pour arrêter ces gens, mais après enquête, on découvrit que tout était faux.

Entre les deux cousines, les scènes devinrent de plus en plus fréquentes : Basine reprochait à Chrotielde de l'avoir entraînée dans la rébellion contre l'abbesse, elle pleurait en disant qu'elle allait mourir en état de péché mortel. Elle écrivit à son oncle, le roi Gontran, d'intervenir auprès des évêques pour obtenir son pardon, elle promettait de se réconcilier avec l'abbesse en rentrant dans le monastère et de ne jamais transgresser la règle. Convoquée devant les évêques encore présents à Poitiers, la fille de Chilpéric se prosterna à leurs pieds et demanda son pardon. Grâce à l'intervention des rois, elle fut réintégrée dans la communion ainsi que Chrotielde, qui déclara solennellement que tant que l'abbesse Leubovère demeurerait dans ce monastère elle n'y rentrerait jamais.

Les routes des deux princesses se séparaient. Longuement, elles se regardèrent et s'embrassèrent en pleurant.

Basine rentra dans son couvent tandis qu'on reconduisait Chrotielde dans une villa, don du roi Gontran, sur les bords de la Gartempe. Elles ne devaient jamais se revoir. Ultrogothe et Theudogilde suivirent Chrotielde dans son exil doré. Le roi Gontran avait bien fait les choses : les terres étaient riches et bien entretenues, les esclaves et les domestiques, nombreux, la maison confortable disposant de tout le confort romain.

Quelques mois s'écoulèrent. Chrotielde s'ennuyait. Elle écrivit à Chuldéric, désirant se l'attacher comme intendant. Mais peu de temps après l'envoi de sa lettre, elle apprit sa mort. Son chagrin étonna ses compagnes. Dans sa douleur, elle se souvint du fils du Saxon et ordonna à ses serviteurs de retrouver Placidinie et son enfant.

Les jours passèrent dans l'attente et l'impatience. Un soir, sous une pluie battante, les envoyés revinrent. Chrotielde se précipita au-devant d'eux.

« Les avez-vous trouvés ? »

Sa question demeura en suspens : une femme sans âge vêtue d'une mauvaise robe, ses cheveux courts et mouillés collés à son front maigre, les pieds nus, entra poussée par le capitaine, tenant contre elle un paquet enveloppé de chiffons, d'où sortaient de faibles cris. Arrivée devant la princesse, la malheureuse se laissa tomber à ses pieds sans un mot.

« Placidinie... »

Aucune pitié ne toucha le cœur de Chrotielde, mais une joie mauvaise l'envahit devant la déchéance de sa rivale. Elle se pencha, mais l'autre se recula serrant contre elle son enfant.

« N'aie pas peur, je vous ai fait chercher pour vous sauver, donne-le-moi. »

Le regard de Placidinie exprima tour à tour, la peur, le doute et l'espérance. D'un geste lent, elle tendit son enfant. Chrotielde le prit, écarta les linges qui le cachaient et contempla longuement le bébé qui s'agitait.

« Comme il ressemble à son père. »

Placidinie se releva.

« Rends-le-moi, je dois le nourrir.

– Ne t'inquiète pas, je vais m'en occuper, on va le baigner et lui mettre des vêtements propres. Gardes, emmenez la mère et qu'on la traite selon mes instructions. »

Malgré ses cris et ses supplications, on entraîna Placidinie pour la jeter au fond d'une cave divisée en minuscules cellules, sans lumière et sans air. Avant de refermer la porte sur elle, on lui montra une cruche d'eau et un morceau de pain posés à même le sol.

Durant des heures et des heures, la prisonnière hurla, supplia, pleura, grattant les murs de sa prison, déchirant ses doigts aux pierres, ses lèvres au bois de la porte. Epuisée, elle s'évanouit dans la froide humidité de son cachot. Pendant ce temps, Chrotielde se découvrait mère.

Après le procès, Vanda fut séparée de ses compagnons et conduite avec sa servante Ludovine dans un appartement de la demeure de l'évêque de Poitiers, contre l'avis de l'évêque de Tours qui voulait qu'elle fût conduite au roi Gontran selon les désirs clairement exprimés de la reine Radegonde. Marovée dit qu'il y avait encore certaines choses qui lui restaient obscures et qu'il devait s'en entretenir avec Vanda. N'étant pas dans son diocèse, Grégoire dut s'incliner, mais écrivit à Brunehaut pour la mettre au courant de la situation et lui demander d'intervenir. Il envoya également un messager à Romulf, lui indiquant où se trouvait sa fille.

Vanda demanda à voir Urion. Il lui fut répondu qu'il était impossible d'introduire un homme auprès d'elle, même si cet homme n'était plus un homme. Elle insista pour avoir de ses nouvelles, on lui dit que le tribunal, n'ayant rien à lui reprocher, lui avait conseillé de quitter Poitiers et de s'abstenir désormais de porter des vêtements féminins. Depuis on ne l'avait plus revu.

L'évêque Marovée pria Vanda à un repas. Afin de le séduire, elle soigna particulièrement sa tenue : elle revêtit une robe de dessus sans manches d'un vert lumineux, bordée de galons d'un vert plus foncé rebrodés de rouge, la robe de dessous rouge à larges manches laissant apparaître celles étroites de la chemise blanche. Un long voile blanc brodé de fleurs rouges et vertes enveloppait sa tête aux cheveux encore courts, descendait jusqu'à ses pieds et se relevait sur le devant, porté négligemment sur un bras. Le bandeau royal brillait à son front. Derrière elle, marchait Ludovine, vêtue d'une courte robe de laine rouge.

Vanda s'avança vers celui qu'elle savait être son ennemi. Elle marqua un temps d'arrêt en entrant dans la salle à manger : Marovée n'était pas seul, auprès de lui se tenait le moine dont le regard suffisait à la mettre mal à l'aise.

« Avance, mon enfant, n'aie pas peur, nous ne voulons que ton bien. Mais avant toute chose, mangeons, comme dirait ton ami Fortunat. »

Au nom de cet ami dont elle était sans nouvelles, Vanda eut du mal à retenir ses larmes.

« Prends place, j'espère que ce repas sera digne de la gourmandise de notre poète. »

Le repas était servi à la romaine. Vanda, la gorge serrée, s'allongea entre ces hommes qu'elle redoutait. Derrière de fins rideaux, des chants montèrent accompagnés d'une flûte.

« J'aime beaucoup dîner en musique », dit Marovée d'un ton voluptueux.

Un jeune esclave tendit à Vanda une coupe contenant un breuvage d'une délicate couleur rose, elle la repoussa.

« Tu peux boire sans crainte, ô fille de Radegonde, cette boisson n'a que des vertus; grâce à elle la vérité est plus facile à dire et à entendre. Bois. »

A contrecœur, Vanda but une gorgée et fut agréablement surprise par le goût merveilleux et exquis et le parfum qui envahissaient son palais. Gourmande, elle but à nouveau sous l'œil satisfait de l'évêque. Rapidement elle se sentit calme et détendue, et c'est avec gaieté qu'elle répondit aux questions du moine.

« Sais-tu d'où tu viens?

– Non, Fortunat pensait que je venais du pays des Avars.

– Tu es la fille du roi Zamergan de la tribu des Koutrigours. Ton père est mort en combattant les Outrigours, commandés par son cousin, fils de Sandilkh. Ta mère, fille du roi des Alains, Saros, et d'une princesse Avar, s'enfuit avec une servante de sa race et le fils de celle-ci, âgé de quatre ans. Tu naquis peu après dans une pauvre maison. Ta mère, craignant pour ta vie, se résigna à demander asile à l'empereur d'Orient, mais, poursuivie par ses ennemis, se dirigea vers les Gaules. Comment parvint-elle près de Poitiers? Nul ne le sait. Il est donc exact que tu sois de noble naissance. Hélas! ce n'est pas tout. Dans tes veines coule également le sang maudit du roi des Huns qui ravagea le monde, Attila.

– Attila?... dit avec un grand éclat de rire Vanda, Attila... Alors, moine, tu peux tout craindre. Fille d'Attila... enfant des loups... voilà des liens redoutables et puissants.

– Ne ris pas, malheureuse, mieux eût valu pour toi de ne pas voir le jour.

– Explique-moi, comment suis-je descendante du maître des Huns?

– A la mort du fils d'Attila, Dengizikh, les chefs des tribus hunniques se séparèrent et reprirent leur vie nomade. Les Koutrigours, commandés par le petit-fils de Dengizikh, s'installèrent après de longues années d'errance au nord-ouest de la mer d'Azov. Kinialkh, chef des Koutrigours et père de ton père, quitta son camp avec douze mille des siens pour soutenir les Cépides dans leur guerre contre les Lombards. Une trêve étant intervenue, ils passèrent le Danube. Cela déclencha la fureur de l'empereur Justinien, qui envoya contre eux une tribu frère. Les femmes et les enfants furent capturés et les hommes tués en grand nombre. Pendant dix ans, ils se tinrent tranquilles. Puis, durant l'hiver 559, ton père, le roi Zamergan, en compagnie des Boulgars et des Slaves, traversa le Danube sur la glace. Zamergan divisa son armée en trois corps, dont l'un se dirigea vers la Grèce, l'autre vers la Chersonèse de Thrace et le troisième, sous ses ordres, vers Constantinople. On se crut revenu au temps d'Attila. Des régions traversées, il ne restait plus rien que des animaux sauvages dévorant des cadavres. Ses troupes campèrent sous les murs de Constantinople. Elles furent vaincues par Bélisaire. Ton père regagna les steppes des Koutrigours. Aucun des enfants qu'il eut de ses nombreuses épouses ne survécut, tu es sa seule descendante et celle du terrible Attila. Ta race maudite peut expliquer ta puissance sur les loups.

– Ce n'est pas de la puissance, mais de l'amour, ils me reconnaissent comme une des leurs. Ava, le chef de la meute, est mon frère de lait.

– Est-ce vrai que tu parles leur langage?

– Non, mais ils comprennent le mien.

– As-tu eu des raports charnels avec l'un d'eux? »

Malgré la drogue contenue dans son verre, Vanda réagit avec violence.

« Ton esprit est bien pervers pour imaginer de telles choses et oser poser de telles questions. »

Le moine contint sa colère.

« C'est une pratique courante chez les magiciennes et les sorcières que de s'accoupler avec des boucs, des ânes, pourquoi pas des loups?

– Moine, tu divagues, tu me parles comme si j'étais sorcière, où as-tu pris cela? Oublies-tu que j'ai été élevée dans la crainte de Dieu et le respect de ses lois par ma mère la reine Radegonde?

– Crainte et respect que tu as oubliés en entraînant les religieuses à la révolte.

– Je n'ai entraîné personne; sans moi, elles seraient également parties.

– Je n'en crois rien, elles avaient besoin de ton pouvoir pour avoir la force de renier leurs vœux.

– De quel pouvoir parles-tu? Je n'en ai aucun.

– De celui que te donnent les démons depuis le jour de ta naissance », dit le moine, en se redressant, terrible.

Sous l'effet de la drogue, ou agacée par l'absurdité des propos tenus, Vanda éclata à nouveau de rire devant l'attitude accusatrice et mauvaise de son interlocuteur. Le moine devint d'une pâleur inquiétante.

« Fille des loups et d'Attila, aujourd'hui tu ris, demain tu pleureras. Je ne laisserai pas impuni un tel mépris des choses de la religion. Tu fus doublement maudite du jour où les loups t'approchèrent et te nourrirent sous le monument de l'idolâtrie, la Pierre levée. Rien, ni la sainte éducation de la bienheureuse Radegonde, ni l'exemple de nonnes vertueuses, ni même la sainte communion, n'ont pu chasser de ton âme le démon qui l'habite. Je demande que l'évêque Marovée ici présent convoque les évêques et les clercs savants en ces choses afin d'instruire un procès, et que par la torture l'on te fasse avouer tes relations avec le malin, le lieu de vos rendez-vous et le nom de tes complices. »

Vanda vida sa coupe, souriant aux paroles du moine fanatique annonciatrices de jours sombres. Peu à peu ses yeux se fermèrent et doucement son corps s'affaissa sur les coussins.

Oubliée par les convives, Ludovine avait suivi avec une angoisse grandissante les propos du moine. Elle devinait sa maîtresse perdue si elle n'arrivait pas à la soustraire à la haine des deux hommes. Il fallait absolument prévenir Romulf. Mais comment? Vanda et elle-même faisaient l'objet d'une constante surveillance. Elle fut arrachée à ses noires pensées par la voix de l'évêque.

« Qu'on la transporte chez elle et qu'on l'enferme. »

Les gardes, négligeant de surveiller la servante, Ludovine avait une chance de s'échapper. Sans être vue, elle se faufila à travers les salles et les couloirs et parvint près d'une porte qu'elle savait donner dans une église proche de la poterne.

L'église semblait vide. Le cœur battant, elle s'avança vers la sortie, quand, tout à coup, une main surgie de derrière un pilier lui saisit le bras et l'attira dans un recoin sombre tandis que l'autre main étouffait son cri. Ses jambes se dérobèrent, mais la voix qui murmurait à son oreille lui remplit le cœur d'espoir.

« Urbain...

– Oui, c'est moi, parle bas. Où allais-tu comme ça?

– J'essayais de sortir pour trouver du secours. Ils veulent torturer Vanda pour qu'elle avoue avoir des relations avec le démon.

– Cela ne se fera pas. Je viens vous chercher.

– Seul? Ce n'est pas possible, nous sommes surveillées jour et nuit.

– Je suis venu en éclaireur pour reconnaître l'endroit. Nous n'avons su qu'hier où vous étiez. Pour ne pas donner l'éveil, tu vas retourner auprès de Vanda et la prévenir de se tenir prête. Mais avant, peux-tu m'indiquer clairement l'endroit où vous vous trouvez? »

Avec précision, Ludovine décrivit les lieux de leur détention et le chemin suivi pour se rendre à la chapelle.

« A partir de demain, regardez chaque jour dans le pain que l'on vous apporte, l'un d'eux contiendra un message.

– Faites vite, ils veulent la faire condamner comme sorcière. »

Le visage d'Urbain se crispa.

« En effet, il n'y a pas un instant à perdre. Adieu, je vais prévenir nos amis. »

Il disparut par une porte basse que n'avait pas remarquée la jeune femme. Sans être vue, elle quitta l'église et se dirigea vers les appartements de Vanda. Une forte femme surgit d'un détour de couloir.

« Où étais-tu, on te cherche partout?

– Je me promenais dans le jardin.

– C'est curieux qu'on ne t'y ait pas trouvée », dit

la femme d'un air soupçonneux, en la poussant dans l'appartement, dont elle referma la porte avec soin.

Sourire aux lèvres, Vanda dormait.

Au troisième jour, Ludovine trouva le message : il était d'Albin. L'évasion était prévue pour le soir même. Vanda devait obtenir de se rendre à la chapelle pour prier ce qui leur ferait gagner du temps. Elle n'obtint pas de l'évêque la permission demandée et attendit ses amis, vêtue ainsi que Ludovine d'une courte robe de couleur neutre, serrant contre elle la peau roulée de la louve. Le dernier coup de vêpres venait de sonner et toujours rien.

Soudain, le crépuscule fut inondé d'une lumière accompagnée de cris et de bruits divers.

Une rumeur d'où éclataient des appels monta bientôt jusqu'à elles :

« Au feu... au feu... »

Une foule passa en courant devant leur porte et s'éloigna tandis que les gardiennes et les servantes suppliaient à grands cris qu'on vienne les délivrer. La grosse femme porteuse des clefs refusait d'ouvrir.

« Il ne t'a pas ordonné de nous laisser rôtir », dit une servante en essayant de lui arracher son trousseau.

Une violente bagarre éclata entre les deux femmes qui y laissèrent des poignées de cheveux. Voyant cela, les servantes vinrent au secours de leur compagne, tandis que les gardiennes venaient appuyer leur patronne. Dans la confusion, elles se battirent sans distinction. De violents coups ébranlèrent la porte arrêtant le combat. Peu à peu, le bois cédait sous le fer de la hache. Dès que l'ouverture fut suffisamment grande, les femmes ensanglantées se précipitèrent en se bousculant tant leur peur du feu était grande. Cet ouragan passé, Vanda vit apparaître Chariulf, Ansoald et Romulf. Elle se jeta dans les bras de son père avec de grands transports de joie.

« Assez d'embrassements, dit Chariulf, les soldats de l'évêque ne vont pas tarder. »

Comme pour mieux lui donner raison, on entendit cliqueter des armes.

« Vite, à la chapelle. »

Vanda courait, poursuivie par les cris :

« Attrapez la sorcière...

– Ne laissez pas échapper la louve...

– Tuez la fille du diable... »

D'un bond, elle franchit l'entrée de l'église suivie de Chariulf et d'Ansoald qui tirait derrière lui Ludovine essoufflée et se retrouva devant Albin, Urion, Urbain et d'autres qu'elle ne connaissait pas, tous armés d'épées, de piques ou de haches.

Urion, vêtu en homme lui tendit son épée.

« Vite », dit Urbain en l'entraînant vers la porte basse au moment même où Romulf pénétrait dans l'église en se battant contre trois soldats.

De son épée, le Gaulois fendit la tête de l'un d'eux, immédiatement remplacé par un autre.

Ils sont maitnenant dix à le combattre. Sa hache tournoie, fauchant un bras, fendant un tronc, une tête. De sa robuste poitrine, couverte du sang de ses ennemis, offerte aux coups de ses assaillants, sortent des rauquements farouches qui effraient les guerriers les plus courageux. Il s'avance, insensible aux blessures, terrible dans sa force brutale. Ses bras gantés de sang se plaisent à l'extermination. De ses yeux, partent des éclairs de fierté et de haine. Du pied, il repousse les corps des soldats qui lui barrent la route de la tuerie. L'église retentit des clameurs des mourants, des appels des blessés et du choc des armes. Du sol sacré jonché de débris sanglants monte une vapeur enivrante qui réveille des instincts venus du fond des âges. Les hommes de l'évêque et du comte s'avancent en nombre. Romulf les regarde et son cri de bataille remue le cœur des plus braves. De son flanc, le sang jaillit en abondance. De son front blessé coulent des gouttes vermeilles qui obscurcissent sa vue : il va succomber sous le nombre. Albin et Chariulf viennent à son aide.

« Allez-vous-en, protégez ma fille, je suis assez fort pour les tuer tous. »

Il confirma ses dires en transperçant de son épée un de ses assaillants.

« Vite, obéissez-moi, pour l'amour de Dieu. »

Avant d'obéir, Chariulf tua un ennemi et en blessa deux autres.

« Je t'en prie, mon frère, suis-nous, ils sont trop nombreux », dit Albin en tranchant une gorge avant de recevoir un coup de pique à l'épaule.

Sous le nombre, les deux hommes reculèrent. Autour d'eux, les cadavres et les blessés s'amoncelaient. A nouveau, Romulf fut atteint au front. Aveuglé par le sang qui coulait abondamment, il ne vit pas venir le coup qui l'atteignit à la cuisse. Il tomba à genoux. Albin tua l'agresseur.

« Mon frère, dit-il en se relevant, il est inutile que nous nous fassions tuer tous les deux. Tu es le plus jeune, Vanda a besoin de toi, va... je te l'ordonne... »

La dernière image qu'Albin eut de son frère vivant, fut celle d'un magnifique guerrier gaulois couvert de sang, dominant le carnage, faisant tournoyer sa hache, semant la mort à profusion avant d'être à son tour arrêté par elle, tels ses ancêtres face aux soldats romains.

Ainsi mourut, victime de son amour, celui qui un jour d'hiver avait recueilli près de la Pierre levée une petite fille trouvée en compagnie des loups.

La colère de l'évêque Marovée ne fut rien à côté de celle du moine, qui parla de trahison, de torture et de bûcher. L'évêque, qui avait perdu beaucoup d'hommes dans cette affaire, se contint difficilement. Certes, il était prêt à tout pour le service de Dieu et de son Eglise, mais de là à supporter les sarcasmes d'un simple moine... Simple moine? Qui était-il donc, cet homme devant qui les prélats les plus sages comme les plus puissants tremblaient? Il était arrivé un jour, précédé d'une réputation d'immense sainteté, se nourrissant de racines et buvant de l'eau, le corps couvert des plaies qu'il s'infligeait lui-même et fort de l'appui du pape, de nombreux évêques et des rois. La foule s'écartait respectueusement sur son passage, les mères lui tendaient leurs petits enfants à bénir, les malades venaient à lui et il les guérissait. Il disait que le Seigneur Jésus l'avait investi d'une grande mission : chasser des Gaules les ultimes vieilles croyances et faire triompher la foi chrétienne. Tous le redoutaient.

Marovée lança sur les routes, à la poursuite de Vanda et de ses amis, son meilleur capitaine et ses meilleurs soldats. Pour impressionner ceux qu'il appelait ses ennemis, l'évêque de Poitiers, à l'instigation du moine, avait fait exposer le cadavre du Gaulois sur les remparts.

Seul, Romulf avait été tué lors de l'expédition. Pour Vanda et Albin, la perte de ce père, de ce frère était immense. Durant deux jours, ils pleurèrent dans les bras l'un de l'autre. Leurs larmes cessèrent d'un coup quand ils apprirent le sort réservé à la dépouille de celui qu'ils aimaient au-delà de la mort.

« Nous irons le chercher », dirent-ils ensemble.

Ils n'eurent pas trop de peine à convaincre leurs compagnons qui désapprouvaient tous l'attitude indigne d'un prélat chrétien. Ils décidèrent d'attaquer au couchant. Vanda rameuta ses loups.

On était en automne, cette saison magnifique qui s'irradie d'ors comme de parfums les premiers mois de l'été. Les arbres des forêts avaient revêtu leur parure royale, où l'éclat du vermeil rivalisait avec la pourpre mordorée. Le soleil couchant éclairait de rose les remparts de Poitiers : c'était bientôt l'heure de la fermeture des portes de la ville. Les soldats chargés de leur surveillance s'étaient laissé distraire par un étranger qui faisait danser un ours apprivoisé; une petite fille vêtue de guenilles bariolées tournoyait autour de lui en frappant dans un tambourin et l'homme jouait de la flûte. L'ours était si drôle, la petite si mignonne et si souple, que tout le monde n'avait d'yeux que pour le spectacle qui se donnait. Au-dessus était exposé un cadavre, celui de Romulf.

Le comportement de l'ours donna l'éveil. Tout à coup, la bête s'arrêta et, debout sur ses pattes de derrière, se mit à trembler en gémissant. La fillette s'arrêta à son tour et poussa un hurlement en tendant le doigt. Les spectateurs suivirent son geste du regard et restèrent paralysés de frayeur.

Face à eux, sous la voûte d'entrée, se tenaient à cheval, tous vêtus de laine noire, Vanda et ses amis. Aux pieds des chevaux veillait, prête à bondir, la meute d'Ava. Les soldats réagirent enfin et tirèrent leur épée. Sur un signe de Vanda, les loups s'avancèrent.

« Que personne ne bouge et il ne sera fait de mal à personne. La reine Vanda ici présente ne désire que donner une sépulture à son père. En bons chrétiens, vous aurez à cœur de la laisser faire et même de nous aider », dit Chariulf.

Un soldat surgit l'épée à la main. Il tomba aussitôt sous les crocs d'Ava.

« Ramassez les échelles et allez décrocher le corps », ajouta Chariulf en désignant deux soldats.

Sous la menace des armes et des loups, les hommes s'exécutèrent et descendirent le mort. Vanda sauta de cheval et serra contre elle en pleurant la tête aux longs cheveux poissés de sang de son père. Elle baisa longuement chacune de ses blessures, lui demandant pardon d'avoir été la cause de sa mort. Albin l'arracha à ses macabres embrassements et l'aida à remonter à cheval. Puis, saisissant le corps de son frère, il le plaça devant lui, en travers de sa monture. Vanda en larmes regarda la foule et remarqua que certaines femmes pleuraient.

« Femmes, vous qui avez pitié, priez pour le repos de l'âme de mon père en souvenir de ma mère la reine Radegonde, qui fut votre protectrice.

– Et toi, enfant des loups, sorcière, qui priera pour toi ? »

Terrible, le moine se dressait derrière la foule, qui s'écartait sur son passage.

« N'aie crainte, moine, dès ce jour, je me remets entre les mains de Dieu.

– Dis plutôt dans celles du diable.

– Je ne sais pourquoi je ne te fais pas dévorer par mes loups », murmura-t-elle, songeuse.

Puis, se tournant vers ses compagnons :

« Amis, partons afin de donner une sépulture à mon père. Ava, reste ici un moment. »

D'un même mouvement, les cavaliers firent demi-tour, passèrent au galop sous le porche et s'éloignèrent aux derniers rayons du soleil sous un ciel cramoisi.

Les loups attendirent que le bruit des sabots des

chevaux fût imperceptible pour s'enfuir à leur tour vers la forêt. Romulf fut enterré, non loin de la Pierre levée, près d'une source, sur une petite hauteur face au soleil levant. Son corps lavé, habillé et enveloppé de linceuls blancs, la tête appuyée sur un coussin d'herbes aromatiques, fut couché dans un sarcophage de pierre du pays, en compagnie de ses armes. Un saint ermite qui l'avait bien connu et aimé accepta de dire une prière et de bénir son tombeau. Les cheveux recouverts de cendres, la tête et le corps dissimulés sous un voile noir, Vanda donna libre cours à son chagrin.

Quelques jours après l'enterrement de Romulf, sous un chaud soleil, Albin et Vanda se promenaient dans la forêt, suivis de loin par Ava et un de ses fils. Ils marchaient lentement, serrés l'un contre l'autre, le bras du jeune homme autour de la taille de la fille.

« Je suis allé, hier, à Poitiers, en me dissimulant. Dans la ville on ne parle que de toi et de tes loups. J'ai appris d'un capitaine, en buvant de la bière, que l'évêque a demandé l'appui du comte Maccon pour nous chercher. De son côté, le comte aurait reçu l'ordre de te ramener auprès du roi Gontran. J'en ai parlé à Chariulf, il pense comme moi qu'il ne faut pas que tu tombes entre les mains de ces gens-là. Il propose de te conduire au roi.

– Je ne veux pas vous quitter.

– Il le faut. Moi-même, je dois partir. J'ai reçu il y a plusieurs semaines une lettre du roi Reccared me demandant de venir le rejoindre. Je ne peux plus différer mon départ.

– Emmène-moi avec toi.

– J'y avais pensé, mais ce n'est pas possible. Dès que Reccared apprendra que tu es la pupille de

Gontran, il te renverra. Cela peut être dangereux, les routes ne sont pas sûres.

– Rien ne paraît sûr pour moi », dit Vanda tristement en s'écartant de son ami.

Albin la retint contre lui et releva le joli visage dans les yeux duquel brillaient quelques larmes. Il embrassa doucement les joues, le nez, le menton et les lèvres... Celles de Vanda s'entrouvrirent lentement et peu à peu, ce baiser fraternel devint amoureux et passionné. L'un contre l'autre, ils se balançaient comme deux jeunes arbres dans le vent. Une rafale plus forte les coucha sur le sol. Les mains de l'homme ne se lassaient pas de découvrir les merveilles du corps de Vanda, celles de la fille relevèrent la tunique et sa bouche parcourut de baisers le torse d'Albin. Soudain, il la repoussa et murmura :

« Nous sommes fous.

– Pourquoi? dit-elle en l'enlaçant à nouveau.

– Tu es fille de roi et moi, fils de paysan gaulois.

– Tu es Albin et moi Vanda, je veux que tu sois mon premier amant. »

Bien qu'ignorantes, les mains de Vanda se révélèrent expertes. Affolé de désir, la couvrant de baisers, Albin arracha plutôt qu'il n'ôta la légère tunique de son amie. Il resta un court instant à contempler la beauté, la tendre fragilité de ce corps tremblant. Puis tout bascula, les doux bras de Vanda l'emprisonnèrent tandis qu'un ventre de soie se tendait vers lui.

Longtemps, les deux jeunes gens restèrent nus, enlacés. Le vent du soir les fit frissonner. Tendrement, le geste alangui, ils s'aidèrent mutuellement à se rhabiller et rentrèrent vers le camp d'où montait la fumée du repas préparé par Ludovine.

Tous les regards se tournèrent vers eux et les conversations s'arrêtèrent. Chariulf pâlit et serra convulsivement son épée; Ansoald blêmit également et se détourna pour cacher ses larmes; les traits d'Urbain se contractèrent tandis qu'un goût amer emplissait sa bouche. Urion baissa la tête; leurs compagnons sourirent avec des airs entendus. Quant à Ludovine, elle resta stupéfaite, la cuillère de bois, levée en l'air : tant il était évident qu'ils s'aimaient, qu'ils étaient amants et heureux de l'être.

Le repas fut pris dans un silence qu'ils ne remarquèrent pas tant ils étaient captivés par leurs propres regards. Ce fut Chariulf qui, au prix d'un effort considérable, rompit le silence en s'adressant à Albin.

« Nous avons vu plusieurs troupes de soldats aujourd'hui dans la forêt. Nous devons partir au plus vite et conduire Vanda chez le roi Gontran.

– Tu as raison, mais comme je te l'ai dit, je vous accompagnerai jusqu'à la sortie du territoire contrôlé par Maccon, ensuite je repartirai pour l'Espagne. »

Chariulf et les autres le regardèrent avec étonnement : quoi! il abandonnerait maintenant la princesse?

Vanda ne disait rien, mais une larme roula le long de sa joue.

« C'est mieux ainsi et j'ai toute confiance en toi, Chariulf, et en vous tous mes amis. Plus tard, je reviendrai. Si vous le voulez bien, jurons fidélité à Vanda. »

Alors, dans la nuit éclairée par les flammes dansantes, un à un ces hommes rudes s'agenouillèrent devant l'enfant des loups et mirent leurs mains dans les siennes. Albin s'agenouilla le dernier et dit :

« Je jure de t'être fidèle ma vie durant. Je sais que notre destin n'est pas le même. Cependant, chaque fois que tu feras appel à moi, je viendrai, fût-ce au péril de ma vie. »

Vanda se leva et posa un long regard sur ces hommes qui l'entouraient.

« Amis, je vous remercie, j'accepte vos serments de fidélité et prie le seigneur Dieu qu'aucun d'entre vous ne le trahisse jamais. Puisque le sort et les circonstances semblent le décider, je me rendrai chez le roi Gontran. Nous partirons demain à l'aube. En attendant, prenons un peu de repos. » Elle se retira, suivie de Ludovine, portant une torche de pin, dans la grotte parfaitement dissimulée aux regards des étrangers à la forêt. Ludovine l'aida à se dévêtir et lava son corps avec des gestes de mère. Sa main trembla quand l'eau effaça le sang sur les cuisses de celle qu'elle appelait son enfant. Cependant, elle ne dit rien. Vanda enfila une robe de fine laine blanche dans laquelle elle s'étendit, tandis que Ludovine la recouvrait d'une couverture de fourrure. Elle allait se coucher à son tour, quand Vanda se souleva sur un coude et lui dit :

« Va chercher Albin et laisse-nous. »

Sans un mot, la servante sortit. Peu après, il entra, courbant sa haute taille pour ne pas se heurter à la voûte de la grotte. Vanda écarta les fourrures et dit :

« Viens passer cette dernière nuit près de moi. »

Vanda retirait déjà sa robe. Sans répliquer, il se déshabilla et s'allongea à son côté.

Certains crurent entendre Ava hurler quand retentit le cri de plaisir de Vanda.

La troupe, toujours vêtue de noir à la demande de Vanda, s'avançait dans la resplendissante lumière d'un bel après-midi. Par chance, nulle mauvaise rencontre n'avait eu lieu, et l'on arrivait aux confins du territoire de Maccon. Sur un signe de Chariulf, tous s'arrêtèrent.

« C'est ici que nous nous séparons si tu le désires toujours. »

Albin inclina la tête sans répondre, avança son cheval contre celui de Vanda.

Le visage soudain envahi d'une extrême pâleur, Vanda dit d'une voix qui ne tremblait pas :

« Dieu te garde, mon frère.

– Dieu te garde, fille de Romulf et d'Attila. »

Vanda cabra son cheval et partit au galop sans se retourner, suivie par le reste de la troupe.

Tant qu'il put voir un nuage de poussière, Albin ne bougea pas et regarda dans la direction prise par Vanda, l'âme envahie d'une peine qu'il ne connaissait pas, différente de celle qu'il avait éprouvée à la mort de son frère. Un bruit de feuilles écrasées l'arracha à sa triste rêverie. Non loin de lui et de sa monture frémissante, passèrent Ava et sa meute. Le jeune médecin du roi Reccared sourit et, faisant faire demi-tour à son cheval, s'éloigna, tranquille : pour l'enfant des loups, il n'y avait pas de meilleure protection.

Montmorillon, mars 1979
Paris, mars 1981

# PIÈCES JUSTIFICATIVES

## *1*

### LETTRE DES ÉVÊQUES A RADEGONDE

« A LA très bienheureuse dame et fille de l'Eglise dans le Christ Radegonde, Eufronius, Germain, Félix, Domitien, Victor et Domnole, Prétextat, évêques. Les remèdes prévus par la Divinité infinie pour le genre humain sont l'objet de sa sollicitude constante et jamais en aucun lieu ni temps elle ne ralentit l'assiduité de ses bienfaits, car le pieux arbitre des choses dissémine partout sur l'héritage confié à la culture ecclésiastique des personnes qualifiées qui avec une intense activité cultivent son sol, munies du râteau de la foi, et parviennent à obtenir pour la moisson du Christ, grâce au climat divin, un heureux revenu du centuple. La distribution des fruits de sa bienfaisance s'opère en tous lieux de telle manière que jamais il ne refuse ce qu'il reconnaît pouvoir profiter à beaucoup; grâce à l'exemple très saint donné par ces personnes, il aura à couronner de très nombreux hommes lorsqu'il viendra pour juger. C'est pourquoi lorsqu'au début de la religion catholique les premiers germes de la foi vénérable ont commencé à bourgeonner à l'intérieur des Gaules et tandis que les mystères ineffables de la Trinité divine n'y étaient encore parvenus qu'à la connaissance de quelques-uns, le Seigneur, pour ne pas y moins gagner que ce qu'il avait obtenu dans le reste du globe terrestre grâce à la prédication des apôtres, daigna envoyer le bienheureux Martin de race étrangère pour illuminer ce pays comme le lui conseillait sa miséricorde. Bien que celui-ci ne vécût pas au temps des apôtres, il ne fut pas privé cependant de la grâce apostolique. La noblesse (de naissance) qui lui faisait défaut fut suppléée chez lui par son prestige, car une condition inférieure ne diminue en rien celui qui excelle par ses mérites. Nous nous félicitons aussi, très révérende fille, de voir revivre en vous grâce à la propitiation divine un exemple de dilection pour les choses célestes, car au moment où par suite de la fuite du temps le monde vieillit, la foi refleurit grâce aux efforts de votre âme et ce qui tiédissait à cause de la froideur languissante de la sénescence, se réchauffe enfin à l'ardeur d'un cœur fervent. Or comme vous êtes venue presque de la même région que celle dont nous avons appris que le bienheureux Martin est parti pour arriver ici, il n'est pas surprenant qu'on vous voie imiter dans vos œuvres celui que nous croyons avoir été votre guide dans votre route; ainsi c'est celui de qui vous avez suivi les traces que vous prendrez aussi par un choix heureux comme modèle et vous ferez de ce très bienheureux personnage votre compagnon aussi ardemment que vous vous refusez de prendre part à la vie du monde. Grâce au rayonnement lumineux de sa réputation, vous avez fait pénétrer dans les cœurs de celles qui vous écoutaient une lueur céleste, en sorte que touchées indistinctement, les âmes des jeunes filles, enflammées par une étincelle du feu divin, se précipitent avidement pour se rafraîchir dans l'amour du Christ à la source de votre cœur et, abandonnant leurs parents, elles s'attachent de préférence à vous que la grâce sinon la nature a faite leur mère. En voyant ces vœux et ce zèle, nous rendons grâce à la clémence suprême qui a fait que les volontés des êtres humains sont associées à sa propre volonté, car nous sommes convaincus que celles qui par son ordre se sont rassemblées autour de vous, il veut les garder dans ses bras. Or comme nous avons appris que par une faveur de la Divinité plusieurs jeunes filles de notre diocèse sont accourues dans leur désir de participer à l'institution de votre règle, nous avons, de notre côté, examiné la lettre contenant votre demande que nous avions reçue avec joie et sous l'inspiration du Christ, notre guide salutaire, nous confirmons ce qui suit. Bien que toutes celles qui sont réunies pour y demeurer dans l'amour du Seigneur doivent également garder d'une manière inviolable ce à quoi elles se sont une fois pour toutes engagées de leur plein gré, parce qu'il ne sied pas que la foi promise en face du ciel soit violée, car ce n'est pas une faute légère de profaner – chose abominable – le temple de Dieu pour que dans la colère qui s'ensuivra il le détruise, cependant nous précisons expressément que si, comme il est dit, une personne provenant des localités confiées par la Providence du Seigneur à notre gouvernement sacerdotal mérite d'être agrégée à votre monastère dans la cité de Poitiers, il ne lui sera pas permis, selon les constitutions du seigneur Césaire de bonne mémoire, évêque d'Arles, d'en sortir ultérieurement, vu que, comme le contient la règle, elle y sera entrée après en avoir manifesté la volonté, et cela afin que l'infamie honteuse d'une seule ne discrédite pas ce qui pour tous brille comme un honneur. Par conséquent si, ce que Dieu ne veuille, l'une d'elles, excitée par une suggestion de son esprit égaré, veut précipiter sa discipline, sa gloire et sa couronne dans un tel bourbier d'infamie que sur le conseil de l'ennemi, à l'exemple d'Eve chassée du paradis, elle en arrive à sortir par quelque issue du cloître dudit monastère, – que dis-je? du royaume du ciel – pour se vautrer et se faire piétiner dans la vile boue de places publiques, qu'elle soit exclue de notre communion et condamnée à la blessure d'un terrible anathème. En outre, dans le cas où après avoir abandonné le Christ, elle voudrait, le diable la captivant, se marier à un homme, non seulement elle, la fugitive, mais aussi celui qui s'unira à elle, sera considéré comme un ignoble adultère et non comme un mari, et quiconque aura administré, disons le poison plutôt qu'un conseil pour que cela se fasse, sera frappé, en vertu d'un jugement céleste et sur notre demande, d'un châtiment semblable à celui qui sera prononcé contre elle, et cela jusqu'à ce qu'une séparation intervienne et que grâce à une pénitence en rapport avec son crime exécrable elle mérite d'être recueillie de nouveau et réintégrée dans le lieu d'où elle est sortie. Nous ajoutons aussi que les évêques qui nous succéderont à l'avenir seront astreints à infliger une semblable condamnation et s'ils veulent, ce que nous ne croyons pas, relâcher sur quelques points ce que contient notre délibération, ils sauront qu'ils auront à s'excuser auprès de nous au tribunal du Juge éternel, car observer inviolablement ce qui est promis au Christ est une prescription universelle pour le salut. Nous avons cru que ce décret formulant notre décision devait être corroboré par une souscription écrite de notre propre main en vue de son authentification. Il sera respecté perpétuellement par nous sous les auspices du Christ. »

Grégoire de Tours, Livre IX, chapitre 39

*2*

RÉPONSE DES ÉVÊQUES RASSEMBLÉS AUPRÈS DU ROI GONTRAN A L'ÉVÊQUE GONDÉGÉSILE ET AUX ÉVÊQUES AYANT SUSPENDU DE LA COMMUNION LES RELIGIEUSES REBELLES.

Aux seigneurs toujours très chers et très dignes de leur siège apostolique, Gondégésile, Nicaise et Saffarius, les évêques Aetherius, Siacre, Aunachaire, Hesychius, Agricola, Urbicus, Félix, Véran, un autre Félix et Bertrand.

Nous avons reçu la lettre de votre béatitude et autant nous nous sommes réjouis de votre bonne santé dont elle apporte la nouvelle, autant nous avons été étreints d'une tristesse profonde par le récit que vous nous avez fait de l'outrage que vous avez subi en même temps que la règle était violée et qu'aucun égard n'était observé pour la religion. Vous nous avez notifié que les nonnes qui se sont échappées du monastère de Radegonde de bienheureuse mémoire, à l'instigation du diable, n'ont consenti à entendre aucune réprimande de votre part, ni voulu entrer dans la clôture du monastère dont elles étaient sorties, qu'en outre elles ont profané la basilique du seigneur Hilaire en vous maltraitant vous et les vôtres; c'est pourquoi vous les avez privées de la grâce de la communion et vous avez décidé de consulter sur cette question notre médiocrité. Ainsi donc comme nous savons que vous avez parfaitement passé en revue les décrets canoniques et qu'il est contenu dans le texte de la règle que ceux qui sont reconnus coupables de tels excès devront non seulement être condamnés à une excommunication, mais encore à l'accomplissement d'une pénitence, professant pour vous en même temps qu'une respectueuse vénération, une profonde et passionnée affection, nous déclarons que, d'accord avec vous, nous donnons notre consentement à ce que vous avez décidé en attendant que, siégeant ensemble en concile synodal pendant les calendes de novembre, nous devions discuter d'un commun accord comment la témérité de telles personnes pourrait être freinée par une sanction afin que désormais nul ne soit tenté sous l'action de l'orgueil de tomber dans ces excès et de perpétrer de semblables choses.

Cependant, puisque le seigneur Paul apôtre nous exhorte incessamment à corriger à temps et à contretemps tous ceux qui défaillent par une prédication diligente et qu'il affirme hautement que la piété est utile à tout, nous vous suggérons donc de supplier encore par une prière assidue la miséricorde du Seigneur pour que lui-même daigne les animer d'un esprit de pénitence afin qu'elles s'acquittent par une digne réparation de la dette qu'elles ont contractée par leur faute, afin que grâce à votre prédication ces âmes, qui ont en quelque sorte péri, retournent dans leur monastère avec la permission du Christ, afin que celui qui a ramené à la bergerie une brebis égarée en la portant sur ses épaules daigne ainsi se réjouir du retour de ces femmes comme de l'acquisition

d'un troupeau. Nous vous demandons plus spécialement, et nous y comptons, que vous nous accorderez le suffrage de vos prières.
Moi, votre dévoué Aetherius, pécheur, je me permets de vous saluer.
Moi, votre client Hésychius, j'ose vous saluer respectueusement.
Moi qui vous honore, Véran, évêque, je vous salue respectueusement.
Moi, votre serviteur Félix, je me permets de vous saluer.
Moi, votre humble et affectionné Félix, je me permets de vous saluer.
Moi, votre humble et obéissant Bertrand, évêque, je me permets de vous saluer.

Grégoire de Tours, Livre IX, chapitre 41

## *3*

### LETTRE DE RADEGONDE AUX ÉVÊQUES, DITE « TESTAMENT DE RADEGONDE »

A tous les évêques, nos saints seigneurs et pères par le Christ, très dignes de leur siège apostolique, Radegonde pécheresse. Un projet raisonnable tend à obtenir dès le début un effet solide, lorsque son objet est révélé aux oreilles et recommandé au bon sens de l'ensemble des pères, médecins et pasteurs de la bergerie qui leur est confiée, car leur participation pourra procurer des conseils charitables, une aide puissante et une intervention (divine) due à la prière. Ainsi donc comme je me suis détachée jadis des liens de la laïcité pour me tourner volontairement avec la protection et sous l'inspiration de la divine clémence vers la vie religieuse en prenant le Christ comme guide, j'ai songé aussi dans un élan de sympathie de mon esprit au bien des autres et pour qu'avec l'assentiment du Seigneur mes désirs réussissent à servir à ces autres, j'ai établi dans la ville de Poitiers un monastère de filles que l'excellent seigneur roi Clotaire a institué et défrayé et quand il a été fondé je l'ai doté avec tout ce que la munificence royale m'a offert en faisant un acte de donation. En outre, j'ai adopté pour la congrégation réunie par moi avec l'aide de Dieu la règle sous laquelle sainte Césarie a vécu et que la sollicitude du bienheureux Césaire, évêque d'Arles, a composée harmonieusement à l'aide des instructions des saints pères. Avec le consentement des très bienheureux pontifes de cette cité ainsi que les autres (évêques) et aussi à la suite d'une élection faite par notre congrégation, j'ai institué comme abbesse ma dame et sœur Agnès que depuis son jeune âge j'ai affectionnée et élevée comme une fille et je me suis engagée à obéir à ses ordres après Dieu conformément à la règle. Puis selon la prescription apostolique, moi ainsi que nos sœurs, nous lui avons remis, après avoir rédigé des chartes, les biens terrestres que nous possédions, car redoutant le sort d'Ananie et de Saphire, nous ne gardons rien en propre une fois entrées dans le monastère. Mais vu que les heures et les conjonctures de la destinée humaine sont incertaines, car le monde court vers sa fin, et comme certains désirent servir leur propre volonté plus que celle de Dieu, poussée par un zèle divin, je présente dévotement au nom de Dieu cet acte, écrit sous mon inspiration pendant que je suis encore vivante, à la bienfaisance de votre apostolat. Et puisque je ne pouvais être présente, c'est par l'intermédiaire d'une lettre que je me prosterne devant vous comme si je me jetais à vos pieds en vous conjurant par le Père, le Fils et le Saint-Esprit ainsi que par le jour du jugement (dernier) terrifiant pour que le tyran ne nous attaque pas quand vous vous présenterez, mais que celui qui est le roi légitime vous couronne : (j'y demande) que si par hasard après mon décès une personne quelconque, soit un pontife de ce lieu, soit un magistrat de prince, soit quelqu'un autre, ce qui, croyons-nous, ne se fera pas,

tentait de troubler la congrégation par une excitation malveillante ou une poursuite judiciaire, ou bien d'enfreindre la règle, ou bien d'instituer une abbesse autre que ma sœur Agnès, que la bénédiction du très bienheureux Germain a consacrée en présence de ses frères, ou bien si la congrégation elle-même, ce qui ne peut se produire, prétendait la changer à la suite de murmures, ou bien si quelque personne, même pontife du lieu, voulait s'arroger par un nouveau privilège des pouvoirs sur le monastère ou les biens du monastère en dehors de ceux que les évêques précédents ou d'autres ont eus de mon vivant, ou bien si quelqu'une (des religieuses) tentait de sortir d'ici en violation de la règle, ou bien si quelqu'un, prince, pontife, grand ou quelqu'une des sœurs, tentait par une intention sacrilège d'anéantir ou de s'approprier une partie des biens que m'ont apportés le très excellent seigneur Clotaire et les très excellents seigneurs rois ses fils et dont j'ai cédé la possession au monastère en vertu d'une permission contenue dans le précepte dudit Clotaire, cession dont j'ai obtenu la confirmation au moyen de diplômes des très excellents seigneurs rois Charibert, Gontran, Chilpéric et Sigebert qu'accompagnait une prestation de serment et qu'ils ont souscrit de leurs mains, ou des biens de leur patrimoine que pour le remède de leurs âmes les sœurs de ce lieu ont apporté (je demande donc que ces coupables) encourent la sanction de votre sainteté et de celle de vos successeurs, après la sanction de Dieu, pour satisfaire à ma supplication et à la volonté du Christ en sorte qu'ils soient privés de vos bonnes grâces de même que les brigands et les spoliateurs des pauvres et que grâce à votre résistance rien dans notre règle ni dans le patrimoine du monastère ne puisse être diminué ni changé.
Je vous supplie aussi afin que, lorsque Dieu aura voulu que la susdite dame notre sœur Agnès quitte ce monde, on désigne à sa place comme abbesse de notre congrégation celle qui sera agréée par Dieu et par la congrégation elle-même, et cette abbesse, gardienne de la règle, ne

devra relâcher rien des saintes prescriptions, ni rien ruiner par sa volonté ou celle de qui que ce soit. Si, ce qu'à Dieu ne plaise, quelqu'un voulait se dresser contre la volonté de Dieu et l'autorité des rois à propos des dispositions ci-dessus écrites qui vous ont été instamment recommandées devant le seigneur et ses saints, ou porter atteinte à une personne ou à un bien, ou s'il tentait de molester ma sœur précitée l'abbesse Agnès, il devra encourir le jugement de Dieu, de la sainte Croix et de la bienheureuse Marie et il trouvera pour le contredire et le poursuivre les bienheureux confesseurs Hilaire et Martin eux-mêmes à qui j'ai confié après Dieu le soin de défendre mes sœurs.

Toi également, bienheureux pontife et tes successeurs que j'adopte et choisis pour être mes patrons dans la cause de Dieu, n'hésitez pas, si quelqu'un se dresse, ce qu'à Dieu ne plaise, pour tenter quelque machination contre ce monastère, de courir pour repousser et confondre l'ennemi de Dieu, auprès du roi que concernera alors ce lieu ou dans la cité de Poitiers pour une chose qui vous a été confiée devant Dieu et de lutter en qualité d'exécuteurs et de défenseurs de la justice contre l'injustice d'autres hommes afin qu'un roi catholique ne tolère pas qu'un tel crime puisse jamais être commis de son temps et qu'on ne permette pas de mettre en pièces ce qui a été confirmé par la volonté de Dieu, la mienne et celle des rois eux-mêmes.

Je conjure en même temps aussi les princes à qui Dieu aura prescrit de me survivre après mon décès pour gouverner le peuple, au nom du Roi de qui le règne n'aura pas de fin et par la volonté de qui les royaumes subsistent, de ce roi qui leur a donné le pouvoir de vivre et de régner, je les conjure d'assurer sous leur protection et leurs ordres conjointement avec l'abbesse Agnès le gouvernement du monastère que j'ai construit avec la permission et l'aide des seigneurs rois, leur père et leur grand-père et que j'ai organisé conformément à la règle et doté. Qu'aucun d'eux ne permette que personne ne

moleste ni n'inquiète la susdite notre abbesse ni rien de ce qui appartient audit monastère, ni qu'on y fasse aucun dommage ni aucun changement, mais, au contraire, qu'en considération de Dieu d'accord avec les seigneurs évêques et sur la supplication que je leur adresse devant le Rédempteur des nations, ils les fassent défendre et protéger ainsi que je leur recommande, afin qu'ils soient associés perpétuellement au royaume éternel avec le défenseur des pauvres et l'époux des vierges en l'honneur de qui ils protègent les servantes de Dieu.
Je vous conjure encore, vous saints pontifes et très excellents seigneurs rois ainsi que le peuple chrétien tout entier, par la foi catholique dans laquelle vous avez été baptisés et pour laquelle vous conservez les églises, afin que dans la basilique que nous avons commencé d'édifier en l'honneur de sainte Marie, mère du Seigneur, où déjà beaucoup de nos sœurs ont été enterrées pour y reposer, mon corps soit enseveli quand Dieu me prescrira de quitter la lumière de ce monde, que cette basilique soit achevée ou inachevée. Que si quelqu'un prétendait autre chose à cet égard et tentait de le mettre à exécution, qu'il encoure la vengeance divine par l'intercession de la croix du Christ et de la bienheureuse Marie et que grâce à votre intervention je mérite d'obtenir pour ma sépulture une tombe à l'intérieur de la basilique elle-même avec les sœurs de la congrégation.
Que cette supplique que j'ai souscrite de ma main soit conservée dans les archives de l'Eglise universelle, c'est une chose que j'implore avec des larmes dans les yeux pour que, si la nécessité d'agir contre les méchants l'exige, votre miséricorde, pieuse consolatrice, procure l'assistance de votre sollicitude pastorale lorsque ma sœur l'abbesse Agnès et sa congrégation demanderont que vous veniez à leur secours pour les défendre et pour qu'elles ne protestent pas qu'elles ont été abandonnées par moi, elles à qui Dieu a réservé la protection de votre grâce. Je vous remets devant les yeux toutes ces choses au nom de celui qui du haut de la Croix a confié la

glorieuse Vierge, sa mère, au bienheureux apôtre Jean afin qu'ainsi que le mandat du Seigneur ait été accompli par ce dernier, il en soit de même pour celui que moi, indigne et humble, je vous confie à vous mes seigneurs, pères de l'Eglise et hommes apostoliques; en conservant dignement ce dépôt vous participerez aux mérites de celui dont vous remplissez le mandat et vous ferez revivre dignement l'exemple de l'apôtre.

Grégoire de Tours, Livre IX, chapitre 42

*4*

## JUGEMENT PRONONCÉ CONTRE CHROTIELDE ET BASINE

« Aux seigneurs rois très glorieux les évêques qui étaient présents. Avec l'accord de la Providence la religion a très justement confié ses procès aux princes pieux et catholiques, donnés au peuple, auxquels cette région a été concédée, car elle se sent, grâce à la participation du très Saint-Esprit, soutenue et fortifiée par la sentence de ceux qui règnent. Or, comme c'est par ordre de votre souveraineté que nous sommes réunis dans la cité de Poitiers pour les affaires du monastère de Radegonde de sainte mémoire, afin de prendre connaissance du conflit de l'abbesse dudit monastère et des religieuses qui par une décision néfaste sont sorties de cette communauté et qu'en raison de leur discorde, nous avons évoqué les parties et interrogé Chrotielde et Basine en leur demandant pourquoi elles étaient parties si audacieusement en violation de leur règle après avoir enfoncé les portes du monastère et pourquoi à cette occasion la communauté qui y était réunie s'était dispersée. Dans leurs réponses celles-ci déclarèrent qu'elles ne voulaient plus endurer la faim, le dénuement non plus que les mauvais traitements; elles ajoutèrent aussi que divers hommes se baignaient d'une manière incongrue dans leurs bains, que l'abbesse

jouait elle-même aux dés et que des séculiers prenaient leur repas avec elle, qu'on avait même célébré des fiançailles dans le monastère, que l'abbesse aurait eu la témérité de faire avec une nappe d'autel toute de soie des vêtements pour sa nièce, qu'elle aurait enlevé inconsidérément des feuillages d'or qui étaient autour de la nappe et les aurait criminellement attachés au cou de sa nièce; qu'elle avait aussi bien fait à la légère un collier orné d'or pour sa nièce parce qu'on célébrait à l'intérieur de ce monastère les fêtes de la première tonsure de la barbe. Quand ils interrogèrent l'abbesse pour savoir ce qu'elle avait à répondre à ces choses, elle déclara qu'en ce qui concernait la famine dont elles se plaignaient elles n'avaient jamais enduré elles-mêmes une disette excessive, étant donné la pénurie de la saison. Quant aux vêtements elle déclara que si quelqu'un pouvait fouiller leurs petites armoires, il verrait qu'elles en ont plus que ne l'exigent leurs besoins. Quant à la salle de bains qu'on lui reproche, elle exposa qu'elle avait été construite pendant les jours de carême et qu'en raison de l'âcreté de la chaux et pour que la fraîcheur de la nouvelle construction n'incommode pas celles qui se baignaient, la dame Radegonde avait ordonné aux domestiques du monastère de l'utiliser publiquement jusqu'à ce que l'odeur malsaine eût complètement disparu. Elle avait servi à l'usage des domestiques depuis le carême jusqu'à la Pentecôte. A cela Chrotielde répliqua :
« Et dans la suite beaucoup s'y sont baignés également. »
L'abbesse riposta qu'elle ne pouvait confirmer ce que ces femmes prétendaient et qu'elle ignorait si cela s'était fait; mais d'ailleurs, elle leur reprocha de ne pas l'avoir dévoilé à l'abbesse si elles-mêmes l'avaient vu. Quant à la table de jeu, elle répondit que, bien qu'elle ait joué du vivant de dame Radegonde, elle ne se considérait pas comme coupable; elle rappela du reste que cela n'est prohibé ni dans la règle écrite, ni dans les canons. Mais devant l'ordre des évêques, elle promit, en inclinant la

tête pour marquer son repentir, qu'elle accomplirait tout ce qui lui serait commandé. Quant aux repas, elle dit qu'elle n'avait institué aucune nouvelle coutume, mais que, comme on le faisait du temps de dame Radegonde, elle avait offert les eulogies aux fidèles chrétiens, mais qu'on ne pouvait lui reprocher d'avoir jamais pris un repas avec eux. Quant aux fiançailles, elle dit aussi qu'elle avait reçu des arrhes pour sa nièce orpheline en présence de l'évêque, du clergé et des grands, et toutefois elle avoua, que, si c'était un péché, elle en demandait pardon devant tous; mais elle n'avait pas fait alors un banquet dans le monastère. Quant à ce qu'elles prétendaient au sujet de la nappe, l'abbesse produisit comme témoin une religieuse noble qui lui aurait remis à titre de cadeau un voile de pure soie qu'elle avait apporté de chez ses parents et elle en aurait coupé un morceau pour que l'abbesse en fasse ce qu'elle voudrait; quant au reste, elle en ferait le moment venu une belle nappe pour en orner l'autel; c'est avec le morceau qui avait été découpé du voile qu'elle avait décoré de pourpre la tunique de sa nièce; pour le voile, elle dit qu'elle l'avait donné ici pour qu'il serve au monastère. Ces choses, la donatrice Didimia les confirma entièrement. Quant aux feuillages d'or et au collier orné d'or, l'abbesse recourut au témoignage de Maccon votre serviteur qui était présent, car c'est lui qui avait reçu dans sa main vingt sous d'or du fiancé de la jeune fille sa susdite nièce; par conséquent la chose s'est faite publiquement et sans que le patrimoine du monastère y eût été mêlé en rien.

On interrogea Chrotielde ainsi que Basine pour leur demander si par hasard (ce qu'à Dieu ne plaise!) elles estimaient que l'abbesse avait commis quelque adultère, ou bien un homicide ou un sortilège ou encore un autre crime frappé d'une peine capitale. Dans leur réponse elles déclarèrent qu'elles n'avaient rien à dire, sauf à proclamer que cette abbesse avait agi contre la règle pour les causes qu'elles avaient exposées. Finalement – et c'était la conséquence des péchés qu'on avait commis en violant la clôture et en laissant des malheureuses privées de la discipline de leur abbesse faire tout ce qu'elles voulaient pendant l'espace de tant de mois – on nous présenta des nonnes que nous croyions innocentes et qui étaient enceintes. Après avoir discuté méthodiquement de ces choses sans avoir trouvé de crimes que l'on puisse reprocher à l'abbesse, nous lui adressâmes pour ses fautes plus légères des remontrances paternelles, afin qu'elle ne s'expose plus désormais à un blâme en les commettant de nouveau.

Nous avons ensuite étudié la cause des parties adverses qui ont commis des crimes plus graves; en effet, elles ont dédaigné l'injonction que leur a faite leur évêque à l'intérieur du monastère de ne pas s'évader au-dehors; puis après l'avoir foulé aux pieds, abandonné dans le monastère avec le plus profond mépris et ridiculisé, elles ont brisé serrures et portes, sont parties et ont entraîné d'autres nonnes dans leur péché. En outre, quand l'évêque Gondégésile et ses comprovinciaux, appelés pour ledit procès, se sont rendus à Poitiers en vertu d'un précepte des rois et les ont convoquées au monastère pour l'audience, elles ont dédaigné la signification; puis alors que lesdits pontifes réunis se rendaient à la basilique du bienheureux confesseur Hilaire, où ces femmes demeuraient, ainsi qu'il convenait à la sollicitude de ces pasteurs, et tandis qu'elles en avaient été averties, elles ont provoqué une sédition, infligé des coups de bâton tant aux pontifes qu'aux domestiques et répandu le sang des lévites à l'intérieur de la basilique. Ensuite au moment où par ordre des seigneurs princes le prêtre Theuthaire, homme vénérable, venait d'être envoyé pour ce procès et où on avait décidé quand le jugement aurait lieu, elles, sans attendre cette date ont envahi, de la manière la plus séditieuse, le monastère; le feu a été mis à des tonneaux dans les communs, des portes ont été brisées à coups de barres et de haches, un incendie a été allumé, des religieuses ont été maltraitées et blessées à l'intérieur de l'enclos et dans leurs oratoires eux-mêmes, le monastère a été pillé, l'abbesse a été déshabillée et tirée par les cheveux; on l'a ridiculisée gravement en la traînant à travers des carrefours et elle a été enfermée dans un cachot où, bien qu'elle n'ait pas été attachée, elle n'était pas libre. Lorsqu'est arrivé le jour de Pâques qui est fêté dans ce monde, le pontife offrit une rançon pour la condamnée afin qu'elle pût au moins assister aux cérémonies du baptême; or en dépit de son exhortation, la voix des suppliants n'a rien obtenu et Chrotielde a répondu qu'elle n'avait rien su d'un tel forfait, ni rien ordonné à cet égard. Chrotielde a même affirmé que c'était grâce à son intervention qu'on avait obtenu que l'abbesse ne fût pas tuée par les siens, d'où il apparaît avec certitude qu'il en a été question. Une chose qu'il est permis de conclure de ces faits et qui contribue à leur donner de la cruauté, c'est qu'elles ont tué près du tombeau de la bienheureuse Radegonde un serviteur de leur monastère qui fuyait et que dans la bagarre qui grandissait elles n'ont nullement cherché à assainir la situation; puis ensuite elles ont pénétré dans le monastère pour s'en emparer pour elles-mêmes et refusant d'obtempérer à l'ordre que donnaient les princes de faire comparaître les séditieux devant le tribunal public, elles ont préféré contrairement aux préceptes des rois prendre les armes et se soulever indignement avec des flèches et des lances contre le comte et le peuple. Puis là-dessus elles sont sorties pour se rendre à l'audience publique en subtilisant en cachette la sainte Croix très sacrée et cela sans droit, d'une manière indécente et furtivement; dans la suite elles ont été obligées de la restituer dans l'église.

Comme tous ces crimes capitaux avaient été reconnus, mais comme loin d'être réprimés ils se multipliaient constamment, nous signifiâmes à ces femmes qu'elles devaient demander pardon à l'abbesse pour leur faute et réparer tout le mal qui avait été commis; elles refusèrent de le faire, mais insistèrent pour proposer de la tuer comme elles s'en étaient déjà targuées publiquement.

Ayant donc consulté et passé en revue les canons, il nous a paru très équitable de les priver de la communion jusqu'à ce qu'elles aient accompli une pénitence convenable et de rétablir l'abbesse à demeure dans sa fonction. Nous conformant à votre ordre, nous suggérons l'adoption de ces mesures qui sont de la compétence de l'autorité ecclésiastique, après avoir examiné les canons et en dehors de toute considération de personne. En outre, en ce qui concerne le mobilier du monastère et les actes et chartes des seigneurs rois vos parents qui y ont été dérobés et qu'elles ont avoué garder en leur possession, mais que ces femmes, sourdes à nos ordres, ne nous rendront jamais volontairement, il appartient à votre piété et à votre souveraineté de les contraindre en vertu de votre autorité royale à les restituer en vue de la restauration de l'établissement afin que se perpétue votre récompense éternelle et celle des princes précédents, et de ne pas tolérer qu'elles reviennent, ni de permettre qu'elles aspirent à nouveau à rentrer dans ce lieu qu'elles ont saccagé d'une manière si impie et tellement sacrilège et cela dans la crainte que des faits pires ne se produisent. De cette façon, les choses étant rétablies grâce à Dieu à la faveur des rois catholiques, la religion ne perdra rien, le maintien de la règle établie tant par les Pères que par les canons nous profitera pour le culte et vous en récolterez les fruits. Que le Christ Notre-Seigneur vous soutienne et vous dirige; qu'il prolonge votre règne et vous confère la vie bienheureuse. »

Grégoire de Tours, Livre X, chapitre 16.

## LISTE DES PERSONNAGES FICTIFS OU RÉELS CITÉS DANS CE LIVRE

*Tous les personnages suivis d'un astérisque sont fictifs.*

AETHERIUS. Evêque de Lyon.
AGNÈS. Abbesse de Sainte-Croix.
AGRICIUS. Evêque de Troyes.
AGRICOLA. Evêque de Nevers.
ALBIN. Frère de Romulf. Médecin du roi Reccared.*
ALBOFLÈDE. Religieuse.*
ALCHIMA. Concubine du roi Childebert.
ALCIME. Religieuse.*
ANIMODUS. Vicaire. Lieutenant du comte de Tours.
ANSOALD. Brigand. Compagnon de Vanda.*
ANSOVALD. Palatin.*
ASIA. Nourrice et servante de Vanda.*
APTACHAIRE. Roi des Lombards.
ATTILA. Roi des Huns.
AUDOVÈRE. Première femme du roi Chilpéric et mère de Basine.
AUNACHAIRE. Evêque d'Auxerre.

BADÉGÉSILE. Evêque du Mans.
BASINE. Fille du roi Chilpéric.
BAUDOVINIE. Religieuse et biographe de sainte Radegonde.
BEGGA. Religieuse. Médecin.*
BÉLISAIRE. Général byzantin.
BEPPOLÈNE. Duc.

BERTHAIRE. Roi de Thuringe. Père de Radegonde.
BERTHE. Religieuse.*
BERTHEGONDE. Fille de la religieuse Ingitrude.
BERTRAND. Evêque du Mans.
BERTRAND. Evêque de Bordeaux. Fils de la religieuse Ingitrude.
BOBON. Duc.
BREGIDE. Novice.*
BRUNEHAUT. Fille d'Athanagilde roi des Visigoths. Femme du roi Sigebert puis de Mérovée, fils du roi Chilpéric.

CARIBERT. Roi de Neustrie. Frère du roi Chilpéric. Père de Chrotielde.
CHARIULF. Brigand. Compagnon de Vanda.*
CHILDEBERT. Roi d'Austrasie. Fils de Sigebert et de Brunehaut.
CHILPÉRIC Ier. Roi de Neustrie. Successivement époux d'Audovère, de Galswinthe et de Frédégonde. Père de Basine.
CHROTIELDE. Religieuse. Fille naturelle du roi Caribert.
CHULDÉRIC LE SAXON. Brigand.
CHUPPA. Connétable du roi Chilpéric.
CLAUDE. Emissaire du roi Gontran.
CLODOBERT. Fils du roi Chilpéric et de Frédégonde.
CLOTAIRE Ier. Roi des Francs. Epoux de Radegonde.
CLOTILDE. Religieuse.*
CLOVIS. Fils du roi Chilpéric et d'Audovère.
CONSTANTINE. Religieuse.*
CRÉPIN (saint) Martyr.
CRÉPINIEN (saint) Martyr.

DENGIZIKH. Fils d'Attila.
DEUTERIE. Religieuse.*
DIDIER. Duc.
DIDIER. Diacre de Siacre, évêque d'Autun.
DIDIMA. Religieuse.*

DISCIOLA. Religieuse.*
DOMOLENUS. Agent du fisc.

EBERÉGISÈLE. Evêque de Cologne.
ÉBERULF. Chambrier du roi Chilpéric.
ÉDOBEC. Brigand.*

FAILEUBE. Epouse du roi Childebert.
FAMEROLPHE. Religieuse.*
FÉLIX. Evêque de Belley.
FÉLIX. Evêque de Nantes.
FLAVIE. Religieuse.*
FLAVIEN. Palatin.
FLORENTIEN. Maire du palais de Brunehaut.
FRÉDÉGONDE. Femme du roi Chilpéric.

GALSWINTHE. Sœur de Brunehaut et femme du roi Chilpéric.
GENEVIÈVE. Religieuse.*
GÉNOBAUDE. Brigand.
GERMAIN. Evêque de Paris.
GLODOSINDE. Religieuse.*
GONDEBERGE. Religieuse.*
GONDÉGÉSILE. Evêque de Bordeaux.
GONTRAN. Roi de Bourgogne. Fils de Clotaire Ier.
GRÉGOIRE. Evêque de Tours.
GUNTHARIC. Brigand.*

HELSUINTHE. Religieuse.*
HESYCHIUS. Evêque de Grenoble.
HILAIRE (saint). Evêque de Poitiers.
HILDEGARDE. Religieuse.*
HUNIRIC. Brigand.*

INGEBURGE. Religieuse.*
INGITRUDE. Religieuse. Parente du roi Gontran.
INGONDE. Novice.*
ITTA. Religieuse.*

JULIEN. Brigand. Compagnon de Vanda.*
JUNIEN (saint). Ami de Radegonde.
JUSTIN. Empereur d'Orient.
JUSTINE. Prieure. Nièce de Grégoire de Tours.
JUSTINIEN. Empereur d'Orient.

KINIALKH. Chef des Koutrigours.

LEUBOVÈRE. Abbesse.
LEUDOVALD. Evêque de Bayeux.
LEUDOVALD. Riche marchand de Poitiers.*
LIUVIGILD. Roi des Goths d'Espagne.
LUDOVINE. Esclave. Servante de Vanda.*

MACCON. Comte de Poitiers.
MAGNATRUDE. Fille de Badégésile évêque du Mans.
MARCOFÈVE. Servante. Mère de Chrotielde.
MARCONÈFE. Religieuse.*
MARILEIF. Médecin du roi Chilpéric.
MAROVÉE. Evêque de Poitiers.
MARTIAL. Compagnon du roi Childebert.*
MARTIN (saint). Evêque de Tours.
MAURICE. Empereur d'Orient.
MÉDARD (saint). Evêque de Noyon.
MELAINE. Evêque.
MÉLANIE. Religieuse.*
MÉROVÉE. Fils du roi Chilpéric et d'Audovère. Epoux de Brunehaut.

NANTHILDE. Religieuse.*
NEHALENNIA. Femme gauloise.*
NICAISE. Evêque d'Angoulême.

ONOUAVA. Gauloise. Grand-mère de Romulf et d'Albin.*

PÉLAGIE. Religieuse.*
PLACIDIA. Pythonisse.*

PLACIDINIE. Religieuse.*
PLACIDIE. Esclave de Radegonde.*
PLECTRUDE. Religieuse.*
POLYEUCTE. Chef de brigand.*

RADEGONDE, Reine des Francs.
RAGNACAIRE. Intendant.
RECCARED. Roi des Goths d'Espagne. Fils du roi Liuvigild.
RÉOVALD. Médecin.
ROGNEMOD. Evêque.
ROMULF. Gaulois. Père adoptif de Vanda.*

SAFFARIUS. Evêque de Périgueux.
SALVI. Evêque d'Albi.
SAMO. Bandit.*
SAROS. Roi des Alains.
SARUC. Bandit.*
SENOCH. Bandit. Compagnon de Vanda.*
SIACRE. Evêque d'Autun.
SIGEBERT. Roi d'Austrasie. Fils de Clotaire. Epoux de Brunehaut.
SOPHIE. Impératrice d'Orient.
SUZANNE. Religieuse.*

THEUDOGILDE. Religieuse.*
THEUTHAIRE. Prêtre. Envoyé du roi Childebert.
THIERRY. Fils du roi Chilpéric et de Frédégonde.
TRANQUILLE. Esclave.*

ULTROGOTHE. Religieuse.*
URBAIN. Etudiant. Compagnon de Vanda.*
URBICUS. Evêque de Riez.
URION. Compagnon de Vanda.*
URSUS. Esclave de Romulf.*

VANDA. Fille adoptive de la reine Radegonde et du Gaulois Romulf.*

VÉNÉRANDE. Recluse.*
VERAN. Evêque de Cavaillon.
VIDASTE. Soldat.*
VISIGARDE. Esclave.*

WÉROC. Boucher.*

ZAMERGAN ou ZABERGAN. Roi des Koutrigours.

# BIBLIOGRAPHIE

## *SOURCES ORIGINALES :*

Grégoire de TOURS, *Histoire des Francs, Paris, Les Belles Lettres,* 1965.

Grégoire de TOURS, *Le livre des miracles,* Paris, Jules Renouard, 1857.

FRÉDÉGAIRE, *Chronique, Paris, Didier et Cie,* 1874.

### HISTOIRE ECCLÉSIASTIQUE :

Jean CHELINI, *Histoire religieuse de l'Occident médiéval,* Paris, Armand Colin, 1968.

Monseigneur Paul GUÉRIN, *La vie des saints,* Bar-le-Duc, Louis Guérin, 1873.

Louise COUDANNE, *Baudovine, moniale de Sainte-Croix et biographe de Radegonde,* Paris, Picard, Etudes mérovingiennes, 1953.

CHATEAUBRIAND, *Les Martyrs,* ou le triomphe de la religion chrétienne, Paris, Le Normand, 1809. *Règles monastiques d'Occident IV^e^-VI^e^ siècle,* Vie monastique n^o^ 9.

Don CHAMBARD : *Histoire ecclésiastique du Poitou.*

Charles de CHERGE : *La vie des Saints du Poitou,* Poitiers, Dupré, 1886.

Charles de CHERGE, *Histoire des congrégations religieuses d'origine poitevine,* Poitiers, Dupré, 1856.

HISTOIRE DU POITOU :

Gaston DEZ : *Histoire de Poitiers,* Poitiers, Société des Antiquaires de l'Ouest, 1969.
Pierre BOISSONNADE : *Histoire du Poitou,* Paris, Vieilles Provinces de France, 1941.
René CROZET : *Histoire du Poitou,* Paris, Presses universitaires, 1946.
Georges BORDONOVE, *Histoire du Poitou,* Paris, Hachette, 1973.
May VIEILLARD-TROIEKOUROFF, *Les monuments religieux de Poitiers d'après Grégoire de Tours,* Paris, Picard, Etudes mérovingiennes, 1953.
Marcel GARAUD, *Les classes sociales dans la cité de Poitiers à l'époque mérovingienne,* Paris, Picard.

HISTOIRE DE FRANCE :

Mœt de FORTE MAISON, *Les Francs, leur origine et leur histoire,* Paris, 1868.
Camille JULLIAN, *L'invasion germanique et la fin de l'empire,* Paris, Hachette, 1924.
Ferdinand LOT, *Naissance de la France,* Paris, Fayard, 1970.
Ferdinand LOT, *La fin du monde antique et le début du moyen âge,* Paris, Albin Michel, 1968.
Fustel DE COULANGES, *Histoire des institutions politiques de l'ancienne France,* Paris, Hachette, 1922.
Victor DURUY, *Histoire de l'Europe et particulièrement de la France de 395 à 1270,* Paris, Hachette, 1828.
Victor DURUY, *Histoire de France,* Paris, Hachette, 1862.
Georges DUBY et Armand WALLON, *Histoire de la France rurale,* tome I, Paris, le Seuil, 1975.
Georges DUBY, *Histoire de la France urbaine,* tome I, Paris, le Seuil, 1980.
Jules MICHELET, *Histoire de France.*

Jules ROSTAING, *Histoire de France,* Paris, Delarue.
Jules PINARD, *Histoire du moyen âge,* Paris, l'Echo de la Sorbonne.
Augustin THIERRY, *Dix ans d'études historiques,* Paris, Just Tessier, 1839.
Émile THÉVENOT, *Histoire des Gaulois,* Paris, Presses universitaires, 1946.
J.F. LEMARIGNIER, *La France médiévale, institution et société,* Paris, Armand Colin, 1970.
Gabriel FOURNIER, *L'Occident fin du Ve – fin du IXe siècle,* Paris, Armand Colin, 1970.
Charles KUNSTLER, *Rois, empereurs et présidents de la France,* Paris, Hachette, 1960.

ÉPOQUE MÉROVINGIENNE :

Augustin THIERRY, *Récits des temps mérovingiens,* Paris, Garnier, 1883.
Fustel de COULANGES, *Les origines du système féodal, le bénéfice et le Patronat pendant l'époque mérovingienne,* Paris, Hachette, 1921.
Gabriel FOURNIER, *Les Mérovingiens,* Paris, Presses universitaires, 1966.
Édouard SALIN, *La civilisation mérovingienne d'après les sépultures, les textes et le laboratoire,* Paris, Picard, 1959.
Charles LELONG : *La vie quotidienne en Gaule à l'époque mérovingienne,* Paris, Hachette, 1965.
J.M. LEHUEROU, *Histoire des institutions mérovingiennes et du gouvernement des Mérovingiens jusqu'à l'édit de 615,* Paris, Joubert, 1842.
Godefroi KURTH, *Histoire poétique des Mérovingiens,* Paris, Picard, 1893.

RADEGONDE :

Fortunat, *Vie de sainte Radegonde, Reine de France,* Paris, Bloud, 1910.

Charles NISARD, *Les rapports d'intimité entre Fortunat, sainte Radegonde et l'abbesse Agnès,* Paris, Imprimerie Nationale, 1889.

Édouard de FLEURY, *Histoire de sainte Radegonde, Reine de France au VIe siècle et Patronne de Poitiers,* Poitiers, Henri Oudin, 1847.

Jacques NANTEUIL, *Sainte Radegonde, princesse barbare et reine de France,* Paris, Bloud et Gay, 1938.

Mathilde ALANIC, *Sainte Radegonde,* Paris, Flammarion, 1930.

B.D. : *Sainte Radegonde,* Poitiers, Le Picton, n[os] 4 et 5, 1977.

Paul GUYONNEAU, *Radegonde de Poitiers,* Poitiers, 1978.

Gabrielle Basset d'AURIAC, *La très belle histoire de sainte Radegonde, reine des Francs,* Marseille, Publiroc, 1924.

Chanoine Etienne DELARUELLE, *Sainte Radegonde, son type de sainteté et la chrétienté de son temps,* Paris, Picard.

FORTUNAT :

Charles NISARD, *Le poète Fortunat,* Paris, Champion, 1890.

Dom. L. LAPORTE, *Le royaume de Paris dans l'œuvre hagiographique de Fortunat,* Paris, Picard, Etudes mérovingiennes, 1953.

René-Adrien MEUNIER, *L'intérêt politique de la correspondance de saint Fortunat,* Paris, Picard.

Abbé D. TARDI, *Fortunat, étude sur un des derniers représentants de la poésie latine dans la Gaule mérovingienne,* Paris, Boivin et Cie, 1929.

Abbé D. LEROUX, *Le poète saint Fortunat,* Paris-Poitiers, Oudin, 1885.
Hubert le ROUX, *Saint-Fortunat,* Poitiers, le Picton n° 8, 1978.
Alfred CORDOLIANI, *Fortunat, l'Irlande et les Irlandais,* Paris, Picard, Etudes mérovingiennes, 1953.

LA FEMME :

Paul ROUSSELOT, *Histoire de l'éducation des femmes en France,* Paris, Didier et Cie, 1883.
Madame de RENNEVILLE, *Biographie des femmes illustres,* de Rome, de la Grèce et du Bas-Empire, Paris, Parmantier, 1825.
Par une société de gens de lettres, *biographie universelle des femmes célèbres, mortes ou vivantes,* Paris, Lebigre, 1830.
Régine PERNOUD, *La femme au temps des cathédrales,* Paris, Stock, 1980.

LE COSTUME :

F. HOTTENROTH, *Le costume chez les peuples français anciens et modernes,* Paris Guérinet.
Michèle BEAULIEU, *Le costume antique et médiéval,* Paris, Presses Universitaires, 1957.
Georges G. KOUDOUZE, *Le costume français,* Paris, Larousse, 1945.

DIVERS :

Maurice HELIN, *La littérature latine au Moyen Age,* Paris, Presses universitaires, 1972.
Rémy de GOURMONT, *Le latin mystique,* Paris, 1913.

Paul FÉVAL, *Les tribunaux secrets,* Paris, Eugène et Victor Penaud, 1841.

Abbé Jean LESTOCQUOT, *Epices, médecines et abbayes,* Paris, Picard.

Jean CASSOU, *Frédégonde,* Paris, Trémois, 1928.

Jacques HEERS, *Le travail au moyen âge,* Paris, Presses universitaires, 1965.

M. V. LEVTCHENKO, *Byzance des origines à 1453,* Paris, Payot, 1949.

Eugène SUE, *Les mystères du peuple, ou Histoire d'une famille de prolétaires à travers les âges,* Paris, l'Administration de la Librairie, 1850.

Pierre DOCKES, *Révoltes bagaudes et ensauvagement,* Presses universitaires de Lyon, mars, 1980, nº 19.

LA JACQUERIE précédée des Insurrections des Bagaudes et des pastoureaux (270–1858), Paris, Hachette, 1853.

RACHILDE : *Le meneur de Louves,* Paris.

Alexandre MAZAS, *Carnet historique et chronologique pour servir à l'étude de l'histoire de France, d'Allemagne et des papes,* Paris, J.G. Dentu, 1820.

Louis HAMBIS, *Attila et les Huns,* Paris, Presses Universitaires, 1972.

# TABLE

## DU MÊME AUTEUR

*Chez Jean-Jacques Pauvert :*

O M'A DIT, entretiens avec l'auteur d'HISTOIRE D'O.

*Aux éditions Fayard :*

BLANCHE ET LUCIE, roman.
LE CAHIER VOLÉ, roman.
CONTES PERVERS, nouvelles.
LES ENFANTS DE BLANCHE, roman.

*Aux éditions Jean Goujon :*

LOLA ET QUELQUES AUTRES, nouvelles.

*Aux éditions du Cherche-Midi :*

LES CENT PLUS BEAUX CRIS DE FEMMES.

*Aux éditions Ramsay :*

LA BICYCLETTE BLEUE, roman.

*Aux éditions Garnier-Pauvert :*

LÉA AU PAYS DES DRAGONS, Conte pour enfants.
*(Dessins de l'auteur).*

*En préparation :*

JOURNAL D'UN ÉDITEUR.
L'ANNEAU D'ATTILA, roman historique,
suite du cycle de L'ENFANT DES LOUPS.

IMPRIMÉ EN FRANCE PAR BRODARD ET TAUPIN
Usine de La Flèche (Sarthe).
LIBRAIRIE GÉNÉRALE FRANÇAISE - 6, rue Pierre-Sarrazin - 75006 Paris.
ISBN : 2 - 253 - 03167 - 4

# Biblio / Essais

Parmi les titres parus

**Jacques ATTALI**
Histoires du temps
Les Trois Mondes

**Cornélius CASTORIADIS**
Devant la guerre

**Catherine CLÉMENT**
Vies et légendes
de Jacques Lacan

**Régis DEBRAY**
Le Scribe

**Jean-Toussaint DESANTI**
Un destin philosophique,
*ou les pièges de la croyance*

**Laurent DISPOT**
La Machine à terreur

**Lucien FEBVRE**
Au cœur religieux
du XVI^e siècle

**Elisabeth de FONTENAY**
Diderot ou le matérialisme
enchanté

**René GIRARD**
Des choses cachées depuis
la fondation du monde
Critique dans un souterrain
Le Bouc émissaire

**André GLUCKSMANN**
Le Discours de la guerre,
*précédé d'*Europe 2004
La Force du vertige

**Roland JACCARD**
*(sous la direction de)*
Histoire de la psychanalyse
(I et II)

**Claude LEFORT**
L'Invention démocratique

**Emmanuel LEVINAS**
Éthique et Infini
Difficile Liberté

**Bernard-Henri LÉVY**
Les Indes rouges, *précédé*
*d'une préface inédite*

**Anne MARTIN-FUGIER**
La Place des bonnes - *La domesticité féminine en 1900*

**Edgar MORIN**
La Métamorphose de Plozevet, *Commune en France*
L'Esprit du temps

**Ernest RENAN**
Marc Aurèle et la fin du monde antique

**Marthe ROBERT**
En haine du roman
La Vérité littéraire
Livre de lectures

**Michel SERRES**
Esthétiques sur Carpaccio

**Alexandre ZINOVIEV**
Le Communisme comme réalité

30/5748/6